Андрей КОНСТАНТИНОВ

АГЕНТСТВО «ЗОЛОТАЯ ПУЛЯ»-2

Санкт-Петербург
«Издательский Дом "Нева"»
Москва
Издательство «ОЛМА-ПРЕСС»
2001

ББК 84.(2Рос-Рус)6
К 65

СПИСОК

СОТРУДНИКОВ, ПРИНИМАВШИХ УЧАСТИЕ В РАБОТЕ НАД ПРОЕКТОМ «ЗОЛОТАЯ ПУЛЯ»-2

Андрей КОНСТАНТИНОВ и Агентство журналистских расследований

Максим Максимов, Сергей Балуев (ответственные редакторы проекта), Владимир Дудченко, Анна Егорова, Елена Летенкова, Александр Новиков, Марина Ольховская, Александр Пронин, Александр Самойлов, Никита Федоров, а также Александр Горшков, Андрей Потапенко, Евгений Вышенков, Яна Корзинина, Лариса Антипова, Оксана Петрова, Елена Гусаренко и Роман Лебедев.

Отдельное спасибо — всем прототипам вымышленных героев!

Константинов А.

К 65   Агентство «Золотая пуля»-2: Почти невыдуманные истории. — СПб.: Издательский Дом «Нева»; М.: ОЛМА-ПРЕСС, 2001. — 447 с. — (Агентство «Золотая пуля»).

ISBN 5-7654-1081-2
ISBN 5-224-01804-8

ББК 84.(2Рос-Рус)6

По душам, так сказать... Хотя и не особо верится: контейнер с ураном?! Но все же верится. Земля наша обильна. Особенно на воров, героев и дураков... Интересно, сколько может стоить контейнер с ураном? И что это, собственно говоря, такое? Сколько там этого самого ура...

— Але, — отозвался Докер. Голос у него был хриплым.

— Здравствуй, Слава. Как головушка? Не болит?

— А-а... это ты, Андрюха? Болит, падла... чтоб ей треснуть!

— Я, товарищ Докер, я. Ты ее, головенку-то, отечественным препаратом «опохмелин».

— Думаешь? — с сомнением спросил Докер.

С сомнением, но и с интересом. Видимо, Слава уже и сам склонялся к мысли про «опохмелин», но колебался... А тут вдруг получил чью-то «моральную поддержку».

— Думаешь? — спросил Слава.

— Мне-то что думать? Это тебе думать надо, у тебя голова болит.

Докер промычал что-то нечленораздельное. Видимо, ему действительно было худо, квасил Слава последнее время не слабо, что, кстати, для людей его круга было не очень характерно... нет, всякое, конечно, бывает. Встречаются среди братвы и пьющие, и любители травы, и кокаина. Но нечасто. Образ жизни, необходимость быстро соображать и принимать ответственные решения подталкивают к трезвости. Это с одной стороны. А с другой — стресс, дефицит времени и страх. Отсюда — водка.

— Я ведь, собственно, не про «опохмелин» хочу поговорить с тобой, Слава.

— А... про что? — спросил Докер. Соображал он туговато. А может быть, и не помнил вчерашнего разговора у входа в «Европу».

— Про уран, Слава, — сказал я.

— Про какой это уран?

— Про обогащенный, — сказал я жестко.

В трубке стало очень тихо.

* * *

По стеклу кафе бежали потоки воды. И по тротуару бежали потоки воды. Они несли мусор и комки тополиного пуха. Под дождем облачка пуха мгновенно съеживались, превращались в серое нечто и исчезали, как мираж.

Черный БМВ Славы Докера, сверкающий в водяных брызгах, остановился, почти въехав в зад моей «нивы». Остановилась огромная метла дворника, погасли фары. Из салона неуклюже вылез огромный Докер. Когда-то Слава домкратил*, потом, с началом перестройки, работал в порту, примкнул к братве. Теперь Слава — о-го-го! Его группировка входит в десятку ведущих питерских команд. И этот БМВ у него не один... Растут люди! Освоили «новое мышление» и — вперед!

Докер вошел в дверь. Огромный, небритый, опухший. С сотовым телефоном. С перегаром. С золотой цепурой на мощной шее. Картинка!

— Здорово, Андрюха.

— Здравствуйте, товарищ Докер. Как ваше бандитское здоровье?

— А-а... либо сейчас врежу сто капель, либо помру. Эй, дочка!

Подошла официантка. Молодая, стройная, смазливая, почти без юбки.

— Добрый день. Слушаю вас.

— Вот что, дочка... Водочки мне сотку и минералки. Поняла?

— Д-да... одну минуту.

Официантка убежала. Фактура, как сказал бы оператор Худокормова Володя, у Докера была впечатляющей: монстр. Человека пополам руками разорвет. Уж голову-то, по крайней мере, открутит без натуги.

---

* Занимался тяжелой атлетикой.

— Может, не стоит пить-то? — спросил я.

Слава положил на стол два огромных кулака, глянул на меня мутными глазами. На лбу блестели капли пота... Ничего не ответил.

Подошла официантка, принесла фужер с водкой, второй фужер и бутылку воды. Фужер слегка запотел. Докер смотрел на него с вожделением и страхом.

— Пожалуйста, ваша водка...

— Спасибо, дочка. Умница.

Слава проглотил водку, мученически сморщился. Смотреть на него было больно. За окном хлестал ливень, текли мимо разноцветные зонты, проезжающие машины обдавали «ниву» и БМВ потоками воды. Из-за соседнего столика на Докера изумленно и испуганно смотрели двое молодых итальянцев.

Докер поставил фужер на стол, шумно выдохнул, сказал:

— Ну?

— Мы вчера недоговорили, Слава. Помнишь, у входа в «Европу»?

— Смутно... я был немножко... того.

— Правда? — спросил я как можно более невинно. — А я и не заметил.

Докер посмотрел на меня как на проститутку Троцкого, хмыкнул.

— Что я вчера наболтал? — спросил он.

— Вчера, Вячеслав Георгиевич, ты обещал мне эксклюзив про урановый контейнер стоимостью 1 000 000 долларов... Аль забыл?

— Ерунда все это, Андрюха... треп по пьяне, — ответил Докер и отвел взгляд.

Но я-то еще вчера понял, что не похоже на треп. Пьяный Слава обхватил меня мощной дланью и жарко шептал в ухо: «Андрюха, только тебе, понял? Андрюха, баш на баш... твои орлы надыбали, что я организовал производство бабского белья, но не написали. Спасибо... спасибо, что не опозорили.. а я только тебе за это — эксклюзив. Один конь по городу носится, всем уран предлагает. Контейнер! Хочет зеленый лимон».

— Постой-ка, Слава, — сказал тогда я, — контейнер урана — это несерьезно.

— Серьезно, Андрюха... вот как раз это — серьезно.

А сейчас Докер отводил взгляд в сторону и лепил мне: треп по пьяне.

— Вчера, Слава, ты мне другое говорил, — скучно произнес я.

— Закурить дай, — сказал Докер.

Курил он редко — только когда выпьет. Я протянул сигареты. Слава вытащил одну, чиркнул спичкой из предусмотрительно положенного на столик фирменного коробка, затянулся. В глазах его появился блеск, лицо начало менять выражение. О, великая сила опохмелки!

— Не помню, чего натрепал, — повторил он.

— Давай я напомню. Ты горячо и искренне благодарил за то, что мои расследователи не дали в нашу «Явку с повинной» материал про твое производство дамского белья. Говорил, что долг платежом красен, что ты такой человек: дал слово — скала! И информацию про уран отдашь только мне. Иначе, дескать, ты будешь последней проституткой, и тогда уж печатайте про меня что хотите... Вот какой я человек!

Докер крякнул, раздавил сигарету в пепельнице и повертел головой по сторонам.

— Эй, дочка!

Подошла официантка.

— Повторить, — сказал Слава.

Ливень за окном стих.

* * *

Окно кабинета начальника службы БТ выходило во двор Большого дома. Кабинет был довольно просторным, но темноватым, неуютным, старомодным. Ни один чиновник десятого класса из таможни в таком сидеть бы не стал. А «комитетский» полковник, начальник мощной и важной службы, обеспечивающей безопасность города и огромной области — сидел и работал.

В ФСБ я позвонил уже под вечер, после того как раз пять (или двадцать пять) «прокрутил» в голове информацию Славы Докера.

— То, что вы сейчас рассказали, Андрей Викторович, более чем серьезно, — сказал полковник Костин.

— Именно потому я пришел к вам, Игорь Иваныч.

· — Спасибо... спасибо, но ваша информация не содержит никакой конкретики. Зацепиться-то нам не за что. Вы понимаете?

Полковник сказал и выжидающе посмотрел на меня.

— Да, разумеется, понимаю.

— Не хотите раскрыть нам источник?

— А вы, Игорь Иваныч, свою агентуру раскрываете?

Полковник улыбнулся. Хорошая у него улыбка.

Я тоже улыбнулся:

— Ну вот видите... я тоже не имею права раскрывать своих агентов.

— Тогда, Андрей Викторович, я не совсем понял цель вашего визита. Вы приходите, рассказываете, что в городе появился человек, который пытается продать контейнер с обогащенным ураном... что он предпринял уже несколько неудачных попыток. Называете даже конкретную сумму. Но это все! Разумеется, даже такую скудную информацию мы будем проверять... обязательно будем. Однако если бы вы дали нам чуть-чуть больше... совсем чуть-чуть... нам было бы много легче.

Костин внимательно посмотрел на меня, сказал:

— Я не понимаю вас, Андрей Викторович.

— Хорошо, — ответил я, — попробую объяснить, Игорь Иваныч. К вам я пришел потому, что ваши возможности на порядок выше моих...

— Как минимум на два порядка выше, Андрей Викторович, — перебил с улыбкой полковник. — Извините за прямоту.

— Да, вероятно, это так, — согласился я. — Именно поэтому я у вас. И я могу дать дополнительную информацию. Например, где завтра должна состояться встреча продавца с потенциальным покупателем. Но при одном условии.

— При каком же? — спросил полковник. Голос звучал спокойно, буднично, незаинтересованно. Как будто мы говорим о поимке какого-нибудь черного следопыта с ржавым наганом... Силен полковник!

— Вы включаете в операцию меня, — нахально сказал я.

— Как вы себе это представляете? В каком качестве?

— В качестве журналиста-расследователя, Игорь Иваныч. А как именно это будет выглядеть, мы обсудим в рабочем порядке. Даю слово офицера, что в ваши секреты нос совать не буду.

— Вы думаете, это возможно? — невозмутимо произнес Костин. — Я имею в виду: участвовать в операции и... «не совать нос»?

— Я думаю, можно найти разумный компромисс. Вы же не так уж и просты, товарищ полковник. И ваши сотрудники тоже.

— Да, пожалуй, мы не очень просты, — улыбнулся Костин. Нет, все-таки хорошая у него улыбка. — Пожалуй, стоит подумать над вашим предложением. Но вы же понимаете, я один такого решения принять не вправе.

— Да, разумеется, я понимаю. Когда вы сможете дать ответ?

* * *

Ответ полковник Костин дал уже через час. Едва я вошел в квартиру, как зазвонил телефон, благословенный и проклятый! Исчадие уходящего двадцатого века... но жить без него мы уже не можем. И, ненавидя его всем сердцем, искренне и глубоко, человек теперь повесил себе на бок еще и сотовый. Журналисты сделали это в первых рядах... Иногда у меня появляется искушение разбить его вдребезги...

Звонил мой домашний. Я швырнул сумку на пол в прихожей, взял трубку и услышал голос Костина:

— Добрый вечер, Андрей Викторович. Костин из ФСБ.

— Добрый, Игорь Иванович... что хорошего вы мне скажете?

— Ваше предложение принято, будем работать вместе. Вы сможете сейчас к нам подъехать? Или, если вам затруднительно, мы подскочим к вам.

— Еду, — ответил я. Ох, хорошая улыбка у полковника Костина.

* * *

Я промчался по мокрой, блестящей в свете фар набережной. У Литейного моста стоял патруль ГАИ и ОМОН. Почему-то меня не остановили. Низкие дождевые тучи с Балтики ползли над самым мостом, задевали за антенны на крыше Большого дома. Часы показывали 23.17. До встречи продавца и покупателя урана оставалось четырнадцать часов сорок три минуты.

На служебной стоянке возле Большого дома было пустовато. Я поставил «ниву» возле задрипанного «жигуленка» и пошел к зданию. Внутрь я вошел через подъезд № 2. Внизу, в вестибюле, меня уже ожидал человек.

...В кабинете полковника на этот раз сидели, кроме него, еще трое мужчин. Все — без галстуков. Горела люстра. Из включенного, но обеззвученного телевизора что-то вещала госпожа Новодворская. Впрочем, звук и не нужен. Новодворская известно что скажет... Костин встал, выключил телек.

— Познакомьтесь, Андрей Викторович, — сказал он и представил мне присутствующих. Должностей не называл. Только звание, фамилию-имя-отчество. Все мужчины были примерно моего возраста. — Ну-с, давайте работать, — сказал Костин. — Сколько времени осталось до встречи вашего продавца с покупателем?

— Четырнадцать с половиной часов, — ответил я. Офицеры переглянулись.

— Нормально, — сказал Костин. — Время есть. А где должна состояться встреча?

— Игорь Иванович, — спросил я, — вы гарантируете, что после того, как я сообщу вам место, вы не отодвинете меня в сторону? За ненадобностью.

— По-моему, это лишний вопрос, Андрей Викторович, — ответил Костин и снова улыбнулся. Офицеры тоже заулыбались. — Ваше участие в операции одобрено на очень высоком уровне. Это во-первых, во-вторых, ваша и вашего агентства репутация очень высока после задержания убийцы Винокурова, гражданина Зайчика.

Костин замолчал.

— А в-третьих? — спросил я. — Мне кажется, вы что-то недоговорили. Есть еще что-то «в третьих»?

— Есть, — кивнул Костин, — есть и в третьих... Если мы вас «отодвинем», как вы выразились, то появится опасность, что вы начнете собственное расследование. Верно?

— Разумеется, — подтвердил я. Офицеры снова заулыбались.

— А вот этого нам бы крайне не хотелось. Дров в этом деле легко наломать... Спугнете продавца — ищи его потом.

Понятно, подумал я, понятно. Мое участие в деле обусловлено не тем, что мне доверяют, а скорее наоборот — тем, что не доверяют. Ну и бог с ним! В Олимпийском движении лозунг: важен не результат, а участие.

В нашем случае лозунг звучит так: важен результат, то есть участие.

Мое участие в операции утверждено на «очень высоком уровне». Вперед, на урановые баррикады. С победным кличем: ура, уран! Каламбурчик на уровне Задорного или Петросяна.

— Надеюсь, мои слова не обидели вас? — спросил Костин.

— Нет, — ответил я. Хотя, сказать по правде, все-таки задели. Зайчика-то мы взяли! Но я этого не сказал. А Костин как будто догадался, о чем я подумал.

— Вот и хорошо, — сказал он. — Продавец урана навряд ли действует в одиночку. Скорее всего, он представляет группу и является посредником... это вам не Зайчик. Итак, расскажите, где же все-таки намечается встреча. И — подробности. Все, как вам известны.

— Встреча, — ответил я, — должна состояться завтра в четырнадцать ноль-ноль в «Невском Паласе», но она не состоится.

— Почему? — быстро спросил один из офицеров. Фамилия его была Спиридонов. Имя-отчество Виктор Михайлович.

— Потому что мой источник, которому и предложили купить контейнер, решил с этим делом не связываться. На встречу он не пойдет.

— А почему он принял такое решение? — спросил другой офицер, подполковник Рощин Сергей Владимирович.

Когда Костин представил нас друг другу, мне сразу вспомнилась старая, еще девяносто восьмого года, история с Колей Повзло*. Всю жизнь меня преследует пересечение человеческих судеб. Иногда забавное, но чаще страшное и трагическое. Вот и встреча с подполковником Рощиным... Впрочем, тогда он был майором.

— Почему он принял такое решение?

— Потому что понял: связываться с ураном очень опасно. Рано или поздно можно попасть в поле зрение вашей организации.

— Разумно, — кивнул Рощин. — Но еще разумнее было бы сразу прийти к нам. Не хотите дать такой совет вашему источнику?

— Совет я передать, конечно, могу, но точно знаю: принят он не будет.

— Понятно, — кивнул Костин. — Продолжайте, Андрей Викторович.

— Продавец, или посредник, появился на горизонте моего героя примерно неделю назад. Предложил контейнер с восемью килограммами обогащенного урана, продемонстрировал фотографию контейнера и бумаги — что-то типа сертификатов, — подтверждающие качество товара. Сначала, что греха таить, мой

_____

* События описаны в романе А. Константинова и А. Новикова «Ультиматум губернатору Петербурга».

13

источник проявил к сделке интерес, но после трезвого размышления к теме охладел, отдал информацию мне. А теперь задавайте вопросы... отвечу, если смогу.

И вопросы посыпались градом: в какой день появился продавец?.. Почему он обратился именно к моему источнику? Кто мог порекомендовать? А дать телефон?.. Куда он звонил: домой? В офис? На мобильный?.. Не может ли ваш источник пойти на контакт? Мы гарантируем безопасность! Как выглядит контейнер? Где сделано фото: в помещении? На улице? В машине? В лесу?.. Есть ли на контейнере цифровые и (или) буквенные обозначения?.. Где проходила встреча «продавец-покупатель»?.. Почему именно там?.. Кто назначил место встречи?.. Какие печати и подписи стояли на «сертификатах»?.. Что там было написано?.. Как они были выполнены? Типографским способом? На машинке? На принтере? На ксероксе? Какие содержали реквизиты?.. Может ли продавец предъявить образец?.. В каком виде? В какой упаковке?.. А что собой представляет сам-то продавец? Какие он предъявлял документы? Возраст? Рост? Приметы? Манера одеваться? Манера держать себя? Характерные особенности поведения? Речи? Походки? Жестикуляции?.. На чем он приехал? Один или с сопровождением?.. Как ушел?

...Спрашивать они умели. И умели «ненароком» задать один и тот же вопрос дважды, трижды. Иногда постановка вопроса изменялась, иногда нет. Меня за годы службы на Ближнем Востоке, а потом работы в газете, «милой» встречи с Антибиотиком и его людьми, за время общения с серым кардиналом Наумовым, во время отсидки и т. д. — меня много раз допрашивали. Или проводили беседы, если угодно... опыт есть!

Никогда еще со мной не «беседовали» так профессионально.

И дальше: как он хочет получить деньги? Наличными? Через банк?.. Где: в России или за бугром?.. В каких купюрах?.. Нужна ли предоплата? Сколько?

...А если все-таки поговорить с вашим источником? Мы даем гарантии!..

...Жаль... А все-таки?.. Какова вероятность того, что продавец не найдет себе другого покупателя?.. Не указывал ли он канал поставки урана?.. Возможна ли еще одна поставка?.. Как продавец намерен осуществлять транспортировку?

На бо́льшую часть вопросов я не смог ответить: некоторых ответов не знал сам Докер, а некоторые вопросы не приходили в голову мне.

Спустя час с начала нашего разговора Костин подвел итог:

— Ну что же, завтра... вернее уже сегодня, будем знакомиться с продавцом... А покупателем у нас будет...

И тут я перебил Костина. Я нахально и бесцеремонно перебил начальника службы БТ:

— Извините, Игорь Иваныч.

— Да, слушаю вас, Андрей Викторович, — отозвался полковник.

— Коли уж вы приняли меня в вашу «викторину»...

— Да...

— Коли уж приняли... позвольте выступить в роли покупателя.

В кабинете начальника службы БТ повисла тишина. И мне она очень не понравилась. И я поторопился сказать:

— Я справлюсь. Поверьте — справлюсь. Я, извините за нескромность, умею находить контакт с людьми. Несколько авантюрен... но в данном случае это плюс. И обладаю уже достаточным жизненным опытом, включая в том числе и...

— Мы изучили вашу биографию, Андрей, — мягко сказал Костин. Впервые он назвал меня по имени, без отчества. Это показалось мне добрым знаком. — Поверьте, достаточно подробно... Но это невозможно. Вас уже просто-напросто знают в лицо. Вы популярны в городе.

— Это-то как раз не страшно. Мне усов и даже шевелюры не жалко. Меня, если побрить-постричь, мама не узнает. Я умею убедительно имитировать различные акценты... я все-таки переводчик, как-никак. При необходимости могу сыграть даже арабского шейха.

Офицеры ФСБ молчали. За окном плыла белая ночь. Короткие, почти нереальные сумерки, отягощенные облачностью... Я понимал, что если не добьюсь согласия сразу, сейчас, то не добьюсь его никогда. Я продолжал говорить, накручивать свои существующие и мнимые достоинства: коммуникабельность, знание языков, спортивные достижения, и т. д. и т. п... Я был убедителен. Я уговаривал опытных, скептически настроенных «комитетчиков» так, как уговаривал когда-то симпатичную девушку зайти ко мне «послушать музыку»... Мой последний аргумент был таков: я лично знаком с тем человеком, который уже встречался с продавцом. В разговоре я смогу привести какие-то подробности их встречи. Это придаст достоверность и убедительность...

Я выдохся. Комитетчики молчали. В разрывах облаков светилось нежно-розовое небо.

— А пожалуй, в аргументах Андрея Викторовича есть свои резоны, — сказал вдруг подполковник Рощин. — Как думаешь, Игорь Иваныч?

Костин покачал головой, ответил:

— Ну, авантюристы! Выгонят меня, к чертовой матери, со службы из-за вашей самодеятельности. Ладно, давайте обсудим... в порядке бреда.

* * *

Я посмотрел в зеркало... Ну и морда! То, что мама не узнает — преувеличение. Мама всегда узнает. Но вот из агентства никто узнать не сможет. И... шевелюры жалко. Хотя волосы, как говорится, дело наживное. Была бы голова.

— Нравится? — спросил пожилой «парикмахер».

— О да! — ответил я. — С детства мечтал о такой прическе... в порядке бреда.

Я провел рукой по бритому черепу. Странное, честное слово, ощущение.

— Но и это еще не все, — весело сказал «парикмахер» и раскрыл чемоданчик со множеством флаконов и баночек. — Сейчас мы вам сделаем нормальный, загорелый череп. А то он бледный, как цыпленок за рубль-пять.

Подполковник Спиридонов подошел сзади, подмигнул мне в зеркало и спросил у «парикмахера»:

— Выделяться не будет, Петр Поликарпыч?

— Тьфу на тебя, Виктор! Слушать такие глупости противно.

— Ну-ну... не обижайся, Петр Поликарпыч. Я потому, что дело-то очень уж ответственное.

— А я своим ремеслом уже сорок лет занимаюсь... и все безответственно.

Я сидел молча. Быстрые и умелые пальцы ловко располировывали на моем бритом черепе (О, Господи! Ну и харя) какой-то крем. Спиридонов критически поглядывал сбоку.

— Ну что, Витя? — спросил Петр Поликарпыч, закончив.

— Класс, — ответил подполковник и показал большой палец.

— То-то... а то, понимаешь... Нравится, молодой человек?

— Да, — ответил я. — Очень. Спасибо, Петр Поликарпыч.

— То-то. А то, понимаешь...

«Парикмахер» не торопясь собрал свой инструмент и исчез.

— Замечательный специалист по изменению внешности, — сказал Спиридонов. — Жаль, но уже на пенсии... да и выпивает.

Он секунду помолчал, потом сказал:

— Встаньте, Андрей Викторович. Пройдитесь. А я на вас посмотрю.

Я встал, увидел себя в зеркале во весь рост. Ну что ж, классический новый русский... вернее, новый человек с Востока.

— Очки, — напомнил Спиридонов.

Я надел очки в модной оправе, с серо-зеленоватыми стеклами. И изменился еще сильнее.

— Перстень, — сказал Спиридонов.

Я надел перстень. Массивный, но не вульгарный. Очевидно, ручной работы... блеснули лучи крупного камня.

— Камешек настоящий? — спросил я.

— Нет, — сказал Спиридонов, — страз. Но очень хорошей работы.

Он посмотрел на часы и снял трубку внутреннего телефона:

— Игорь Иваныч, мы готовы. Зайдете?

Через минуту в кабинет вошел полковник Костин. С порога он критически осмотрел меня, покачал головой.

— Ну, красавец! Не передумал?

В ответ я, перебирая четки, прочитал ему дуру из Корана.

— И тем не менее еще не поздно, — сказал полковник. — В соседнем кабинете сидит ваш «дублер». Он готов включиться в операцию прямо сейчас. Что скажете?

— Пусть дублер отдыхает, — нагло ответил я.

— Выгонят меня с работы поганой метлой, Андрей Викторович, — сказал Костин и повернулся к Спиридонову. — Инструктаж?

— Провели дважды, затем смоделировали беседу в нескольких вариантах.

— Ладно, — ответил Костин. Улыбнулся и добавил: — Ну, с Богом!

Через несколько минут серая восьмерка с тонированными стеклами вывезла меня из ворот Большого дома. За рулем сидел подполковник Спиридонов. Ну, Обнорский, подумал я, ты поднялся — подполковники у тебя в шоферах. Страз в перстне разбрасывал искрящиеся лучи.

* * *

Пока мы ехали по Литейному, подполковник еще раз напомнил мне:

— В зале будут находиться два наших сотрудника. При возникновении нештатной ситуации вам достаточно ослабить узел галстука.

— Постараемся без этого.

— Да, было бы желательно. В нашем случае исключительно важно взять не только и не столько преступника, сколько товар... После контакта — с каким бы результатом он ни закончился — быстро уходите. Я жду вас на Маяковского. Если за вами будет хвост, нам сообщат. И создадут условия, при которых мы сможем оторваться.

— Да не накручивайте себя, Виктор Михайлович, — сказал я. — Все будет о'кей.

На Владимирском Спиридонов затормозил. Я вылез из салона.

— Береги руку, Сеня, — сказал мне вслед подполковник.

Легко и беспечно помахивая дипломатом, я зашагал обратно к Невскому. Светило солнце. По улице шли люди. Много красивых, почти раздетых девушек. Мне было очень хорошо. Я знал, что все получится.

Вход в «Невский Палас» светился изнутри загадочно, «заграннично». Снаружи стояли секьюрити и сотрудники службы сервиса в униформе. Я вошел внутрь. Часы показывали 13.58.

* * *

Мой кофе уже остыл, часы показывали 14.10, но продавец все не появлялся. Что-то шло явно не так... Неужели мы совершили какую-то ошибку и спугнули его? «Никуда он не денется, — говорил Спиридонов, инструктируя меня. — Контейнер с ураном — не мешок картошки. На рынке его не продашь... обязательно придет!»

Я закурил вторую сигарету, сделал глоток кофе и снова установился на вход. Ну, где ты, урановый мальчик? Тебя ожидает солидный покупатель с миллионом баксов.

Из-за столика слева от меня поднялся высокий молодой мужчина. Подошел, спросил:

— Разрешите прикурить?

Я протянул «Зиппо». Мужчина прикурил и, улыбаясь, сказал тихо:

— Он на улице, Андрей. Его не пустили сюда из-за затрапезного вида.

Оперативник ФСБ вернул зажигалку, еще раз улыбнулся и пошел к своему столику, где его ожидала ослепительно красивая молодая женщина. Я потушил сигарету, положил на столик купюру и пошел к выходу. Мой кофе остался недопитым.

Вот тебе и все наши расклады, инструктажи и моделирование ситуаций... А продавец пришел на контакт стоимостью 1 000 000 долларов в затрапезном виде!

Он колбасился на краю тротуара неподалеку от входа: худой, длинноволосый, бледный. Ботинки, джинсы, рубашка — все черного цвета... Он явно нервничал, поглаживал жиденькую бороденку. Я подошел и назвал пароль... Совершенно, кстати, дурацкий. Интересно, кто его придумал: Докер или... этот?

Продавец не очень уверенно назвал отзыв.

— Идите за мной, — сухо сказал я и пошел вперед, небрежно помахивая кейсом. Секьюрити у входа в «Невский Палас» проводил нас внимательным взглядом.

Я свернул на Марата и через несколько минут обнаружил разливуху. Сюда моего визави пустят — этому заведению его экстерьер соответствует, это вам не «Палас». Я вошел в полумрак и духоту заведения. Внутри пахло пивом, сосисками и бутербродами с засохшим сыром. Было безлюдно: за одним столиком сидел молодой мужик с трехдневной щетиной и остекленевшим взглядом. За другим — пожилая дама. На руках у дамы были белые ажурные перчатки, на голове соломенная шляпка. Я сел за столик... Мой шикарный костюм, перстень и дипломат соответствовал заведению так же, как «прикид» торговца «Невскому Паласу». С плаката на стене на меня строго смотрел «Брат-2», из магнитолы на стойке мужской голос произнес: «...А сейчас по просьбе Константина Разгуляева из города Тосно на волне „Русского шансона" прозвучит всенародно любимая „Мурка"».

Все происходило в порядке бреда, как сказал бы полковник Костин.

Рядом со мной опустился на стул урановый барон.

— А почему не пришел Вячеслав Георгиевич? — спросил он.

— Вас предупреждали, что на встречу может прийти другой человек. Специально оговорили пароль. Разве не так?

— На таких условиях я могу отказаться от переговоров, — заявил он и сделал вид, что хочет уйти.

— Всего доброго, — сухо сказал я.

Продавец в нерешительности замер.

— Эй, мальчики! — окликнула нас буфетчица. Похожие на противотанковые надолбы груди лежали на стойке. Сверху их придавливал тройной подбородок. — Эй, мальчики! Нужно что-то заказать, сидеть здесь просто так нечего. Тут заведение, а не сквер...

— Закажем, — ответил я.

Мой собеседник опустился на стул. В распахе рубашки на голой груди висел символ Бафомета: двойной круг с опрокинутой пятиконечной звездой. В звезду была вписана козлиная морда. Похоже, мой собеседничек поклоняется Дьяволу.

— Что будете пить? — спросил я.

Он пожал плечами и ответил:

— Пиво... Меня, кстати, зовут Владимир.

Через минуту на столике стояли два пластиковых стакана с пивом. Из динамиков неслась «Мурка» в исполнении Северного.

— Я слушаю вас, — сказал продавец урана очень серьезно и значительно.

— Нет, это я вас слушаю, — ответил я.

— А вы, собственно, кто? Можете представиться?

— Я представляю фирму «Мираж». Совместную, российско-иранскую. Меня зовут Хайрат. А вы кто?

— И документы у вас есть, Хайрат? — несколько ехидно спросил Владимир. — Можете показать? Или боитесь?

Документы у меня были. Хорошие документы. Добротные. Иранский диппаспорт с моей фотографией и удостоверение совместного российско-иранского предприятия «Мираж». Головной офис расположен в Москве. «Если они захотят проверить, —

сказал Спиридонов, — проверка подтвердит, что вы действительно сотрудник „Миража". „Мираж" — он и есть мираж».

— Бояться мне нечего, — лениво ответил я и положил на стол паспорт.

На Володю это явно произвело впечатление. Он протянул руку, но я убрал документ.

— Представьтесь вы, — сказал я.

Не колеблясь, он вытащил из заднего кармана джинсов удостоверение ВВ МВД России. Смирнов Владимир Дмитриевич. Лейтенант, № 21212. Дата выдачи — 14.07.98 г. Подпись. Печать... Похоже, подлинное. ...А может — нет. Ладно, в ФСБ проверят.

— Итак, — сказал я, — у вас есть уран?

— Да! Восемь килограммов. Обогащенный, в контейнере. С официальными сертификатами. Вас это интересует?

— Интересует, Владимир.

— Цену знаете?

— Знаю.

— Устраивает?

— Устраивает, если товар реальный.

— Значит, будете брать?

— Нет.

— Как это... нет? — лейтенант Смирнов даже подался вперед.

— Я, господин Смирнов, уже сказал: если товар реальный.

— Ну а какой же? Думаете, я вам куклу хочу втюхать? Я вам могу предоставить фотографию контейнера, копии сертификатов и образец. Образец! Понимаете, господин... э-э...

— Хайрат. Меня зовут Хайрат.

— Образец, господин Хайрат, — с напором сказал Смирнов и без разрешения вытащил сигарету из моей пачки.

В этот момент зазвонил мой «Эриксон». Я «выслушал» собеседника и сказал несколько фраз на арабском. Делалось это для продавца. И для того, чтобы Спиридонов знал: все в порядке.

— Когда вы сможете представить образец? — спросил я.

— Сейчас.

— Сейчас? — переспросил я. При Смирнове не было ни сумки, ни свертка. А по моим представлениям, образец с радиоактивным веществом должен быть изолирован в какой-то герметичной массивной капсуле, иметь объем и вес. — Как сейчас? Где образец?

— Через пятнадцать минут. Товар в автоматической камере хранения на Московском вокзале.

— Ну вы, блин, даете.

— А где вы так хорошо научились говорить по-русски, господин Хайрат?

— А вот это уже к делу не относится, — ответил я. «Держите себя резко и независимо», — советовал мне Спиридонов.

— Да, конечно, — отозвался Смирнов несколько смущенно. — Ну, так как? Покупаете образец?

Бред, подумал я. Полный бред. В центре Санкт-Петербурга какой-то пропойца запросто продает контейнер обогащенного урана неизвестно кому! Просто как украденный с родного завода гаечный ключ. Как стакан семечек. Привет, Голливуд! Вам такое и не снилось... сюжетец-то тянет на «Оскар».

— Можно спросить, Владимир, а откуда у вас этот контейнер?

— Спросить можно... а ответ получить нельзя, — с хамоватой улыбкой ответил миллионер.

— Понял... это ваше право. Хорошо, идем за пробой.

— Момент! — Смирнов поднял руку. — Проба тоже денег стоит.

— Сколько же она стоит? — спросил я с иронией.

— Штуку баксов. По минимуму беру.

— А ключи от квартиры, где деньги лежат, вам не надо?

— А вдруг вы меня продинамите? — сказал миллионер.

— Рад был с вами познакомиться, господин Смирнов, — ответил я, забирая со стола сигареты. — До свиданья. Отнесите-ка вы лучше свою «пробу» в ФСБ.

— Э-э... постойте, господин Хайрат. — Я, конечно, передам вам образец. Но — поймите! — мне нужны гарантии.

— Мне тоже. Вдруг вы продадите мне за тысячу баксов стакан семечек. А? Тысяча баксов, конечно, не деньги, но... вы не внушаете доверия.

— Мне нет резона вас кидать, — ответил он.

— Нам тоже нет резона. Будет проба — будет разговор и, соответственно, деньги. Ну что? Идем?

— А-а... хрен с ним. Идем.

Я поднялся. Урановый барыга тоже встал. Дама в ажурных перчатках вдруг с грохотом свалилась со стула.

— Вот сучка старая! — сказала буфетчица. Груди-надолбы и три подбородка колыхнулись. — Ты мне еще наблюй тут... шляпой своей выбирать будешь.

«Не в деньгах сила, а в Правде», — сказал «Брат-2» с плаката.

— Вы пиво не выпили, — сказал урановый миллионер. — Так я выпью. Вы, господин Хайрат, не против?

Господи, ну что на это можно сказать? Я не знаю. Убей — не знаю.

Из динамиков голос Владимира Семеновича Высоцкого выдохнул:

> ...Все почти ума свихнулись,
> Даже кто безумен был...

— Нет, господин Смирнов, я не возражаю. Напротив, почту за честь угостить пивком завтрашнего миллионера.

* * *

Я бухнул на стол подполковника Спиридонова довольно-таки старую спортивную сумку. Потертую, залатанную в двух местах. Господи, неужели в ЭТОМ по Санкт-Петербургу путешествует обогащенный уран?

— Вот, — сказал я. — Оно.

— Что там? — спросил Спиридонов.

— Если верить нашему лейтенанту, там проба урановая, фото контейнера и копии сертификатов. Получил в камере хранения на Московском вокзале.

— Я знаю. Момент передачи зафиксирован наружкой.

— Даже так?

— А как иначе, Андрей Викторович? — ответил подполковник и подмигнул. Он был доволен. Я, признаться, тоже. — Сейчас пригласим понятых и осмотрим вашу добычу. Потом мы побеседуем, и вы подробно расскажете о сегодняшних событиях.

...Через несколько минут в кабинете подполковника Спиридонова уже было полно людей: начальник службы БТ Костин, эксперт-криминалист Сапожников, оператор с видеокамерой, две женщины-понятые и следователь следственной службы Крылов. И я в дурацком перстне со стразом.

Оператор включил камеру, следак произнес дежурные формулировки, растолковал понятым их права и обязанности... понятые кивали. Затем эксперт сделал портативным прибором замер уровня радиации около сумки. Он превышал фоновый, но незначительно... Похоже, СП «Мираж» правильно выбрало объект для сделки. Поздравляю, господин Хайрат!

— Попрошу расстегнуть сумку и осмотреть ее содержимое, — сказал следак. — Понятые, подойдите поближе.

Женщины подошли. Крылов аккуратно расстегнул молнию и раздвинул руками зев сумки. Внутри лежали тряпочный сверток, перехваченный бечевкой, мятый конверт с картинкой: гвоздики, гвардейская лента и надпись «С ДНЕМ ЗАЩИТНИКОВ ОТЕЧЕСТВА». А еще в сумке лежала... пустая бутылка из-под пива «Балтика № 3».

Нет, ребята, я все-таки ничего в Отечестве не пойму!

Только и могу сказать: с днем защитника Отечества! Наливай!

* * *

Спустя еще полчаса, когда был составлен протокол, а вещдоки отправлены на экспертизу, я рассказал начальнику службы БТ, его заместителю и следаку о том, как прошла моя встреча с «лейтенантом Смирновым».

— Когда, Андрей Викторович, у вас запланирована следующая встреча? — спросил Костин.

— Я объяснил барыге, что мне понадобится неделя на проведение экспертизы. Соответственно и встреча через неделю. В четырнадцать ноль-ноль, на Финляндском, возле паровоза ленинского.

— Очень хорошо. Неделя — вполне реальный срок для нормальной разработки.

— Если только он не найдет за это время другого покупателя, — сказал я.

— Не дадим, — ответил Костин. — Теперь он у нас под контролем.

— Поставили наружку?

— Разумеется. Сейчас наш герой катит в электричке на Выборг. Пьет пиво на те, между прочим, сто рублей, что вы, Андрей Викторович, ему дали.

Я немного даже смутился... наружка, выходит, была совсем рядом.

— Дал... он клянчил, как профессиональный попрошайка. Дал... для установления контакта. А что, не надо было?

— Почему? Дали — и дали. Делу не во вред.

— Понял, Игорь Иваныч. А какие мероприятия вы намерены проводить сейчас?

Костин рассмеялся, посмотрел на Спиридонова. Тот тоже улыбнулся.

— Как думаешь, Виктор Михалыч, можем мы поделиться с господином Хайратом своими соображениями?

— Рассказать иранскому подданному о совсекретных мероприятиях? — с деланным ужасом спросил Спиридонов. — Ни в коем случае!

— Расскажем, Андрей Викторыч, — сказал Костин, — расскажем. Разумеется, в общих чертах, не раскрывая технологии... Я думаю, что мы даже обязаны это сделать, коли уж вы стали полноправным участником операции.

— Кстати, — спросил я, — а название у нее есть?

— Есть, — ответил Костин, глядя с легким прищуром.

— Поделитесь?

— Название у этой операции — «Журналист».

— Н-ну... спасибо.

— Да не за что, — сказал Костин, — а я пойду — работа. Всего доброго, Андрей Викторович. За вашу помощь огромное спасибо. Когда закончим операцию, дадим вам материалы... какие возможно.

Мы пожали друг другу руки, и полковник вышел. А Спиридонов рассказал мне вот что...

...Информацией о том, что в городе некто пытается сбыть контейнер с ураном, ФСБ уже располагала. Но более конкретно: кто, кому, когда, где? — агентура узнать не смогла... А потом появился журналист Обнорский... Запросы, отправленные в областные управления, дали вдруг неожиданный результат: на одном из «атомных» объектов в Вологодской области похищен контейнер. Итак, все «срослось». Оставались сущие пустяки: обнаружить и изъять контейнер с ураном. Восемь килограммов — это не семечки. И дело даже не в огромной стоимости похищенного. Дело в том, в чьи руки попадет уран, который вполне может быть использован в военных целях. И в том, какой урон понесет престиж России, получи эта история огласку.

Мы еще не знали, что впереди нас ожидает АВГУСТ — взрыв в переходе под Пушкинской, гибель «Курска», страшный пожар самой высокой свечки в мире — Останкинской башни. Если бы восемь килограммов урана ушли за рубеж — событие встало бы в тот же ряд катастроф. Допустить этого нельзя.

— Ну а что все-таки вы собираетесь предпринять сейчас, Виктор Михайлович?

— Это просто. Теперь у нас есть конкретный человек. Есть фото. Есть отпечатки пальцев на капсуле, пустой бутылке, фотографиях и с пластикового стакана, из которого он пил пиво. Все они принадлежат одному человеку.

— Вы изъяли стакан из «Рюмочной»?

— Разумеется. А еще мы сняли его «пальцы» с дверцы камеры хранения. И проверили под видом контролеров его документы в электричке. Там он предъявил удостоверение инвалида. Но на фамилию Козырев, а не Смирнов. А еще мы отправили его фото в Вологду. Думаю, что уже сегодня мы будем знать о нем если не все, то очень многое... Тем более что маркировка с пропавшего контейнера соответствует маркировке на фото. Круг замкнулся, Андрей Викторович. Осталось отследить, где спрятан контейнер и — брать голубца... Вот, пожалуй, и все. Спасибо вам за помощь.

Так закончилась для меня эта история.

Я думал, что она закончилась...

* * *

...Но я ошибался. Как, впрочем, ошибались и сотрудники ФСБ.

Неделя, оговоренная между г-ном Хайратом им Смирновым-Козыревым, была на исходе. Моя лысая голова, вызвавшая шквал шуточек в агентстве, начала покрываться сомнительного вида растительностью. Первые дни я ждал звонка от Спиридонова — он обещал сообщить, когда появятся результаты. Но Спиридонов не звонил.

Работы было полно, наступила пора отпусков, и господа инвестигейторы начали рвать меня на куски... Скрипка и Горностаева появились в моем кабинете с интервалом пятнадцать минут. Оба заявляли, что чисто случайно (!) купили горящую путевку. И — какое совпадение — оба в один и тот же круиз. А Соболины в отпуск собрались врозь... беда.

Спиридонов позвонил в понедельник, когда до встречи Хайрата и торговца осталось чуть более суток. Поинтересовался: могу ли я зайти? Причем — срочно, не откладывая в долгий ящик.

А мне было некогда, у меня были другие планы...

— Очень нужно, Андрей Викторович, — сказал Спиридонов. — Выручайте. Операция «Журналист» продолжается. Без вас пропадем.

И я поехал. Почесал свою растительность на черепе и поехал.

* * *

— Завтра в четырнадцать ноль-ноль вы должны встретиться с Козыревым на Финляндском вокзале, так? — спросил с нотками утверждения в голосе Спиридонов. Вид у него был довольно усталый.

— Значит, вы его еще не взяли?

— Взять его — не проблема. Он под круглосуточным наблюдением.

— Так в чем же дело?

— Все дело в том, что мы до сих пор не знаем, где контейнер.

Вот оно что! ФСБ неделю держит моего «партнера» под колпаком, но товар так и не проявился... Не так уж прост лейтенант Смирнов.

— Понятно, — сказал я. — Что, кстати, показал анализ образца?

— Анализ показал: высококачественный уран. На вологодском объекте уже ведется расследование, и мы практически вычислили сообщников нашего прапорщика.

— Прапорщик?

— Да, Андрей Викторович, прапорщика. Козырев Владимир Дмитриевич. До февраля двухтысячного служил на объекте. По истечении срока контракта уволился, уехал в Выборг... не работает, употребляет наркотики. Имеет проблемы с психикой. Но тем не менее сумел организовать хищение урана с объекта.

— Хорошо у нас охраняются атомные объекты, — ввернул я.

Спиридонов не ответил. Он закурил, посмотрел на меня и спросил:

— Вы готовы встретиться с ним еще раз? Его нужно спровоцировать. Подтолкнуть.

* * *

Петр Поликарпыч нежно выбрил мой череп. Располировал его и сказал:

— Вижу, молодой человек, вам понравился этот стиль?

— Да, — ответил я, — весьма... в порядке бреда.

Инструктаж. Варианты беседы. Перстень. Очки. Кейс... Береги руку, Сеня!

* * *

На Финляндском текла шумная человеческая река. Текла сразу в нескольких направлениях: к электричкам, от электричек... Растекалась во все стороны. Застыл под стеклянным аквариумом ленинский паровоз. Сновали бомжи, дачники, цыгане, милиционеры. Обычная вокзальная суета, в которой должна состояться встреча торговца и покупателя уранового контейнера. Я стоял недалеко от аквариума и пытался определить в вокзальной толчее сотрудников наружки ФСБ... не сумел, естественно.

— Здравствуйте, — сказал «лейтенант Смирнов», подходя. Сегодня я смотрел на него уже другими глазами.

— Вы опоздали на четыре минуты, — ответил я вместо приветствия.

— Я проверялся, — серьезно ответил он, — нет ли за мной хвоста.

— За вами что — следят? — озабоченно спросил я.

— Нет, но осторожность в нашем деле не бывает излишней.

— Это справедливо, — сказал я. А он кивнул. С достоинством так...

— Может, посидим где-нибудь, господин Хайрат?

— Что — хотите меня угостить? — спросил я.

— Э-э... с удовольствием бы, но я как-то ни при деньгах.

— Ничего. Скоро вы будете очень богаты. Мы провели анализ, качество товара нас устраивает.

— А кто сомневался? — сказал он. В голосе прозвучало превосходство. Как будто он сам изготовил этот уран.

— Мы сомневались. И сейчас продолжаем сомневаться.

— То есть как? Вы же провели анализ! — Смирнов-Козырев посмотрел недоуменно. Возможно — с обидой.

— Да, мы провели тестирование того образца, который вы нам передали.

— Так что же вам еще нужно? Цену хотите сбить? Не выйдет!

— Нам, господин лейтенант, нужно знать, что проба отобрана из ТОГО САМОГО контейнера.

— Как это? Я что-то вас не пойму.

Он явно встревожился, вытащил из кармана затертых штанов мятую пачку «Примы», закурил. Мимо нас прошел патруль — офицер-моряк и два курсанта-артиллериста.

— Пробу вы получили... что еще надо?

— Надо убедиться, что проба соответствует содержимому контейнера. Ясно это вам, Владимир? Вот тогда я заплачу всю сумму наличными. Сразу.

Он поперхнулся дымом, посмотрел на меня ошеломленно, растерянно. Слева от нас раздался крик, мат. Две бомжихи скандалили из-за пустой бутылки. Не спеша приближался наряд милиции.

— Ладно, — сказал я, — пойдемте отсюда. Поговорим в более спокойной обстановке.

...В салоне «моей» «тойоты» я включил магнитолу. Негромко, чтобы не мешать записи.

— Вы поняли наши условия?

— Вы что же думаете — я отведу вас к контейнеру?

— Иначе сделка не состоится. Брать кота в мешке мы не будем.

Лейтенант Смирнов тяжело задумался. У входа в вокзал читал газету молодой мужчина... неделю назад он прикуривал у меня в «Невском Паласе». Неподалеку, под красным знаменем, несколько пожилых теток подавали газету «Завтра» и клеймили олигархов. Начал накрапывать дождь. Из магнитолы звучала «It's my life» Бон Джови... Мне казалось, что я слышу, как медленно шевелятся извилины в голове торговца... Что делать, если он сейчас откажется?.. Спиридонов говорил: он не откажется. Дождь забарабанил по капоту сильней. Быстрей пошли пешеходы. Мой знакомец из «Невского Паласа» раскрыл над головой зонт... It's My Life. Дождь перешел в ливень. Мгновенно стемнело. Над Петропавловской блеснула молния.

— Хорошая машина? — спросил вдруг лейтенант Смирнов.

— Японский ширпотреб, — пожал я плечами.

— А мне вот джипы нравятся.

— Сделаем дело — купите себе целое стадо джипов, — безразлично сказал я.

Он взял с торпеды пачку «Кэмэл»... разумеется, без спросу. Закурил.

— Хорошо! — рубанул воздух рукой с дымящейся сигаретой. — Возьмем пробу из контейнера, но на этот раз за бабки!

— Сколько?

— Штуку.

— О'кей, будет вам ваша штука. Мелочный вы человек, лейтенант.

— Но вы покажете мне деньги.

— Что значит: покажете? — не понял я.

— Я отведу вас к контейнеру только после того, как вы заплатите мне штуку баксов и покажете мой лимон. Хочу знать, что у вас есть эта сумма.

Я засмеялся. Слегка презрительно, но, в общем, благодушно.

— А что смешного, господин Хайрат?

— Нет, ничего... ничего смешного нет, господин лейтенант. Вы увидите и даже пощупаете деньги своими руками.

— Когда?

— Тогда, когда поедем брать пробу.

— Завтра вас устроит?

— Устроит. Только не вздумайте делать глупостей, лейтенант. Вы меня поняли?

— Я-то понял... и вы тоже не порите ерунды, меня прикрывает спецназ МВД.

— Ладно, хоть спецназ ФСБ. Где и когда встречаемся завтра?

— В Выборге.

— В Выборге?

— В Выборге, в Выборге... у вокзала, в полдень.

— Хорошо, в полдень у вокзала. Всего доброго, господин лейтенант.

— До свиданья, господин Хайрат... Кстати, нельзя ли получить рубликов двести в счет аванса? Так сказать: джентльмен-джентльмену.

Нет, мужики, не пойму я Отечества никогда!

* * *

В советские времена городам любили вешать бирки: город химиков. Или — город нефтяников. Текстильщиков. Металлургов. Черт знает кого. Ну, Иваново — город невест... Это все знают. А вот Выборг — это город таможенников. С легендарным Верещагиным прожорливое племя таможенное не имеет ничего общего. Продувные морды с бегающими жадными глазенками поверх усыпанного перхотью мундирчика... карманы бездонные... ба! Да не внуки ли это Чичикова Пал Иваныча?

— Нет-с, — отвечают дружно, — никак нет-с! Мы люди государевы. Службу блюдем-с... живота не щадим. А вы все в декларации указали? Па-азвольте.

Я въехал в древний Випури, он же Выборг. Навстречу катились огромные фуры. По плохим, разбитым дорогам, мимо скучных, серых домишек, в которых отсыпаются несовершеннолетние проститутки... Выборг — не только городок таможенников, это еще и город наших дорогих гостей из Суоми. Дорогие гости, напившись дешевой русской водки, очень любят забавляться с молоденькими русскими девочками... они люди цивилизованные.

Но сейчас меня мало все это интересовало. Сейчас меня интересовал только стальной цилиндрический контейнер с черной маркировкой. Посвященному человеку эта нанесенная по трафарету цифирь, наверное, скажет многое. Мне она не говорит ничего. Кроме того, что внутри стального с мощной свинцовой подкладкой цилиндра лежит высокообогащенный уран. Его нужно вернуть туда, откуда он похищен.

Я въехал на площадь перед вокзалом. Припарковался возле «четверки» с плафоном «taxi» на крыше. Водитель, жующий резинку, окинул меня равнодушным взглядом. До полудня оставалось еще восемь минут. Где-то рядом со мной уже находились сотрудники наружки ФСБ и бойцы РОСО «Град».

Я откинулся в кресле «тойоты», прикрыл глаза. Время тянулось медленно. В дорожной сумке на заднем сиденье лежал миллион долларов США. Костин сказал: подлинные. Пусть проверяет сколько хочет.

К таксисту на «четверке» подошли две молодые женщины. Обе вызывающе накрашенные, обе на высоченных каблуках. Одна наклонилась к водителю, до меня доносились обрывки разговора: «...В Хельсинки...» — «А хоть в Стокгольм!.. Не, дорого. Давай половину натурой, минетом...» — «На хрен нужно, максай бабки...» — «Дорого...» — «Раха максетти* Усекла?..» — «Ну, скинь маленько...» и т. д. Я не слушал.

Через минуту обе девки сели в «четверку». Машина задним ходом выкатилась со стоянки, уехала. А на ее место лихо встала ржавая, дребезжащая «копейка». В водительском кресле сидел здоровый амбал с ломаными борцовскими ушами. Рядом — лейтенант Смирнов. Чистенький. В белой рубашке с мятым галстуком. Вот ведь как облагораживают человека большие деньги!

---

* Платить деньги (*искаж. фин.*).

...«Лейтенант Смирнов» кивнул «господину Хайрату» и поманил пальцем. «Господин Хайрат» ухмыльнулся... Я подхватил сумку с миллионом баксов — тяжеленькая! — и вышел из машины. Было очень душно. Два мужика в «копейке» смотрели на сумку внимательными глазами. ЖАДНЫМИ глазами. Я нажал кнопку на брелке сигнализации. «Тойота» мигнула габаритами.

— Принесли, господин Хайрат? — спросил «лейтенант», когда я плюхнулся на заднее сиденье «жигулей».

— А вы? — спросил я.

— Сначала бабки... Сначала пощупаем бабки. — Смирнов облизнул губы. Если бы я не знал, что меня прикрывают не менее двух десятков хорошо обученных сотрудников ФСБ, мне, наверно, было бы не очень уютно. Миллион долларов — большие деньги. Очень большие деньги.

— Бабки, господин лейтенант, в сумке. Садитесь ко мне, смотрите, щупайте. И — без глупостей.

Зазвонил телефон. Я снял с пояса «Эриксон», услышал голос Костина и сказал в трубку:

— Але... да. Двое. «Копейка» белого цвета. Госномер... Второй — лет тридцать, светлые волосы, бывший борец. Джинсовая рубашка, белые шорты. ...Да, с нами Аллах, Фарид. Следуй за нами на дистанции двадцать метров. Если что — кончай всех, обо мне не думай. Аллах отведет от меня пули.

Мой монолог явно произвел впечатление на моих деловых партнеров.

— Ты что же, полк мусульманский за собой притащил? — спросил, ощерясь, лейтенант Смирнов.

— Не ссы, лейтенант, — подмигнул я. — Ты что же думал, что я привезу миллион зеленых один, без страховки? Дураков нет, брат.

— Ладно, господин Хайрат, — сказал «брат». — Или грудь в крестах, или голова в кустах... Сейчас я возьму тысячу баксов. Выборочно, не подряд. И мы их проверим в валютнике. Если все путняком — через час мы привезем контейнер. Возьмешь свою пробу.

«Лейтенант» пересел ко мне на заднее сиденье. Сумка стояла между нами. Кожаные бока матово отсвечивали.

— Ну, — сказал Смирнов.

— Что ну? Открывай. Смотри, считай, щупай.

Он посмотрел на меня растерянно. На лбу выступили бисеринки пота.

— Давай, давай, — подбодрил я, — они не кусаются, лейтенант.

Он неуверенно взялся за язычок молнии. Облизнул губы... молния вжикнула. Пачки баксов лежали ровно, плотно, как патроны в обойме. Капля пота сорвалась со лба «лейтенанта Смирнова», упала на банковскую бандероль. Она как бы поставила точку под сомнениями «лейтенанта». Он схватил пачку, разорвал бандероль и вытащил стодолларовую купюру. Вторая пачка... третья... четвертая... У водителя с ломаными ушами побагровел затылок... пятая, шестая... десятая. Обрывки бандеролей летели под ноги.

— В валютник, Вадя, — сказал Смирнов.

— А считать не будешь? — спросил Вадя.

— Потом... потом... не здесь, — ответил Смирнов и дернул узел галстука.

— Да не волнуйтесь вы так, господин лейтенант, — сказал я.

— А?

— Не волнуйтесь, говорю. Все будет о'кей.

Заскрежетав передачей, «копейка» тронулась. Через несколько секунд она уже катила по неровному булыжнику привокзальной площади. Вслед ей пристроилась «девятка» со смуглым черноволосым мужчиной за рулем. Видимо, он и есть Фарид. Наш борец-водитель все время поглядывал в зеркала. Он нервничал. Впрочем, и я нервничал будь здоров.

...Пока «лейтенант Смирнов» проверял купюры в обменном пункте, мы с борцом сидели в душном салоне «копейки». Сумка с девятьюстами девяносто девятью тысячами долларов лежала у меня на коленях. Перед глазами маячила багровая шея Вадика... Интересно, есть у них оружие?

Из дверей валютника вышел потный Смирнов, упал на заднее сиденье.

— Порядок, — сказал он, — баксы настоящие.

— А ты думал по-другому? — спросил я.

— Шутки Дьявола бывают ужасны... Значит, слушай, Хайрат, сейчас мы тебя вернем обратно на вокзал, понял?

— Господин.

— Что?

— Господин Хайрат, — сказал я.

— А?.. Ну, господин. А через час встречаемся возле «Харакири».

— Где-где?

— Кабак такой — «Харакири» называется. Знаешь — где?

— Нет, — ответил я, хотя отлично знал, где это самое «Харакири».

Смирнов подробно объяснил.

— Значит, через час. Вы, господин Хайрат, помните: меня тоже прикрывают. Спецназ МВД. Так что... без глупостей.

— Да ладно. Все будет о'кей.

...Хорошее название — «Харакири». Оптимистичное.

Куллюна фи йад-улла*... Или — уранового Сатаны?

* * *

Воздух был густой и липкий. Время тоже было густым, липким и тягучим. Я проехал мимо Рыночной площади с Круглой башней, с толпой торговцев... мимо старинного Выборгского замка... по мосту над фиордом с неподвижной водой и валунами. Камни казались горбами чудовищ, дремлющих на дне. Я проехал мимо останков укреплений «Анненкрон»... теперь здесь теннисные корты.

Белесое выгоревшее небо над Финским заливом начало темнеть. Там, у горизонта, клубились черные облака. Я остановился у стоянки возле «Харакири»...

---

* Все мы в руке Аллаха (*араб.*).

Хорошее название, оптимистическое. Метрах в пятнадцати от меня встала «девятка» Фарида. Фарид невозмутимо курил сигарету. Было очень душно, липла к телу сорочка... Черные тучи клубились, как живые. Надвигались. Часы показывали 13.15, «копейки» с моими партнерами все еще не было. На площадке возле ресторанчика стояли моя «тойота», «девятка» Фарида, «пежо» с финскими номерами и микроавтобус с немецкими. Четверо молодых немцев лениво гоняли футбольный мяч... И охота им в такую духоту? Удары по мячу гулко разносились в воздухе. Немцы были здоровые, румяные и беспечные. Немка лет двадцати снимала их видеокамерой. Над фиордом парили чайки.

«Копейка» вкатилась на площадку в 13.22. Она была основательно заляпана грязью. Видимо, мои партнеры катались по грунтовке, по лужам. Наружка в этой поездке их не сопровождала — боялись вспугнуть.

Духота сделалась совсем невыносимой. Уже половина неба над заливом была затянута тучами. Лейтенант Смирнов вылез из машины. Левая штанина оказалась испачканной серой глиной... Гулко звучали удары по мячу. На плече Смирнова висела спортивная сумка. Оглядываясь по сторонам, из салона вылез Вадик... Один из немцев отпустил пошлую шуточку в адрес девицы. Немка фыркнула и назвала его свиньей. Остальные заржали. Слова зависали в тяжелом воздухе. Я слышал их, но не воспринимал. Они проходили мимо сознания.

Смирнов показал глазами на багажник «копейки». Я медленно подошел к ней. Колотилось сердце.

— Открывай, Вадя, — сказал Смирнов глухо. На лбу у него блестела испарина. Борец вставил ключ в замок багажника.

Футбольный мяч свечой взмыл вверх и обрушился на крышу «копейки»... отскочил в сторону, запрыгал.

— Entschuldigen Sie mir bitte!* — весело сказал губастый немец.

---

* Пожалуйста, извините меня (нем.).

— Урод, — сказал Вадик, — недоносок фрицевский.

Немец довольно покивал головой, заулыбался белозубо.

— Открывай, — сказал я.

В черных тучах на западе сверкнуло.

Вадик повернул ключ, и крышка багажника медленно поползла наверх. Смирнов промокнул лоб несвежим носовым платком и опустил его в сумку... Крышка багажника поднялась. Измазанный в глине, внутри стоял похожий на кастрюлю-скороварку контейнер.

— Ну, — хрипло произнес Смирнов, озираясь.

— Да, — ответил я. — Сейчас... сейчас.

Почему, черт возьми, так душно? Я поднял руку и потянул вниз узел галстука... И мгновенно все пришло в движение: молодые немцы, Фарид и средних лет поджарый финн около щеголеватого «пежо». Прогрохотал гром вдали.

— Стоять! — закричал по-русски губастый немец. Лейтенант Смирнов окаменел. Зато борец Вадик вдруг подобрался, метнулся в сторону. Губастый немец прыгнул ему навстречу, ловко сбил с ног, заломил руку. Двое других тут же подскочили, сели сверху, надели наручники.

Фарид и финн подошли к «лейтенанту Смирнову». Он так и стоял возле открытого багажника — бледный, потный, с рукой, опущенной в сумку.

— Руки, гражданин Козырев, — сказал Фарид.

— А? Что?

— Руки, говорю... вы задержаны, Козырев.

Смирнов-Козырев вдруг улыбнулся, поднял вверх левую руку как бы в нацистском приветствии. Правая оставалась в сумке. Было очень тихо. И в этой тишине из сумки раздался отчетливый металлический щелчок... Звук был знакомый. Очень хорошо знакомый... Я узнал его, но не смог сразу вспомнить, что он означает.

— Мудак! — выкрикнул Фарид и стремительно сорвал сумку с плеча Смирнова-Козырева. Сатанист смотрел на него безумными глазами. Фарид размахнулся и швырнул сумку через дорогу, в воду... Я наконец вспомнил, что означает этот звук, этот четкий металлический щелчок... А сумка медленно-медленно летела над черной водой. Все замерли. Смеялся Смирнов-Козырев, кричали чайки.

Через две секунды сумка упала в воду, еще через какой-то промежуток времени вода вздыбилась, поднялась столбом. Казалось, столб хочет дорасти до черного клубящегося неба... Прошелестел водяной вихрь, просвистели осколки. И — тишина.

Фарид застегнул на прапорщике наручники. Немка снимала все происходящее видеокамерой. По воде расходилась волна.

Губастый немец рывком поставил Вадика на ноги.

— А ты говорил: недоносок фрицевский... говорил: урод, — сказал он Вадику. — Нехорошо это. Грубо.

Поджарый финн подошел к немке:

— Самое главное, Вера, в багажнике... сними крупным планом.

Вера кивнула, не отрываясь от камеры, подошла к машине.

Я полностью распустил узел галстука и прислонился к грязному боку «жигулей». Операция «Журналист» завершилась.

Так, по крайней мере, я тогда думал...

ДЕЛО О ЖЕНЩИНЕ-ВАМП

Рассказывает Алексей Скрипка

Скрипка Алексей Львович, 30 лет, русский, замести-
тель директора агентства по административно-хозяй-
ственной части.

Высоко оценивает свои коммерческие и журналист-
ские способности. Требователен к соблюдению сотруд-
никами агентства правил внутреннего распорядка.

Семейное положение — холост.

...Коммуникабелен. Насколько достоверны рассказы-
ваемые им истории — не выяснялось.

...Любвеобилен. Точное количество связей не уста-
новлено. По имеющейся информации, в последнее вре-
мя поддерживает тесные отношения с сотрудницей
агентства Горностаевой В. И.

Из служебной характеристики

1

— Они говорят, что, если денег не будет, они меня
посадят или убьют.

— А вы любите острую говядину с карри и жа-
реным рисом? — прервал ее я.

Женщина, сидевшая на стуле напротив меня, уже
пять минут рассказывала историю своих отношений
с милицией. Пора было переходить к делу.

* * *

Она пришла в агентство в десять утра и сказала,
что хочет поговорить с Обнорским.

Обнорского не было. Он уехал читать лекции в Ставропольский край — в станицу то ли Социалистическую, то ли Коммунистическую. С собой он забрал не только своего заместителя Повзло, главного нашего детектива Спозаранника и юриста Лукошкину, но даже буфетчицу тетю Таню.

С некоторых пор Обнорский стал разъезжать по стране со своими лекциями о теории и практике независимого расследования. Это чем-то напоминало мне походы в народ членов «Земли и воли» и двадцатипятитысячников. Впрочем, эти поездки в провинцию нам были не в убыток, их финансировал один западный гуманитарный фонд, руководители которого, видимо, считали, что единственное, чего не хватает российскому народу — это умения заниматься самостоятельными расследованиями. Впрочем, чаяния народа они угадали — провинциальный люд лекции Обнорского слушал с большим удовольствием.

С лекций Обнорский обычно приезжал уставший, говорил, как это тяжело — без домашнего уюта, женской ласки и любимой «нивы» нести свет просвещения в глубинку. Поэтому в этот раз кроме юриста Лукошкиной, которая, наверное, олицетворяла в глазах Обнорского женскую ласку, с ним на Ставрополье отправилась наша буфетчица-повариха Татьяна Петровна. Видимо, она должна была обеспечить домашний уют. Может быть, Спозаранник заменял Обнорскому «ниву»?

Я не участвовал в просветительской деятельности Обнорского по двум причинам. Во-первых, однажды я все же имел честь оказаться в команде лекторов имени Обнорского и, можно сказать, не оправдал надежд.

Мне было поручено прочитать лекцию на тему: «Специфика независимого журналистского расследования в сфере мясного и молочного животноводства». Тогда Обнорским владела идея приближения расследования к нуждам населения, а поскольку мы прибыли на Вологодчину, где вроде бы — если верить оберткам от масла — водились коровы, он и поручил мне подготовить доклад на эту животрепещущую тему. Однако я этой лекции не подготовил — то ли времени не хватило, то ли материала не нашел — не помню.

И прочел слушателям не менее интересный доклад. Я его озаглавил так: «Специфика проведения независимого внутреннего расследования».

Раскрывая тему, я рассказал, что очень часто даже в самых дружных и сплоченных коллективах пропадают вещи — карандаши, ручки, расчески, гигиенические прокладки и прочие необходимые каждому человеку предметы. Далее на конкретных примерах из жизни нашего агентства я продемонстрировал методы проведения независимого внутреннего расследования. Например, сказал я, когда у Светы Завгородней год назад из сумки исчезла пачка «тампаксов» и она подняла дикий скандал, следственную бригаду возглавил лично Глеб Егорович Спозаранник. И хотя сначала подозрение пало на одну из женщин (а именно Марину Агееву, которая тогда по малопонятному для меня поводу конфликтовала с Завгородней), Спозаранник все же установил истинного виновника трагедии. Им оказался наш же сотрудник Шаховской, который каким-то образом использовал личную собственность Завгородней в своем автомобиле...

Обнорскому мой доклад не понравился. Он кричал, что я своими рассказами ухудшил имидж нашего замечательного агентства.

В общем, это первая причина, по которой меня не берут в народ.

А во-вторых, надо же на кого-то агентство оставлять! Как-то на хозяйстве оставили Спозаранника. За какие-то три дня он умудрился выпустить «Инструкцию для сотрудников агентства об использовании помещений агентства и инвентаря агентства». В соответствии с этой инструкцией все двери, окна, шкафы и сейфы в агентстве были опечатаны. И не только опечатаны, но и заклеены скотчем. Снимать печать разрешалось только с письменного разрешения Спозаранника. По инструкции, сразу после использования двери или шкафа его надлежало сразу же заклеить и запечатать обратно. Поскольку Спозаранник опечатал и дверь туалета, очередь к нему за разрешением попользоваться агентским унитазом выстраивалась длинная. А сколько денег он угрохал на скотч и пластилин...

Так что теперь Спозаранник ездит с лекциями, а я остаюсь на хозяйстве.

* * *

Итак, эта женщина пришла, как говорят охранники, около десяти. Потребовала Обнорского. «Нету такого», — сказали ей. Но она не ушла.

В одиннадцать появился я и вот уже пять минут слушал ее историю.

Удивительно, и не слишком молода — скорее всего, за тридцать, и ноги как ноги, и грудь как грудь, и глаза как глаза, а общее впечатление — потрясающее. В общем, эта посетительница чего-то там такое пробудила во мне. Может, это любовь, подумал я. И решил, что надо срочно пригласить потенциальную любовь в ресторан.

— Вы острую говядину любите?

— Я люблю рыбу, раков, устрицы и прочие морепродукты, — быстро ответила она. — Неужели то, что я рассказываю, вам неинтересно?

— Жутко интересно. Но я предпочел бы выслушать вас в более спокойной обстановке.

2

Я заказал острую говядину, рис и жареные пельмени. Она — жутко дорогих кальмаров в кисло-сладком соусе и салат из какого-то другого морского хлама.

Ее звали Инга. Она была одета в очень пристойный брючный костюм, хотя, по ее словам, нигде официально не работала.

— А вы знаете, Инга, один мой знакомый, кстати, как и вы, безработный, однажды решил, что у него мало мозгов — ну, в общем, все вокруг умные, а он как-то не дотягивает. И решил поумнеть. Но книжки читать ему было лень. И он стал есть рыбу, потому что в ней много фосфора, а от этого якобы мозгов становится больше. У него было ежедневное шестиразовое рыбное питание. А по четвергам рыбный день — девятиразовое поедание рыбы. И что вы себе думаете — умнее он не стал. Я считаю потому, что голова у него была маленькая и мозгам просто, по определению, было некуда расти.

Инга слушала меня с интересом. Надо бы, наверное, все-таки поговорить о деле.

— Итак, вы говорите, что сотрудники УБЭП вымогают у вас взятку?

— Да.

— И угрожают уголовным делом?

— Да.

— Что это за сотрудники УБЭП?

— Майор Лишенко и еще один молодой человек, видимо, его подчиненный — мне его представили как Александра Петровича.

— И в чем вас могут обвинить?

— Они считают, что я была участницей одной аферы с фиктивной партией кофе. Якобы некие мошенники предложили одному предпринимателю — Белов его фамилия — купить кофе по довольно низкой цене. Он согласился. Ему показали всякие документы — из таможни, со склада, еще какие-то. Продемонстрировали кофе. Общая сумма сделки была около ста тысяч долларов. В общем, в итоге деньги у него забрали, а партия кофе оказалась чужой. Он приехал на склад, и тут выяснилось, что документы на товар липовые.

— Обычная история.

— А Лишенко мне теперь говорит: с тебя половина суммы, и ты чиста, как стекло.

— То есть с вас требуют пятьдесят тысяч долларов?

— Да.

— А вы участвовали в этом деле?

— Нет.

— Чем же они вас шантажируют?

— Я была знакома с пострадавшим — с Беловым.

— Откуда у вас пятьдесят тысяч, если вы нигде не работаете?

— У меня их и нет.

— А на что вы живете?

— Я три раза была замужем. Мои мужья были очень небедными людьми. Они мне помогают чем могут. К тому же у меня много друзей.

— А почему вы обратились к нам, а не в РУБОП?

— Я боюсь их всех. Этот майор — Лишенко — говорит, чтобы я не дергалась и никуда не жаловалась, а то он меня засунет в камеру, а потом навесит еще пару дел. Кроме того, недавно ко мне домой позвонил мужчина, не назвался. Сказал, что, если я не отдам деньги, вопрос может быть решен и внесудебными методами. Я уверена, что эти менты связаны с бандитами. Меня могут просто убить.

— А сроки выплаты денег назывались?

— Пока нет. Что вы мне посоветуете?

— Во-первых, есть больше устриц. Знаете, когда их ешь, они пищат. Правда, я лично никогда не слышал, но знающие люди уверяют, что это так. Один мой знакомый — он, кстати, на мясокомбинате работает директором по безопасности — считает, что человек по своей природе хищник и поэтому должен питаться не падалью, а живыми существами. Только слопав что-нибудь живое, у него на душе наступает гармония и покой. И когда этот мой знакомый вгрызается в устрицу, а она под его зубами пищит, у него происходит что-то вроде оргазма. Попробуйте, не пожалеете. Ну, а во-вторых, дайте мне пару дней на изучение вашей истории.

— У меня есть доказательства, — быстро сказала Инга. — Я записала наш разговор с Лишенко на диктофон. И еще у меня есть фото: этот Лишенко вместе с бандитами.

— Чего ж вы раньше не сказали. Где они у вас?

— Дома. Если хотите, мы заедем сейчас.

— Конечно, хочу.

3

В агентство в тот день я не вернулся. Инга жила на четвертом этаже очень пристойного дома на Московском. Обстановка квартиры — сплошной модерн. Кровать — водяная. Губы — мягкие. Комплексов — никаких.

Утром я вышел из ее дома с аудиокассетой и распечатанной на принтере фотографией, на которой были изображены три мужика.

Горностаева уже стояла возле моего кабинета. Не обойти. Я как можно более радушно сказал: «Привет, Горностаева», — и поставил ей на вид, что она курит всякую дрянь в неположенном месте. Она не отреагировала. По глазам было видно, что не спала и разговор предстоит жесткий.

Она спросила, где я был. Она искала меня всю ночь. А моя труба на ее звонки не реагировала.

— Аккумулятор сел, — ответил я. — И вообще, Валя, ты знаешь, как я к тебе отношусь.

— Как?

— Хорошо, — со стопроцентной искренностью в голосе сказал я.

— Ты хоть презервативом пользовался? — продолжала допытываться Горностаева.

— Один мой знакомый, кстати, он тоже журналист, никак не мог выговорить слово презерватив. Ну, не получалось у него, хотя все остальные слова выговаривал нормально. И вот когда он приходил в аптеку, начиналась полная неразбериха. У него раздраженно спрашивали: «Чего-чего вам, молодой человек?» Он в ответ мычал что-то невразумительное и показывал пальцем то куда-то в сторону, то почему-то в направлении пола. «А, так вам презерватив!» — наконец кричали ему на всю аптеку обрадованные фармацевты. В общем, так и погубили они человеку всю личную жизнь...

— Так ты с этой бабой был?

— Какой такой бабой?

— Которая вчера утром тут торчала.

— Ах, с бабой! У меня с ней была короткая деловая встреча. И вот что, Горностаева, давай не смешивай личное с общественным. Наши с тобой отношения — это личное. А то, где ты куришь, и то, с кем я встречаюсь — это общественное.

Я решительно открыл дверь в свой кабинет и скрылся от злобной Горностаевой.

В общем и целом Горностаева была девушкой неплохой. Ноги вполне пристойные, если в мини-юбке, и работает хватко. В агентстве до недавнего времени были уверены, что она или розовая, или вообще никакая. В том смысле, что она не только ни с кем не встречалась, но и на мужиков внимания не обращала. Я так долго гонял ее за курение в не отведенных для этого местах и разбрасывание грязных кофейных чашек на всех подоконниках агентства, что наши отношения естественным порядком дошли до постели. Вернее, сначала до кресла в моем кабинете, потом до стола в ее комнатке. Горностаева узнала, что такое любовь. Оказалось, что любовь — это я.

Это было очень почетно, временами даже приятно, но некоторые сложности в мою жизнь вносило.

Обнорский нашим романом живо интересовался. Особенно его беспокоило, чтобы это не отразилось на потенциале агентства. «Ты, Леха, смотри, — говорил он, — делай с Горностаевой что хочешь, но чтоб никаких, понимаешь, декретов».

4

Надо было поработать над делом Инги. Я позвал к себе Родиона Каширина.

— Значит, так, Родион. Надо бы узнать все про одну женщину. Зовут ее Инга, фамилия Корнеевская. Живет на Московском проспекте. Она говорит, что проходит по уголовному делу о мошенничестве, которое ведет УБЭП. Хорошо бы выяснить, что это за дело и кто такой майор Лишенко. Да, вот еще фотография — здесь якобы этот самый майор с какими-то бандитами. Попробуй установить, кто это.

Я стал слушать взятую у Инги кассету с записью ее разговора с сотрудниками УБЭП. В общем, его содержание примерно соответствовало тому, что говорила мне Корнеевская. Речь шла о каком-то уголовном деле. Мужской голос довольно противного тембра говорил Инге, что она может сесть, и сесть надолго. Ну, на год-то — до суда — уж точно. А изолятор — не сахар. Потом заговорили о какихто тысячах долларов, которые неплохо было бы вернуть. Так что, с одной стороны, это действительно напоминало вымогательство майором милиции крупной взятки, а с другой — мало чем, на мой взгляд, отличалось от обычных методов работы сотрудников милиции с подозреваемыми. У них так всегда: попугают — авось расколется. Но Инга держалась крепко.

На этом обвинение майора не построишь, сказал я сам себе и решил на время забыть о деле Инги Корнеевской. К приезду Обнорского надо было разработать проект инструкции о форме одежды для сотрудников «Золотой пули».

Внешнему виду подчиненных Обнорский уделял особое внимание. Видимо, это осталось у него от службы в армии. Периодически у Обнорского появлялась идея пошить всем форму. Что-то типа: черный верх, белый низ. Или наоборот. Но нам с Повзло до сих пор удавалось охладить управленческий пыл Обнорского. Во-первых, говорили мы, у многих сотрудников агентства работа непубличная, и нечего им светиться в новой форме с галунами и аксельбантами. А во-вторых, добавлял я, это ж денег стоит. А финансовое положение агентства — не ах, чтоб так разоряться.

Обнорский аргументам внял. Но частично — предоставить сотрудникам полную свободу в выборе одежды натура не позволяла. И я должен был быстренько в письменном виде попытаться удовлетворить армейские ухватки Обнорского, не слишком ограничив при этом журналистов в их праве носить то, что хочется и что позволяют средства.

Первый пункт инструкции я изложил быстро. «Сотрудники агентства обязаны ходить на работу в начищенной обуви». Я знал, что для всех бывших военных главное — это начищенные сапоги. Теперь надо прикинуть, сколько нужно будет закупить щеток и кремов. Ну, четыре щетки, пожалуй, хватит. Жалко только, что обувь у народа не одного цвета. Была бы черная — купил бы пятикилограммовую банку гуталина: на полгода хватит. А тут опять расходы...

Следующим пунктом инструкции следовало бы изложить требование ношения чистых подворотничков. Обнорскому бы понравилось. Но, боюсь, народ не поймет.

С внешним видом мужчин все было довольно просто: брюки — любые, но чистые и со стрелочками. Шорты — запрещены. Желателен пиджак с карманами. Рубашка — выглаженная. Менять не реже чем раз в два дня.

С женщинами сложнее. Я указал рекомендуемую длину юбок для дам — не выше двух сантиметров от колена (интересно, от какой части колена эти сантиметры считать? — ну, не будем вдаваться в частности). Разрез на юбке — не выше середины бедра (эх, придется всех наших женщин предварительно замерить. Надо закупить линейку подлиннее).

Обнорский был хоть и жуткий бабник, если считать по количеству женщин, которые в разные периоды жизни скрашивали его быт, но никаких фривольностей сотрудницам «Золотой пули» не разрешал. Поэтому в проекте инструкции я указал на необходимость всем женщинам носить лифчики (нет, лучше напишу — бюстгальтеры, выглядит интеллигентнее). Так и запишем: «носка бюстгальтеров для сотрудников агентства женского пола обязательна круглогодично».

Тут я подумал, что получается какой-то бред — как будто лифчики носить надо, а трусы не надо.

Исправил фразу. Получилось: «носка бюстгальтеров и трусов для сотрудников агентства женского пола обязательна круглогодично». Хорошо вышло.

Последний пункт инструкции звучал просто замечательно: «Контроль за исполнением возложить на заместителя директора агентства по хозяйственной части Скрипку А. Л.».

5

Утром на следующий день Каширин положил передо мной отчет о первых результатах по делу Инги Корнеевской.

Оказалось, что ей тридцать два года — я так примерно и думал. Родилась в Одессе. Образование высшее — инженер. Три раза была замужем. Фамилию не меняла. Сейчас в разводе. Квартира на Московском, в которой она меня принимала, — расселенная три года назад коммуналка, записана на некую гражданку Иванову.

Инга выступала соучредителем трех фирм с ничего не говорящими названиями. Не судима. Автотранспортом не владеет.

— А что с УБЭП? — спросил я у Каширина.

— Есть такой Михаил Лишенко — замначальника отдела. Больше пока никакой информации.

— А по фотографии?

— Пока ничего.

— А кто такой этот пострадавший от мошенников Белов?

— Да ты бы хоть узнал у этой дамочки, что за фирма у этого Белова. Как его имя-отчество? Год рождения? В Питере Беловых — несколько тысяч...

— Ладно, Родион, не ругайся. Я данные Белова выясню, а ты не хочешь ли пока взять и вот так, по-простому, поговорить с этим майором Лишенко? Сказать, что, мол, ты — журналист агентства, интересуешься делами о мошенничествах. Может, он чего и сболтнет...

* * *

Вечером я позвонил Инге и сказал, что мне нужна от нее дополнительная информация. «Приезжайте», — сказала она. Я приехал. И уже к утру знал об этом Белове все. Но устал страшно.

6

Горностаева со мной не разговаривала и демонстративно стряхивала пепел на пол. А у меня даже не было сил сказать ей какую-нибудь гадость.

Каширин пришел злой.

— Поговорил я с твоим майором. Сука редкостная. Меня послал разве что не матом. Сказал, что для агентства этого засранца Обнорского слова не произнесет.

— А чего это он?

— Просто сволочь. Давай его посадим.

— Сажает, Родион, как известно, суд. Но мы можем и помочь нашим правоохранительным органам избавиться от позорящих их субъектов. У меня вот был знакомый, инженер, так в советские еще времена от него ушла жена. Об этом стало известно у него на работе, собрали собрание коллектива и стали этот факт его биографии обсуждать. Коллектив решил: поведение этого моего знакомого осудить, и его портрет повесить на доску позора вместе с фотографиями прогульщиков и пьяниц.

— И повесили?

— Повесили. А тут жена взяла и вернулась. Ну, этот инженер бежит в профком и говорит: у меня, мол, баба возвернулась, поскольку я такой замечательный. И мой портрет надо перевесить с доски позора на доску почета. А ему отвечают, что мы твой портрет с доски позора по такому случаю, конечно, снимем, но до почета ты, брат, не дорос. Ну, расстроился он почему-то сильно. Запил. И его портрет опять повесили на доску позора. Так до конца перестройки и висел. В общем, раньше люди совестливые были, им и морального наказания было достаточно. А майора этого, Лишенко, действительно, посадить было бы неплохо.

* * *

Каширин развил дикую активность, и вскоре план кампании по посадке майора Лишенко вчерне был готов.

Во-первых, Родион выяснил, что Лишенко в свое время уже отстраняли от работы — его подозревали в получении взяток. Но доказать ничего не удалось, и после очередной смены руководства главка майора не только восстановили, но и повысили.

Во-вторых, на фотографии Лишенко был изображен с неким Ваней Кувалдой — среднего уровня бандитом то ли из пермских, то ли из казанских. Третьего типа на снимке опознать не удалось.

В-третьих, индивидуальный предприниматель Андрей Павлович Белов был не только подозрителен, по определению, но и три года назад проходил свидетелем по делу, которое вел Лишенко.

Все складывалось одно к одному: сотрудник УБЭП был явно коррумпирован. Но взять его можно было только на взятке.

— Значит, так, — резюмировал Каширин, — обращаемся в РУБОП, выкладываем им все наши косвенные улики. Они гарантированно заинтересуются. Потом эта Корнеевская отдает Лишенко кейс с меченными деньгами. Он берет, тут врывается РУБОП. Лишенко сидит. Мы счастливы, потому что беременны.

— План хороший. За исключением беременности, — внес коррективы я. — Шеф беременности не одобрит. Хорошо бы, конечно, дождаться Обнорского — он возвращается послезавтра.

— Конечно, дождемся. Я пока — предварительно — поговорю со знакомыми рубоповцами. А ты должен склонить Корнеевскую к сотрудничеству с РУБОПом.

7

РУБОП был согласен, если Корнеевская напишет заявление о вымогательстве взятки. Ингу я склонял долго — весь вечер, всю ночь и все утро. Она говорила, что ей страшно, что с милицией вообще и РУ-БОПом в частности связываться нельзя. Я отвечал, что это единственный способ избавиться от наездов и без ее участия никакой Обнорский ей не поможет. В конце концов она согласилась, и я смог отправиться на работу.

* * *

Открылась дверь. В кабинет вошла Горностаева. Я удивился — последнюю неделю она со мной даже не здоровалась.

— Алексей Львович, — обратилась она ко мне официально, — эта женщина вас обманывает.

— Женщины, Валентина Ивановна, всегда обманывают. Один мой приятель — он сейчас депутат Госдумы — познакомился в ночном клубе с девушкой. Ну, туда-сюда, решил он сделать ей приятное. Спрашивает, какой у вас размер? Она говорит: сорок второй. А обуви? Тридцать пятый. Покупает он ей в соответствии с этими параметрами шмоток на штуку баксов. И вдруг видит, что вместо того, чтобы радостно снимать трусики, девица падает в обморок. Оказалось, что размер у нее сорок шестой. А нога так вообще тридцать девятого калибра.

— Алексей Львович, — упрямо продолжала Горностаева, — Корнеевская вас обманывает. Вы знаете, на что она живет?

— На что?

— На трах. Она работает любовницей. Дорогая проститутка. Берет не сто рублей зараз. И не сто долларов за ночь. А квартирами, акциями, услугами.

— Ну, Валя, так поступают все женщины, — не согласился я. — Это не проституция, а жизнь. Просто одним бабам достаются бедные мужики, а другим богатые.

— Она спала со всеми — и с Беловым, и с Лишенко, и с Кувалдой. А квартиру ей оплачивает тамбовец Губенко.

— Откуда ты это взяла?

— От своих источников.

— Каких?

— Источников не раскрываю.

— Значит, выдумала. Зря, Валя, ревность не украшает женщину. Особенно беспочвенная.

Горностаева развернулась, хлопнула дверью. Кусок штукатурки отвалился от стены.

«Опять расходы», — подумал я.

Тут Горностаева вернулась.

— А ты знаешь, что Каширина она уже захомутала. Ты с ней трахаешься ночью, а он к ней заходит днем.

И еще раз шваркнула дверью. Я решил, что надо будет написать инструкцию по правильному использованию дверей — иначе скоро от агентства одна штукатурка останется.

8

Вернулся Обнорский. Агентство ожило. Заметалась секретарша. У дверей кабинета шефа выстроилась очередь из девушек, мечтающих постажироваться в агентстве у самого Обнорского, и иностранных журналистов, требующих от шефа разъяснений, почему Петербург не является криминальной столицей России.

Я протиснулся в кабинет Обнорского, нагло опередив ирландскую съемочную группу. Андрей был не в духе. Я решил для начала его чуть-чуть порадовать проектом инструкции о внешнем виде сотрудников агентства.

Расчет не удался. Обнорский мрачно сказал, что инструкция недоработана, нужно добавить раздел о макияже, потому что женщины «Золотой пули» пользоваться косметикой не умеют, и надо в инструкции эти вопросы подробно изложить, а потом провести методические занятия с сотрудницами, как, что и чем красить.

Потом он молча выслушал историю про Корнеевскую.

— Действуйте, — сказал он.

Ирландцы уже ломились в дверь со своей ирландской камерой и ирландскими вопросами о нашем криминале.

* * *

Капризы шефа, как известно, и не капризы вовсе, а руководящие указания. Прояснить вопрос о макияже я решил у Марины Борисовны Агеевой — начальнице архивно-аналитического отдела и главной женщины агентства.

— Так, Марина Борисовна, — сказал я, размахивая неподписанной инструкцией, — теперь я контролирую внешний вид женщин агентства. Предъявите ваш лифчик и лифчики ваших подчиненных. А также расскажите о том, чем скромный макияж отличается от нескромного...

Бюстгальтеры у сотрудниц архивного отдела оказались на месте. Но с инструкцией по макияжу дело не пошло. Я предлагал измерять количество косметики граммами, а Марина Борисовна — каким-то абстрактным вкусом. Решили, пусть лучше сначала Обнорский лично проведет с агентскими дамами методические занятия, а уж то, что он насоветует, мы и облечем в документальную форму.

9

Операция по взятию с поличным майора Лишенко вступала в решающую стадию. Надо было тащить Ингу в РУБОП. Но ее телефон молчал.

Плюнув на все дела, я помчался на Московский.

У парадной было суетно. «Скорая помощь», милицейский уазик, еще несколько машин.

«Убили кого?» — подумал я. И попытался пройти в подъезд. Но меня не пустили.

— Что случилось? — спросил я у старшины, охранявшего вход.

Но старшина попался неразговорчивый.

Я пристроился в сторонке. Через десять минут из дома вынесли носилки с закрытым простыней телом. Еще через полчаса возле дома уже никого не было.

Я поднялся на четвертый этаж. Квартира Инги была опечатана.

10

Обнорский рассеянно слушал мой рассказ об убийстве Корнеевской.

— Андрей, надо срочно создать группу по расследованию этого дела, — говорил я. — Предлагаю включить в нее Спозаранника, Зудинцева и Каширина. Меня назначить старшим. У нас в руках все нити этого дела: майор Лишенко, бандит Кувалда, бизнесмен Белов, вымогательство, обращение в РУБОП...

— Брось ты, Леха, — оборвал меня Обнорский. — Пусть это дело менты расследуют. Ты лучше с автотранспортом разберись. Черт-те что творится.

Обнорский имел в виду ситуацию с личными автомашинами сотрудников агентства. За последнее время по крайней мере половина наших расследователей напокупала себе автомобилей. Но поскольку машины они приобретали не новые, а те, которые позволяли доходы, и опыта вождения у них было немного, с этими автомобилями все время что-то приключалось. То сломаются по дороге, то в аварию попадут. Бывает, спросишь: «Где Спозаранник?» — «В автосервисе». — «Где Железняк?» — «На разборе в ГИБДД».

С этим надо было что-то делать. Но что — непонятно. Я считал, что со временем количество поломок и ДТП приблизится к норме и проблема исчезнет сама собой. Но Обнорский считал, что ждать, пока рассосется, нельзя и надо срочно что-то предпринимать. Например, провести методические занятия по правильному использованию личного автотранспорта в служебных целях...

Впрочем, думать обо всех этих глупостях я не собирался. Действительно, нужно было что-то делать, но не с машинами, а с убийством. Но что именно делать и, главное, какими силами — непонятно.

Обнорский запретил мне создавать группу по расследованию убийства. Каширин второй день не появлялся на работе — говорят, заболел. Обращаться к Горностаевой было бессмысленно — пошлет.

Оставалось надеяться только на себя.

«Стоп, — сказал я себе. — Если было убийство, значит, наши репортеры должны были и без всяких указаний или запретов Обнорского его отслеживать».

Я пошел к начальнику репортерского отдела Соболину.

Оказалось, что известно об этом убийстве крайне мало. Женщина вроде бы была зарезана. Но вроде бы убийство заказное. Прокуратура молчит. Московское РУВД советует обращаться почему-то в РУБОП (ага, сказал я себе, я-то знаю, почему в РУБОП), в РУБОПе информацию по убийству давать отказываются.

Я попросил Соболина тем не менее постараться выяснить максимум подробностей по Корнеевской: во сколько ее убили, чем убили, есть ли свидетели и так далее.

Сам поехал на Московский.

11

Квартира Инги была по-прежнему опечатана. Я осмотрел замок — следов взлома не видно. Позвонил в соседнюю дверь на площадке.

— Кто там?

— Отдел расследований, — сказал я как можно весомее и поводил перед глазком красным удостоверением агентства.

Хозяйку квартиру эта демонстрация, видимо, убедила в моей благонадежности. А моя фирменная прическа (ежик) и прикид (куртка из хорошей кожи и нетощая золотая цепь на шее) только подтвердили мою несомненную принадлежность к правоохранительным органам.

Хозяйка — Людмила Петровна — оказалась женщиной немолодой и очень интеллигентной. В том смысле, что напоила меня кофе и рассказала обо всем, что видела через дверной глазок.

Итак, милиция, по словам моей информаторши, приехала около восьми вечера. Дверь, видимо, была открыта, потому что ее никто не ломал.

Убитая — то есть Инга — была, утверждала Людмила Петровна, девушкой очень милой. На работу, правда, она не ходила. А гости ее посещали часто. В основном мужчины. Еще за ней несколько раз заезжал немолодой уже человек на «мерседесе».

Я записал описания троих запомнившихся хозяйке гостей Инги. Она мне посоветовала еще поговорить с Дорой Федоровной с первого этажа — эта старушка должна была знать многое.

Но самое удивительное, что Людмилу Петровну, как, впрочем, и Дору Федоровну и остальных жильцов этого дома, никто до меня не опрашивал.

«Во менты зажрались, — подумал я. — Уже поквартирный обход ленятся делать!»

* * *

Побеседовав с Дорой Федоровной и еще семью обитателями дома на Московском, я исчиркал полблокнота описаниями каких-то людей, машин и версиями убийства.

Большинство соседей считали, что Ингу убил из ревности кто-то из ее многочисленных мужчин. Вопрос — кто?

12

Володе Соболину кое-что по этому делу все-таки удалось выяснить. Убийство произошло предположительно около пятнадцати часов. Орудие преступления — нож. Об убийстве стало известно благодаря анонимному звонку. Неизвестный (Соболину даже не удалось узнать, мужчина это или женщина) позвонил почему-то в РУБОП. Рубоповцы первыми и приехали на место происшествия. Территориалы в квартиру вообще не заходили.

В общем, информации было на грош. Акта экспертизы Соболину посмотреть не удалось. Бросил ли преступник нож или унес с собой — неизвестно. Украдено ли что-нибудь из квартиры — неясно.

У меня появилось ощущение, что кто-то пытается спустить это убийство на тормозах. Непонятно только кто — майор Лишенко вроде бы не такая уж важная птица.

И поведение Обнорского очень странно. Почему он отказался от собственного расследования? Может быть, среди мужчин Инги был человек немереной крутизны — губернатор, например, или представитель президента, и теперь они пытаются скрыть этот факт от общественности?..

* * *

Я стал разбираться с показаниями свидетелей. Часть описаний никуда не годилась: «Видела мужчину средних лет в кепке». Но часть была довольно подробна.

Конечно, люди могут ошибаться. Поэтому я решил оставлять только те описания, которые повторялись хотя бы у двух человек.

В итоге наскреб шесть предполагаемых кандидатур: пять мужчин, одна женщина. Кроме того, свидетели частично запомнили номера нескольких машин, владельцы которых могли ходить к Корнеевской.

* * *

Рыжую женщину я узнал сразу. Черный бант с белой полоской носила только Горностаева.

Одним мужчиной мог быть я сам — слава Богу, мои информаторы меня не узнали.

Еще под одно описание подходил Лишенко — если, конечно, судить по единственной фотографии, которая у меня имелась.

Следующим фигурантом мог оказаться и Ваня Кувалда — в общем, кто-то с внешностью еще более бандитской, чем у меня.

Потом был некий пожилой мужчина. И один довольно молодой человек в куртке из черного драпа. По-моему, такую куртку я видел у Каширина.

Зудинцев, которого я попросил по дружбе разобраться с номерами автомобилей, которые видели у подъезда Корнеевской соседи, смог выяснить владельца только одного из них. Он был записан на некую Белову Ольгу Александровну. Правда, Ольге Александровне было шестьдесят три года, и водительских прав у нее не было, но зато был сын — предприниматель Андрей Павлович Белов.

* * *

Из личных дел я вынул фотографии Каширина и Горностаевой. Взял с собой снимок Лишенко с Кувалдой и из архива фото тамбовца Губенко (того, который, по словам Горностаевой, оплачивал Инге квартиру). И поехал к своим свидетелям — на опознание.

Соседи железно опознали Горностаеву — вертелась, говорят, тут, но какого числа, не могли вспомнить, то ли в день убийства, то ли раньше. Каширина опознал только один человек, остальные сомневались. Примерно та же ситуация была по Лишенко и Губенко. Физиономия Кувалды никому не показалась знакомой.

Теперь, как учили меня в детективах, нужно было выяснить алиби подозреваемых. Проще всего было разобраться со своими.

Горностаева — в тот день ее не было в агентстве с двенадцати до семнадцати часов.

Каширин отсутствовал весь день. Говорит, что болел, но справки не представил.

Надо было ехать проверять алиби других. А дел в агентстве было невпроворот. Вернувшийся с чтения лекций Спозаранник с удвоенной силой требовал, чтобы я обратил внимание на нужды как самого Спозаранника, так и его отдела. Спозараннику было срочно необходимо: деньги на опперрасходы (то есть на такси, подкуп источников, пьянки и гулянки) в размере одной тысячи рублей (я, правда, считал, что на тысячу и не погуляешь вдоволь, и никого стоящего не подкупишь, а посему предлагал ограничить эти расходы ста рублями), сорок дискет, десять аудиокассет, картридж для принтера, три пачки бумаги белой мелованной, одну коробку фломастеров, двадцать пять ручек, шесть карандашей и одну резинку (стирательную).

Я уже совсем было собрался послать Спозаранника подальше, сославшись на трудное материальное положение агентства, связанное с политическим кризисом в Югославии и повышением цен на бензин в общемировом масштабе, и переквалифицироваться из завхозов в детективы, но тут меня осенило.

— Значит, так, Глеб. Предлагаю выгодный обмен. Я тебе обеспечу все, что ты хочешь: тысячу рублей, дискеты, кассеты и даже резинку от трусов. А ты мне сделаешь всего две вещи: напишешь проект инструкции об использовании макияжа и выделишь в мое полное распоряжение на пару дней какого-нибудь практиканта-расследователя — их к тебе обычно валом посылает Обнорский.

Обалдевший от моей доброты Спозаранник согласился.

И через десять минут передо мной стоял настоящий практикант-расследователь. Единственным подвохом от Спозаранника было то, что практикант оказался не парнем с накаченными мускулами, а девушкой Антониной. Впрочем, довольно симпатичной. Кстати, в нарушение проекта инструкции она не носила бюстгальтера.

«А есть ли на ней трусы?» — спросил я себя. Но проверку решил отложить до окончания расследования.

— Значит, так, Тоня, вы поступили в мое полное распоряжение.

Она утвердительно кивнула.

— Один мой приятель, кстати писатель, выяснил пару лет назад, что есть такой писательский девиз:

ни дня без строчки. И вот это утверждение он бросился претворять в жизнь. В день стал писать по строчке. За месяц у него выходит страница. За год — двенадцать. За два — двадцать четыре. А пишет он не новеллу какую, а роман — он любитель больших форм. Но мы с вами, Тоня, так работать не будем. У нас два дня. Что хотите делайте, но узнайте, где были и что делали в день убийства Корнеевской Михаил Лишенко, Андрей Белов и Геннадий Губенко. Вот вам на них объективки: домашние адреса, места работы, телефоны. Поговорите с соседями, сослуживцами, родственниками. Только придумайте какую-нибудь легенду. Страховой агент, добровольный помощник ГИБДД, представитель жилконторы...

Я понимал, что посылаю необстрелянную и необученную Тоню на абсолютно безнадежное дело. Но пусть, в конце концов, учится.

А я отправился проверять алиби Горностаевой и Каширина.

13

Девушка Тоня справилась с работой на удивление хорошо. Выяснилось, что бандит Губенко уже две недели как пребывает в Италии и вроде бы границу с Россией не пересекал. Милиционер Лишенко в нужный нам день выезжал на некое задание, какое — неизвестно. А предприниматель Белов находился в командировке в Мурманске, что подтверждалось показаниями его мурманских партнеров.

Правда, если верить первоначальным заявлениям Соболина, в милиции убийство Корнеевской считали заказным, а заказчики могли и отсутствовать в момент убийства в городе. Но я в заказанность смерти Инги не верил. Кто ж по заказу убивает ножом! Заказные убийства — это пистолет, автомат, винтовка.

Таким образом у меня на подозрении оставались майор Лишенко и, к сожалению, Родион Каширин и Валя Горностаева.

Я выяснил, что Каширин с болезнью все наврал. Дома он несколько дней практически не появлялся. Соседка по коммуналке говорит, что он был тогда на взводе — чуть что начинал кричать. В общем, что-то в его жизни тогда произошло. И это что-то случилось не дома и не в агентстве.

С Горностаевой не лучше. Пропала ее любимая вельветовая куртка. Дома она сказала, что выбросила куртку, потому что та порвалась. Но я в это поверить не мог. Валя была девушкой небогатой и очень экономной. Выкидывать еще хорошую вещь было абсолютно не в ее характере. Она могла это сделать только в том случае, если куртка была забрызгана кровью.

Я представил себе, как Горностаева приходит к Инге, устраивает ей сцену. Инга отвечает что-то циничное. Горностаева хватает нож — и все: убийство в состоянии аффекта.

С этим надо было идти к Обнорскому. Но я не собирался ему ничего рассказывать. По крайней мере о Горностаевой.

14

Горностаева пришла ко мне сама. Она была вне себя:

— Ты зачем приходил ко мне домой? Кто позволил тебе допрашивать моих родных?

— А зачем ты была в доме у Корнеевской в день убийства? — спросил я.

— Меня там не было!

— Тебя видели.

— Ты врешь!

— А где твоя вельветовая куртка? — спросил я и попытался проследить за ее реакцией.

Реакция как реакция: неистовая Горностаева готова была меня убить, как Ингу Корнеевскую.

— Не твое дело! — Горностаева выскочила из кабинета, опять шваркнув дверью. Но в этот раз от стены ничего не отвалилось. Видимо, все, что могло осыпаться, уже осыпалось.

15

Каширин, правда, тоже вел себя очень подозрительно. Раньше он заходил ко мне поболтать как минимум раз в день. Теперь только дежурные «привет» и «пока». Он должен был знать, что я приходил к нему домой и говорил с его соседкой, но никаких вопросов мне почему-то не задал.

Правда, мотива для убийства у Каширина не было. По крайней мере я такого не находил. Ревность — к кому? Ко всем мужчинам Корнеевской? Родион не похож на человека, убивающего из ревности. Грабеж — это вообще бред. Конечно, никто не знает, что было и что пропало из квартиры Корнеевской, поскольку, как я понял, этим вопросом милиция просто не занималась, но представить Каширина, убивающего женщину ради денег, я пока не мог.

Пока не увидел в руках у Каширина ручку. Точно такую же ручку с головой слона на колпачке я видел у Корнеевской. Один бивень у слона был отломан.

Я привел Каширина в свой кабинет. Попросил показать ручку. Он дал. У этой слон тоже был без бивня.

— Это чья ручка? — спросил я мрачно.
— Корнеевской.
— Откуда она у тебя?
— Подарила.
— После смерти.
— До.
— Ты был у нее в день убийства, — решил пойти я в наступление.
— Не был.
— Тебя видели.
— Ну, был.
— И отпечатки твоих пальцев нашли, — я блефовал, но Каширин, похоже, и не собирался особо отпираться.
— Ну и что.
— И на ноже.

3 Агентство «Золотая пуля» 2

65

— Каком ноже?

— Которым зарезали Корнеевскую.

— Вот это ты врешь, — сказал он и улыбнулся.

Ага, подумал я, значит, нож он забрал с собой и выбросил.

— Тебя не было дома в тот день. Где ты был? — продолжил допрос я.

— Это мое личное дело.

— Убивать людей — личное дело? — удивился я.

— Все, Леша, хватит меня мучить, иди к Обнорскому, — прекратил разговор Каширин.

* * *

Делать было нечего — надо идти к Обнорскому.

— Андрей, в убийстве Корнеевской много неясного, — начал я мягко. — Например, поведение Каширина...

— Не трогай дело Корнеевской, — оборвал меня Обнорский. — Я же тебе уже говорил. Займись лучше своими прямыми обязанностями, в последнее время от тебя толку — ноль.

16

Я размышлял над бредовостью ситуации. Получалась только одна более-менее логичная схема: Обнорский руководит бандой налетчиков, в которую входят Каширин и Горностаева. Обнорский, как всегда, осуществляет общее стратегическое руководство. Каширин входит в доверие в жертвам и проникает в квартиры. Потом профессиональный киллер Горностаева ставит точку в этом кровавом деле, они забирают все ценное в квартире убитого и делятся с Обнорским. А милицейское прикрытие банды осуществляет майор Лишенко.

Да, эта схема все объясняет, решил я, и поведение Обнорского, и странные действия милиции, и исчезнувшую куртку Горностаевой, и наглость Каширина...

* * *

Размышления о том, куда мне идти с этой историей — в Генпрокуратуру или Бехтеревскую больницу, — прервал Соболин.

— Представляешь, что я узнал, — сказал он, — дело то по Корнеевской возбудили не как убийство, а как покушение на убийство.

17

Голова прояснилась. Если покушение на убийство — значит, Корнеевская жива. К квалификации преступлений в прокуратуре относятся серьезно, тут никакой майор Лишенко не поможет. Если она жива — значит, ранена.

Я быстро нашел практикантку без бюстгальтера Тоню и поручил выяснить, поступала ли в больницы в день предполагаемого убийства женщина с резаной раной. Сам направился в «скорую помощь».

К вечеру стало ясно, что ни Корнеевская, ни женщина, похожая на нее, ни в тот, ни в последующий день не была госпитализирована. В журнале «скорой» вызов на Московский значился, но сведений о состоянии больного и его дальнейшей судьбе почему-то не было.

Оставалось найти кого-нибудь из той бригады «скорой», что выезжала на Московский. Быстрее всех нашелся водитель.

— Да, — сказал он, — был такой смешной выезд. Приехали. Уложили нам носилки с трупом. Потом труп встал и ушел своими ногами.

Я клял себя на чем свет стоит: все это я мог выяснить на следующий день после убийства. Впрочем, теперь понятно, что никакого убийства не было — сплошная мистификация.

* * *

Я угробил три дня и не скажу сколько личных денег, но нашел ее.

Я поднялся на третий этаж «корабля» на юго-западе, позвонил, она открыла.

— Здравствуйте, Леша, — сказал она.

— Здравствуйте, Инга.

Тут я ее ударил. Не сильно. Ладонью по левой щеке. Не знаю зачем. Я до этого женщин никогда не бил. Но тут не смог удержаться. Хотя она, наверное, и не виновата была ни в чем.

Но ударил — и сразу отпустило. Захотелось шутить.

— Не плачьте, Инга, — успокоил ее я. — Один мой приятель, гаишник, говорит, что в ГАИ он пошел не для того, чтобы денег заработать, а чтобы на него все внимание обращали. Палочка красивая, полосатая и светится в темноте, жилетик зелененький, светоотражающий, бляха начищенная... Больше всего, уверяет мой приятель, гаишники обижаются, когда их не замечают. Представляете, стоит он такой красивый с палочкой, а водитель мимо него — шмыг. Ну, гаишнику обидно, он как будто на танцы пришел — а приходится стоять в сторонке. А обиженный невниманием гаишник — это страшная штука, скажу я вам, Инга. А по поводу синяка не волнуйтесь. Теперь на вас еще больше внимания обращать будут...

18

Мы — я, Каширин и Горностаева — собрались у Обнорского.

И Обнорский мне все объяснил. Доходчиво, но поздно.

Дело было примерно так: Каширин по моей просьбе занимался изучением связей Корнеевской. Легенду он для себя выбрал своеобразную: изображал бандитствующего молодого человека. И представьте, кто-то из окружения предпринимателя Белова на этот образ клюнул. Свели нашего бандита Каширина с этим самым Беловым, представили как профессионального киллера. Ну, а Белов «заказал» Каширину

Корнеевскую. Белов хотел, чтобы Родион убил Ингу холодным оружием — ножиком или топориком, чтобы не подумали, что «заказуха». Обещал заплатить после дела пятнадцать тысяч долларов.

Каширин, естественно, рванул к Обнорскому. Обнорский — в РУБОП. Там решили, что Каширин должен на «заказуху» соглашаться. Вот так убийство и инсценировали.

— А что, мне нельзя было сказать? — закричал я.

— Нельзя, — строго сказал Обнорский. — Заказчик-то был на свободе. Его только вчера при передаче денег Родиону взяли. Теперь Белова обвиняют в организации убийства, которого не было.

— А при чем тут майор Лишенко?

— Черт его знает. В РУБОПе думают, что он какие-то дела крутил с Беловым, но, скорее всего, им ничего не доказать.

— А зачем эта Корнеевская со всеми ними спала? — задал я совсем уже глупый вопрос.

— Потому что женщина, — умно ответил Обнорский.

— Ну, а где твоя куртка? — напоследок спросил я у Горностаевой.

— Я отдала ее женщине на паперти Никольского.

Мне оставалось только рыдать: то ли от ненависти, то от умиления. Но я решил рассказать байку.

— Один мой приятель, монах, однажды познакомился с женщиной...

Но они меня не слушали. Все отправились в буфет есть чебуреки.

А не слушали зря. Байка была очень поучительная.

ДЕЛО О КУПАНИИ В ЗАЛИВЕ

Рассказывает Валентина Горностаева

*Горностаева Валентина Ивановна, двадцать восемь
лет, русская. Корреспондент репортерского отдела.
Профессионально пригодна...*

*...Конфликтна. Имеет четыре выговора — за куре-
ние в неположенных местах, срыв сроков сдачи материала, пререкания с начальством и умышленную утерю
вещественного доказательства (аудиокассета). Две благодарности — за успешно проведенные расследования.*

Не замужем.

*Ранее имелись неподтвержденные данные о нетра-
диционной сексуальной ориентации Горностаевой, однако последние события (неформальные отношения
с замдиректором агентства Скрипкой А. Л.) опроверга-
ют эту информацию...*

Из служебной характеристики

Я сидела в читальном зале Российской Националь-
ной библиотеки и по заданию Обнорского читала про
то, как Бурцев ловил провокаторов. Стопка книг на
моем столе внушала мне тоскливое отвращение, такое же, как и личность самого Владимира Львовича.

«Вот урод! — говорила себе я, разглядывая его фотографию. — Такому самое подходящее занятие — вя-
зать чулки в Пенсильванской каторжной тюрьме, так
нет — провокаторов ловить ему приспичило. И пой-
мал-то всего одного Азефа, да и то, если бы не директор департамента полиции Лопухин, которого он

шесть часов промытарил в поезде, а потом благополучно сдал эсерам, черта лысого удалось бы ему Азефа разоблачить. И Обнорский — урод. Угораздило же его зациклиться на этом Бурцеве, которого он полагал чуть ли не предтечей жанра расследования».

В библиотеке было душно и жарко. Из распахнутых окон гремела музыка: на площади Островского шел праздник мороженого. «Первые два паровозика получат мороженое бесплатно!» — надрывалась в микрофон ведущая. Судя по визгам и крикам, которыми сопровождались эти слова, охотников до халявы было явно больше: их хватило бы как минимум на десять «паровозиков».

«Интересно, какой идиот придумал устраивать праздники под окнами библиотеки?» — думала я, наблюдая за тем, как голова сидящего за соседним столом мужчины странно дергается в такт музыке.

Закрыв ладонями уши, я в который раз попыталась сосредоточиться на Бурцеве. Но мысли упорно возвращались к Скрипке. Вот уже неделю, как он не звонил мне по вечерам, не присылал своих дурацких, но забавных словечек на пейджер, а в агентстве делал вид, что мы всего лишь коллеги по работе. С тех пор, как там появилась эта расфуфыренная кикимора с глазами раненой лани, все мужики словно с ума посходили. Только и разговоров, что об Инге. А та и рада стараться — изображает из себя бедную сиротку Хасю, которой кто-то там угрожает. Да я б такую сама придушила с радостью.

А впрочем, так мне и надо. Ведь сколько раз говорила себе: «Валентина, не строй иллюзий! Спустись на землю или хотя бы посмотри на себя в зеркало». Да все без толку. А ведь так хорошо все начиналось...

Я не собиралась влюбляться в Скрипку. Все получилось неожиданно. Собрались на даче у Агеевой, и все было прекрасно: и шашлыки, и озеро, и сама дача. Марина Борисовна в тот день была в ударе. Своего Романа она зачморила окончательно, к столу он допущен не был и использовался исключительно на подсобных работах — ну, там огонь для шашлыков разжечь или лодку подогнать поближе к причалу... «Валюшка, — говорила она, наполняя водкой мою рюмку, — ну что ты как малахольная сидишь. Вот я в твои годы...» Этого Агеева могла мне и не говорить, потому что и в свои годы она способна была дать мне сто очков вперед, вот и сегодня все мужчины смотрели на нее восхищенными глазами.

На обратном пути я сама села в машину к Скрипке и сама поцеловала его, когда по дороге к городу мы застряли в пробке. Леша если и удивился, то виду не показал. Правда, когда машина тронулась, он сказал: «Я знал одну женщину, которая предпочитала пиву водку», — но осекся под моим взглядом, и продолжения этой истории я не услышала.

Пиво в тот вечер мы пили вдвоем у меня дома, благо мама с Манюней укатили в деревню, а Сашка была на практике. Скрипка оказался хорошим любовником, в чем я, собственно, и не сомневалась, но наши отношения продолжались совсем по другой причине. Леша обладал удивительной способностью понимать с полуслова, ему ничего не надо было объяснять. Все мои попытки быть загадочной он пресекал какой-нибудь шутливой фразой, и вскоре я привыкла к этим фразам и подсела на них, как наркоман на иглу.

В агентстве уже судачили на наш счет, но никто, включая самого Скрипку, не подозревал о том, до какой степени серьезно я к нему относилась. И вот теперь появилась Инга...

* * *

После четырехчасового сидения в библиотеке я поняла, что дальнейшее чтение не имеет смысла. Строчки скользили у меня перед глазами просто так, не цепляя сознание. «Баста!» — сказала я, захлопнув книгу, и решительно направилась к барьеру дежурного библиотекаря, где выстроилась очередь. Сомлевшая от духоты девица двигалась крайне медленно. Каждый раз она относила книги куда-то на полку, потом так же медленно возвращалась обратно.

— Валентина?! — неожиданно услышала я чей-то полузадушенный шепот.

Передо мной возникла Ленка Дергач, бывшая моя сокурсница по факультету журналистики.

— Ленка?! — изумилась я. — Ты зачем тут?

— Диссертацию заканчиваю, — захихикала она. — «Стилистические особенности публицистики Короленко». Через месяц защита.

— Ну, ты даешь! — произнесла я. Ленка скромно потупилась.

Из библиотеки мы вышли вместе. Праздник мороженого еще продолжался, поэтому мы с трудом пробились сквозь толпу на площади, пересекли Катькин сад и вышли на Невский.

— У тебя как со временем? — поинтересовалась она. — Может, посидим где-нибудь.

Со временем у меня было плохо. Следовало зайти в агентство и доложить Обнорскому о результатах моих библиотечных изысканий. Но идти туда не хотелось, в конце концов, не каждый день встречаешь сокурсницу, почти подругу, с которой не виделись целых пять лет.

Сидеть в помещении в такую жару было немыслимо, поэтому, купив по банке ледяного пива, мы направились по Садовой в сторону Михайловского сада. По дороге Ленка щебетала о своем муже, хвалилась сыном, «которому всего пять, а он такой умница», и с негодованием рассказывала о том, как трудно по нынешним временам отыскать хорошего оппонента для ее диссертации.

В саду нам удалось отыскать никем не занятую скамейку в тени, и моя подруга приступила к расспросам.

— Ты-то как? — спросила она. — Замуж не вышла?

Услышав мой отрицательный ответ, она посмотрела на меня сочувственным взглядом и продолжала:

— Что у вас там, в «Золотой пуле», мужиков нормальных нет, или ты все по Обнорскому страдаешь?

Как всякая замужняя женщина Ленка мечтала о семейном счастье для своих незамужних подруг. Я отвечала достаточно резко и даже зло.

— Во-первых, я никогда не страдала по Обнорскому, и тебе прекрасно известно, почему я напросилась к нему в агентство, а во-вторых, в отличие от тебя — и ты тоже об этом знаешь — особым успехом у мужчин я никогда не пользовалась. Или ты предлагаешь мне, как в «Самой обаятельной», печь для них пироги «Маэстро»?

— А что, есть для кого? — поинтересовалась она.

— Всегда кто-то есть, — изрекла я.

Рассказывать ей о своем неудачном романе со Скрипкой я не собиралась, но, глядя на мое расстроенное лицо, она сама поняла, что сыпать соль на раны больше не следует, и принялась вспоминать о своей недавней встрече с Женей Бахтенко, который также учился с нами на одном курсе.

— Между прочим, он расспрашивал меня о тебе, — сказала Ленка, очевидно желая утешить меня.

«Не забыл, значит, — подумала я. — Это приятно».
Бахтенко был большой и очень смешной мальчик, самый тихий в нашей университетской тусовке. Я знала, что нравлюсь ему, и была не прочь пококетничать с ним. Но умный мальчик Женя мыслил только идеальными категориями, кокетства он не признавал. На практике в Бокситогорске мы заблудились с ним в лесу и уже ночью выбрались на окраину какой-то деревни. Спасаясь от холода, залезли в баню. Там было тепло и пахло березовыми вениками, видно, топили ее этим вечером. Голодные, мы улеглись на широкий теплый еще полок, и я приготовилась быть неприступной, но Женя взял меня за руку и уснул. Это было так неожиданно и так трогательно — Тристан и Изольда в деревенской бане. Очень смешной мальчик.

— А где он сейчас? — спросила я.

— Женька теперь большой человек — работает в Бюро Региональных Расследований, скоро будет таким же знаменитым, как твой Обнорский.

— Обнорский не мой, — машинально поправила я. — А он знает, что я работаю в «Золотой пуле»?

— Он читал твои материалы в вашей газете.

— И что сказал?

— Сказал, что раньше ты писала лучше.

— Вот свинья! — лениво усмехнулась я. — У тебя нет его телефона, может, как-нибудь позвоню, отругаю?

Ленка порылась в сумке и со словами: «Знай наших!» — выдала мне визитную карточку Евгения Юрьевича Бахтенко. Я повертела ее в руках и сочла полиграфическое исполнение чересчур претенциозным — голограмма была здесь явно лишней. Мы еще посидели, допивая теплое пиво, потом Ленка заторопилась, ей нужно было успеть за сыном в детский сад.

По дороге домой я подумала, что она в чем-то права и быть замужем, наверное, совсем неплохо. Особенно если тебе скоро стукнет тридцать лет. Моя школьная подруга, учительница математики, изображает этот возраст формулой (30 минус N), где N стремится к нулю. «Грустно, — подумала я, — обводя взглядом мужчин, сидящих передо мной в метро, и зачем-то снова вспомнила о Скрипке».

* * *

Дома была одна Сашка, которая на мой вопрос: «Кто-нибудь звонил?» — ехидно буркнула: «Все телефоны оборвали». На ее языке это означало, что звонков не было. «Наверное, как обычно весь вечер на телефоне висишь», — накричала на нее я. «Кто хочет, тот всегда дозванивается», — отвечала она.

Моя сестра любила выражаться цитатами из кинофильмов. Иногда она употребляла их действительно к месту, вот как сегодня. Значит, Скрипка опять не позвонил. «Ну и фиг с ним», — подумала я, доставая из сумки сигареты. Под целлофановой оберткой пачки «LM» лежала визитная карточка Бахтенко, и, чтобы отвлечься, я решила позвонить ему. Трубку снял сам Женька, его бас совсем не изменился.

— Добрый вечер, Евгений Юрьевич, — проворковала я елейным голоском.

— Слушаю вас, — официально отозвался он.

— Зазнался, Бахтенко, визитку с голограммой завел, позволяешь себе неодобрительным образом отзываться о творчестве бывших сокурсников.

— А, рыжая! — голос Женьки заметно подобрел. — Ты откуда взялась?

Я рассказала ему о встрече с Ленкой, а он с гордостью сообщил мне о том, что женился и скоро будет папой.

— Это ты к тому, чтобы я не строила на твой счет иллюзий? — не удержалась я.

— Строить иллюзии — это моя прерогатива. И давай не будем о прошлом, расскажи лучше, как твоя «Золотая пуля»?

— Я там больше не работаю, — почему-то сказала я и сама удивилась легкости, с которой эта ложь слетела с моих губ.

Мне показалось, что Бахтенко обрадовался этому известию. Он спрашивал, как давно и почему я ушла от Обнорского. К таким вопросам я была не готова и потому ограничилась туманной фразой — дескать, долгая история. Потом Женька поинтересовался тем, где я работаю теперь, и, услышав мое скорбное «нигде», стал приглашать меня в Бюро Региональных Расследований. Я обещала подумать над его предложением, звонить и не пропадать, после чего мы попрощались.

Уже положив трубку, я некоторое время сидела перед телефоном, силясь понять, зачем мне понадобилась ложь про «Золотую пулю». Резкий телефонный звонок вывел меня из состояния бесплодных размышлений: звонили, как всегда, Сашке.

* * *

На другой день в агентстве я собралась к Обнорскому, чтобы доложить свои соображения по Бурцеву. Шеф был занят, и, судя по возбужденным голосам, которые доносились из его кабинета, ему было явно не до Бурцева и тем более не до меня.

— Что-нибудь случилось? — поинтересовалась я у Ксюши.

В ответ она неопределенно пожала плечами, продолжая стучать по клавиатуре компьютера. Здесь что-то случалось почти каждый день, и за три года к этому следовало уже привыкнуть.

В отведенном для курения месте Агеева рассказывала о своей недавней поездке в Италию. Тонкий средиземноморский загар выгодно оттенял ее новый костюм. Марина Борисовна была сегодня удивительно красива. Но про Италию я уже слышала во всех подробностях и даже была посвящена в тайну маленького приключения из серии тех, которые Агеева называла «мои военные истории». Поэтому я отошла курить к другому окну в надежде увидеть Скрипку и сказать ему все, что я о нем думаю.

Он возник передо мной раньше, чем я успела придумать фразу, которая должна была сразить его наповал.

— Опять в неположенном месте куришь? — как ни в чем не бывало спросил Алексей.

— Да пошел ты! — огрызнулась я и подумала, что Скрипка все-таки очень похож на бандита и что, если бы не предприимчивая Нонна Железняк, я бы села в машину к Модестову, внешность которого более соответствовала моим романтическим идеалам.

— Слушай, Горностаева, не заводись. Тут такое дело: Инге нужна помощь, ей угрожают, ее могут убить...

«И слава Богу», — подумала я.

Тут из кабинета выглянул Обнорский и сказал: — Алексей, зайди ко мне срочно.

Рабочий день начался. Обычная суета, все, как всегда. Забегали репортеры, затрещали телефоны, пошла лента новостей. Без дела была я одна.

После истории с кассетой, которую я выкинула в Фонтанку, мое положение в «Золотой пуле» стало каким-то неопределенным. Простить Глебу подлянку, которую он мне устроил тогда, было выше моих сил. Некоторое время мы с ним грызлись, как кошка с собакой, потом я перешла к репортерам, оттуда в отдел рекламы, но все это было не то, тоска по серьезной расследовательской работе давала себя знать. Я уже собралась было идти к Спозараннику и проситься обратно, но тут Обнорский поручил мне сбор материала для учебника по журналистским расследованиям, над которым работало агентство. Работать в библиотеке мне даже нравилось, во всяком случае, до тех пор, пока очередь не дошла до Бурцева.

Обнорский был все еще занят, и, чтобы скоротать время, я по обыкновению зашла к Агеевой. Марина Борисовна была в курсе моих любовных переживаний и по-своему сочувствовала мне. Правда, смысл ее речей почему-то сводился к тому, что в истории со Скрипкой я сама во всем виновата.

«Валюша, — говорила она. — Запомни: женщина — это царица. Если ты хочешь, чтобы мужчина замечал только тебя, необходимо следить за собой. Посмотри на себя — вид как у мучнистого червя. Тональный крем существует специально для того, чтобы скрывать следы наших неудач. Вот Инга знает толк в косметике, да и в одежде тоже». Спорить с Мариной Борисовной было бесполезно, поэтому обычно я и не спорила, хотя в отношении Инги придерживалась совершенно другого мнения.

Сейчас Агеевой было некогда учить меня жизни. По заданию Спозаранника она собирала досье на Ломакина. Сидя в уютном кресле и глядя на разноцветные папки-регистраторы, аккуратно стоящие в застекленном шкафу, я подумала, что, пожалуй, мне нужно работать именно здесь. Аня Соболина, которая помирилась со своим красивым, но ветреным мужем, перешла в другой отдел, а моя нынешняя библиотечная деятельность более всего соответствовала «архивно-аналитической». Эта мысль мне определенно понравилась, тем более что Агеева была идеальным начальником и на летучках за своих подчиненных стояла горой. Правда, это не мешало ей устраивать им иногда форменные разносы и кричать так, что в люстре гасли лампочки.

— Марина Борисовна, возьмите меня к себе.

— Ох, Валюшка, ты у меня закиснешь. Я ведь расследованиями не занимаюсь, все больше с бумагами да интернетом вожусь, да и неизвестно, как к этому отнесется Обнорский.

В глубине души я не сомневалась, что, если Марина Борисовна захочет, Обнорский отнесется к этому положительно.

— А вы попросите, — не унималась я.

— Там видно будет, — уклончиво ответила Агеева, не отрывая глаз от монитора.

Компьютер хандрил, и Марина Борисовна нервничала. Она нетерпеливо щелкала кнопкой мыши и покрикивала на машину так, словно она была чем-то одушевленным.

— Да скорее ты, — приговаривала Агеева, раздраженная тем, что нужные ей сайты грузились недостаточно быстро.

Когда Марина Борисовна погружалась в таинственный мир интернета, она делалась крайне отстраненной. Мешать в такие минуты ей было нельзя, поэтому я углубилась в изучение свежего номера «Явки с повинной». Газета, которую издавала «Золотая пуля», была такой толстой, что дочитать ее до конца мне никогда не удавалось. Вот и сейчас от этого занятия меня отвлек взволнованный голос Агеевой.

— Валя, ты только посмотри, какие гадости про нас пишут, — говорила она, глядя в компьютер.

— Опять «компромат. ru»? — спросила я.

— Нет, это какой-то новый сайт Славика Поришевича. Беги за Обнорским, пусть придет сюда.

Но бежать никуда не пришлось, потому что директор нашего агентства сам неожиданно возник на пороге, и, судя по его устремленному на меня взгляду, я решила, что время Бурцева наконец-то настало. Но не тут-то было.

— Андрей, если тебя интересует, кому принадлежит «Золотая пуля», то советую тебе посмотреть сюда, — сказала Марина Борисовна, указывая на экран компьютера.

— Любопытно, — произнес Обнорский, настроенный пока вполне миролюбиво. — И кому же?

— Тут сказано, что создано агентство на деньги Алексея Роландовича Калугина, известного тебе под именем «Склеп», и что все слова Андрея Викторовича Обнорского о независимости — не более чем блеф.

— Это все? — спросил Обнорский, мрачнея.

— Имеется и другая столь же любопытная и познавательная информация. В частности, о Бюро Региональных Расследований, учрежденном тем же Поришевичем, которое в отличие от «Золотой пули» денег от криминальных структур не принимает, потому что там работают люди порядочные и честные — не чета некоторым продажным журналистам вроде тебя, которому Калугин ежемесячно отстегивает круглую сумму зеленых банкнот.

— Мудаки!! — смачно выругался Обнорский. При упоминании о Бюро Региональных Расследований по моему телу пробежал странный холодок.

— Что случилось, Андрей? — спросил Шаховской, привлеченный зычным голосом шефа.

— А то случилось, что кому-то «Золотая пуля» как кость в горле, — продолжал бушевать Обнорский. — Кому-то очень не хочется, чтобы у нас все было нормально, им не терпится искупать нас в дерьме по самые уши. Вот полюбуйся, — указал он на компьютер, — мало того что в газетах о нас небылицы пишут, так теперь сайт в сети завели. Ведь говорил же, говорил, что нужно меньше болтать...

— Если ты имеешь в виду информационно-аналитический отдел, — прервала его монолог Агеева.

— Ваш отдел, Марина Борисовна, я в виду не имел, у вас как раз все в порядке.

— И что делать будем? — спросил Шаховской.

— А что с этими говнюками сделать можно? — сказал Обнорский. — Порядочным людям за такие дела положено бить морду.

— Так то порядочным, — возразил Шах, — а этому Поришевичу не морду бить следует, а разговаривать на его языке — по понятиям.

— Но ведь должны существовать цивилизованные методы борьбы с такими людьми, — снова вмешалась в разговор Агеева. — Можно привлечь Поришевича к судебной ответственности за клевету.

— Пока травка подрастет, лошадка с голоду помрет, помните, Марина Борисовна, такую поговорку, ее еще принц датский цитировал? — сказал Обнорский. — Спросите вон у Лукошкиной, как Поришевича за клевету привлекать и сколько у него способов выйти из этого дела чистеньким.

— Скрипку бы сюда подключить, он бы докопался, на чью мельницу льет воду этот мерзавец. Профессора Заслонова он тогда здорово раскрутил, — задумчиво произнес Шах.

— Пускай Скрипка своими делами занимается, — сказал Обнорский. — У него их много.

«Еще бы, — подумала я, — великий расследователь из завхозов бо́льшую часть своего времени тратил на свою кикимору Ингу», — и со злости вдруг сказала то, что говорить совсем не собиралась:

— Между прочим, профессором Заслоновым мы тогда занимались вместе. Это я в том смысле, что я могла бы внедриться в Бюро Региональных Расследований и не хуже Скрипки выяснить все про Славика Поришевича.

— Мечтаешь о лаврах Модестова, который уже «внедрялся» к видеопиратам? — поинтересовался Обнорский.

Я обиженно замолчала, потому что у Модестова с этими пиратами вышло не очень удачно — выручали его всем агентством с привлечением милиции, но Шаховской сказал, что идея, в общем-то, неплохая, потому что врагов нужно знать в лицо, и что, пожалуй, стоит попробовать.

— А как ты собираешься «внедряться»? — спросил Обнорский.

— Там работает мой бывший сокурсник. Позвоню ему, напрошусь в Бюро, а там — по обстоятельствам.

— «По обстоятельствам, по обстоятельствам», — передразнил меня Обнорский. — Все у тебя, Горностаева, по обстоятельствам. Расследователь должен иметь план своих действий и четко представлять себе, что он будет делать в следующий момент.

— Выкрашу волосы в черный цвет, — со злостью сказала я.

Обнорский приобнял меня за плечи и с улыбкой сказал:

— Это, пожалуй, лишнее, да и Скрипке больше нравятся рыжие, а, Горностаева?

Порешили на том, что я попробую привести в исполнение свой план и напишу собственное расследование для «Явки с повинной».

— Только без глупостей! — строгим голосом произнес шеф. — И зайди к Спозараннику, у него там имеется некое чудо японской фототехники, авось пригодится.

С этими словами он вышел, Шаховской последовал за ним. Мы с Агеевой остались одни.

— Вечно ты, Валентина, куда-нибудь вляпаешься, — сказала Марина Борисовна, — ну кто тебя за язык тянул? Сидела бы себе тихо в библиотеке со своим Бурцевым, а еще лучше — работала бы действительно в паре со Скрипкой, а то, смотри, уведет его Инга.

— Да пошел он, — сказала я, выходя от Агеевой.

Доставая из сейфа миниатюрный фотоаппарат, Глеб долго причитал о легкомыслии шефа, решившего доверить дорогую технику такой легкомысленной особе, как я.

— Имей в виду, Горностаева, нажимать можно только на эту кнопку, а в случае поломки тебе придется бесплатно работать в агентстве как минимум полгода.

Я остановила его литанию единственно возможным способом: небрежно закинула в сумку плоскую коробочку и вышла из его кабинета.

* * *

Домой я вернулась в самом мрачном расположении духа. Сашка, обложившись учебниками, готовилась к зачету по общей хирургии. Как всегда, ей было некогда заниматься с собственным ребенком. Моя племянница встретила меня словами:

— Будешь играть со мной в день рождения? — Получив отказ, она надулась, скрестила руки на груди и заявила мне. — Тогда плохая!

— Маня, — сказала я, — взрослым так не говорят, иди вот лучше и подумай о своем поведении.

— Это ты подумай, как злить ребенка, — ответила мне она. Трехлетняя Маша была достойной дочерью своей мамочки.

Я пошарила в холодильнике, извлекла оттуда куриную ногу, покрытую дрожащим белым соусом, и уселась ужинать, размышляя над тем, каким образом смогу я разоблачить козни Поришевича и Лехи Склепа.

Первая часть моего «внедрения» прошла достаточно легко. Я позвонила Бахтенко, который пообещал мне свое содействие. Женя оказался хорошим другом, на следующий день он позвонил сам и сказал, что Вячеслав Михайлович будет ждать меня завтра в двенадцать часов.

— Только имей в виду, — предупредил он, — о том, что ты работала в «Золотой пуле», Поришевичу ни слова.

— А что, это плохая рекомендация? — прикинулась я бедной овечкой.

— Если хочешь работать у нас, то да, — последовал ответ.

На встречу со Славиком Поришевичем я собиралась как на первое свидание. Посмотрев на себя в зеркало, я осталась почти довольна: светлый, но строгий костюм, в меру короткая юбка. Распущенные волосы и макияж дополняли облик уверенной в себе молодой особы.

— Валя, тебе это по плечу! — фразой из рекламного ролика напутствовала меня Сашка.

«Как бы не так», — думала я, подходя к дверям офиса, где располагалось БРР. Большая холодная лягушка ворочалась где-то внутри меня, противно растопыривая скользкие лапы. Кабинет Поришевича носил следы евроремонта. Шум улицы заглушали стеклопакеты, мебель была дорогой и новой, а стены евственно чисты. Директор Бюро Региональных Расследований восседал за массивным столом и буравил меня маленькими, близко посаженными глазками.

— Прошу садиться, — церемонно произнес он, указывая на кресло, куда мне предстояло опуститься, и начал без предисловий: — Евгений Юрьевич рекомендовал мне вас как очень способную журналистку, а его рекомендации значат для меня очень много. Я не прошу предоставить мне ваши прежние работы, потому что хочу увидеть вас в деле сам. Поэтому давайте попробуем...

Звонок мобильного телефона не дал ему возможность договорить. Очевидно, звонок был важным, потому что Поришевич встал, давая мне понять, что аудиенция окончена, и, прикрыв рукой мембрану сказал:

— Евгений Юрьевич введет вас в курс дела.

Женька ждал меня в коридоре.

— Он что, всегда такой суровый? — спросила я.

— Не дрейфь, Горностаева. Поришевич — мужик нормальный, но цену себе знает. Надеюсь, ты оправдаешь высокое доверие шефа, да и мое тоже, — добавил он, заглядывая мне в глаза.

Совесть болезненно и смущенно напомнила мне о себе, но отступать было уже поздно. И чтобы возникшая пауза не показалась Бахтенко слишком долгой, я нарочито бодро сказала:

— Вячеслав Михайлович велел тебе ввести меня в курс дела.

Женя проводил меня в комнату, где мне предстояло трудиться на благо БРР, и со словами: «Осматривайся пока, я мигом», — исчез.

Осматривать было особенно нечего: три стола с компьютерами, стеллажи вдоль стен, видеодвойка. Единственное, что привлекало внимание — огромный аквариум у окна. Рассмотреть как следует это подводное царство мне не удалось, потому что в комнату вошел Бахтенко в сопровождении странного вида мужчины средних лет, взъерошенного, маленького, чем-то неуловимо напоминающего чертика из табакерки.

— Знакомьтесь: Виктор Эммануилович, начальник отдела расследований — Валентина Горностаева, — сказал Женя, представляя нас друг другу.

— Очень-очень приятно, — затараторил Виктор Эммануилович. — Ты, Женечка, можешь идти, тебя там шеф поджидает, а мы с Валечкой сами разберемся.

Терпеть не могу, когда меня называют «Валечкой», да и «разберемся» в устах моего нового начальника вызывало неприятные ассоциации. Виктор Эммануилович мне определенно не нравился.

— Вы любите рыбок? — спросил он, наблюдая за тем, как мечутся в воде разноцветные стайки. Потом достал из встроенного шкафа початую бутылку коньяка и снова обратился ко мне: — Выпьете?

— Я не пью на работе. — Это было неправдой, но маленькая ложь, по моему мнению, повредить не могла.

— Ну, как знаете, как знаете, — произнес он, с видимым удовольствием вливая в себя ароматную жидкость. — Тогда вот что, — Виктор Эммануилович положил передо мной пластиковую папку, — внимательно ознакомьтесь и возьмите в разработку тех, кто здесь обозначен. Выражаясь проще, необходимо найти на них компромат.

Я взглянула на список и едва не расхохоталась — первым значилась в нем фамилия Обнорского. Проницательный Виктор Эммануилович заметил мою реакцию.

— Вы знаете Обнорского? — спросил он.

— Я слушала его лекции в университете, читала некоторые книги, которые он написал, и знаю о «Золотой пуле».

— И что вы о нем думаете?

«Так я тебе и сказала», — мелькнуло у меня в голове.

— Думаю, что он способный и сильный человек, коли сумел создать такое агентство, как «Золотая пуля».

— Создать, Валечка, не самое главное, — задумчиво произнес Виктор Эммануилович, выпивая вторую рюмку. — Главное — сохранить. Этот Обнорский думает, что он может все, но мы поможем ему убедиться в обратном, и в этом я очень рассчитываю на вас.

«Не хватало еще, чтобы этот псих предложил мне внедриться в „Золотую пулю“, — подумала я. Но Виктор Эммануиловича был далек от подобного плана. Он уже слегка захмелел и говорил скорее для себя»:

— Мы тут тоже кое-чего умеем. Убийц депутатов мы, правда, не ловим и лекций по городам и весям не читаем, да и с Павлиновым дружбу не водим. Мы, Валечка, серьезными делами занимаемся и на ленту новостей, как «Золотая пуля», не размениваемся, и, уж поверьте мне, свою медаль за поимку Зайчика Обнорский не получит никогда.

«Да он маньяк», — успела решить я до того, как в дверь постучали и женский голос крикнул: «Обед привезли». «Куда привезли?» — подумала я. Мой начальник обладал, очевидно, способностью читать мысли на расстоянии:

— Не куда, а откуда. Обед нам привозят из ресторана, и смею вас уверить, Валечка, из хорошего ресторана.

В комнате, которая здесь называлась столовой, обедали шесть человек. Я села за стол, за которым в одиночестве доедал эскалоп Бахтенко, и выразительно посмотрела на него.

— Как тебе Виктор Эммануилович? — поинтересовался Женя.

— Ты знал, что он подсунет мне Обнорского? — спросила я, не отвечая на его вопрос.

— Примерно догадывался. А он что, дорог тебе, как память?

— Не в этом дело.

— Тогда в чем?

Этого я объяснить ему, естественно, не могла и поспешила перевести разговор на другую тему.

— Это весь штат Бюро? — спросила я, имея в виду обедающих.

— Завтра из командировки вернутся еще пять человек. По поводу успешно проведенной операции намечается небольшая морская прогулка, но об этом Славик расскажет сам.

— Какая операция? Какая прогулка?!

— Да не дергайся ты, здесь так принято, кстати, и познакомишься со всеми. А операция вполне невинная, никакого кровопролития — ребята ездили в Тюмень, помогали одному кандидату стать депутатом.

Остаток дня прошел как в тумане. Владимир Эммануилович больше не разглагольствовал, а стучал на компьютере. Я разбирала содержимое папки, которую он передал мне. Мотивы предательства исключительно разнообразны, и отделить правду от лжи, которая содержалась в сведениях источников, обозначенных цифрами или буквенными шифрами, было задачей, практически не выполнимой. Чего здесь только не было: деловые контакты Гурджиева с преступными группировками, подробный донжуанский список Обнорского, компромат на губернатора и его помощников, кляузы на сексопатолога Дятлова, который отказал какому-то гею в признании его истинным гомосексуалистом.

— Вникаете? — раздался за моей спиной голос Поришевича. — Вот и отлично, а я к вам с хорошей вестью. Завтра мы собираемся отметить маленькую, но весьма убедительную победу. Наши праздники мы обычно проводим вместе. Для вас, Валентина, это будет хорошей возможностью влиться в коллектив. Вы, конечно, знаете, где находится центральный яхт-клуб? «Фетида» уходит ровно в двадцать один час. Прошу не опаздывать.

После того как он удалился, Виктор Эммануилович выключил свой компьютер и со словами: «Полноценный отдых — залог успеха журналиста-расследователя», — стал собираться домой. «Не засиживайтесь, Валечка», — бросил он мне на прощание.

На часах было семь часов вечера. В «Золотой пуле» рабочий день так рано не заканчивался. Я решила сходить к Агеевой, чтобы поделиться с ней событиями дня. Марины Борисовны в агентстве уже не было. Для того чтобы она покинула рабочее место ранее половины девятого, должно было случиться нечто экстраординарное. Обнорского искать было бесполезно, вместе с Повзло и Шаховским он еще утром уехал в Пушкин на семинар. Я собралась было уходить, но неожиданно наткнулась на Скрипку.

— Классно выглядишь, — сказал Алексей.

— Эту фразу я уже слышала сегодня.

Волнения этого дня дали себя знать: в носу уже предательски щипало, а слезы готовились пролиться из накрашенных несмываемой тушью глаз.

— Ты что, Горностаева? Если ты про Ингу... — начал было он.

Но слушать Скрипку было выше моих сил, слезы уже катились по щекам, и я рассказала ему все. Про свое дурацкое решение внедриться в БРР, про Женьку, Виктора Эммануиловича и Славика Поришевича, про яхту, на которой мне предстоит куда-то там плыть, и что все это из-за него и его Инги, и что знать его больше не желаю.

— Я знал одну женщину, которая очень любила совершать морские прогулки на яхтах...

— Не трудись, — прервала его я. — Конец этой истории известен только мне.

Под эту фразу, которая даже мне показалась излишне театральной, я пулей выскочила из агентства, захлопнув за собой дверь.

Дома была одна Сашка, которая поинтересовалась, как прошел мой первый рабочий день в Бюро Региональных Расследований. Я сказала ей, что ощущаю себя Гюнтером Вальрафом, который обманным путем проник в газету «Бильд». Вряд ли Сашка знала про неистового репортера Вальрафа, но других расспросов не последовало.

* * *

Подходя к яхт-клубу, я ожидала увидеть нечто поражающее воображение. Но «Фетида» оказалась обыкновенной одномачтовой яхтой, возле которой на пирсе уже толпились люди. Бахтенко среди них не было.

Заметив мой ищущий взгляд, Виктор Эммануилович сказал:

— Женечка повез в родильный дом жену, но надеюсь, что скучать без него вам сегодня не придется.

Это известие меня расстроило, все-таки Женька был своим человеком, и при случае на него можно было положиться.

Количество приглашенных на морскую прогулку явно превосходило число сотрудников БРР. Я насчитала уже двадцать пять человек, а гости продолжали собираться. Женщины были здесь явно в меньшинстве, они стояли отдельной стайкой, о чем-то оживленно переговариваясь. Среди мужчин особенно выделялся один, лет сорока—сорока пяти, с крупной яйцевидной головой, к которой бережно прижимались маленькие ушки. Судя по тому, как внимательно слушал его Поришевич, он был важной персоной.

— Кто это? — спросила я у Виктора Эммануиловича.

— Его, Валечка, зовут Алексеем Роландовичем, и советую вам хорошенько запомнить это, — ответил он в своей обычной манере.

Несколько секунд это имя будило во мне какие-то странные ассоциации, потом сознание мое прояснилось: Калугин! Момент был самый удачный — Поришевич почтительно внимал Лехе Склепу, и, прикуривая сигарету, я сумела воспользоваться фотоаппаратом Спозаранника. Чрезвычайно гордая собой, я уже представляла себе этот снимок в «Явке с повинной» и была занята тем, что придумывала заголовок для будущей статьи, когда нас пригласили на яхту.

На «Фетиде» мои ожидания оправдались сполна. Она была более вместительной, чем казалось с берега, и достигала в длину метров тринадцати. Палуба сверкала чистотой, а каюты внутри были отделаны красным деревом.

Капитан занял место у руля, и при западном ветре на дизельном ходу яхта медленно двинулась вдоль фарватера. Я стояла на палубе и, держась за леера, любовалась заходящим солнцем и наблюдала за слаженными действиями команды, которая поднимала грот. Лодка постепенно набирала ход, спустя некоторое время на ней появился и стаксель, и уже под парусами «Фетида» вошла в залив.

Внизу уже вовсю веселились. Стол ломился от деликатесов и количества выставленных бутылок.

— А, Валечка, где вы бродите?! — приветствовал меня Виктор Эммануилович. — Идите к нам, будем знакомиться ближе.

Близкое знакомство с этим генетическим уродом менее всего входило в мои планы, но, продрогнув на палубе, я с удовольствием выпила водки, съела два бутерброда с черной икрой и решила, что морская прогулка может стать прекрасным средством для отвлечения от грустных мыслей. «Скрипка еще пожалеет о том, что предпочел меня этой кикиморе», — думала я, разглядывая сидящих в каюте мужчин. Застолье уже перешло в ту стадию, когда все говорят громко, стараясь привлечь к себе внимание. Женщины визгливо смеялись и не противились объятиям. Калугин казался трезвее других, обществу пышногрудой блондинки он пока предпочитал лобстера, которого уверенно разделывал холеными руками. Количество золотых перстней на его пальцах не поддавалось исчислению.

Глядя на него, я вспомнила про сайт в интернете, а заодно и про то, что мне следует не заедать водку икрой, размышляя о мести Скрипке, а изучать обстановку. Между тем обстановка все более накалялась, и оставаться здесь становилось уже небезопасно. Не то чтобы я так сильно тревожилась за свою честь, но принимать участие в свальном грехе, которым грозила завершиться эта пирушка, мне не хотелось. Улучив момент, я сделала еще пару снимков, красноречиво свидетельствующих о том, как именно привыкли отдыхать сотрудники БРР вместе с господином Калугиным, и поднялась на палубу.

Там было уже темно. Я достала сигарету, но курить не хотелось, от духоты внизу у меня разболелась голова. Пробравшись на носовую часть яхты, я присела на корточки возле стакселя и стала смотреть на темное небо.

— Не может быть! — донесся вдруг до меня голос Поришевича. — Ты наверняка ошиблась.

Дух расследователя снова проснулся во мне, и, почти вплотную прижавшись к парусу, я вся превратилась в слух.

— Уверяю тебя, это она. Я видела её в «Золотой пуле».

Узнав жеманный голос Инги, я похолодела от страха. И как только я не заметила ее сразу в толпе гостей? Где были мои глаза? Впрочем, в «Золотую пулю» она явилась в глубоком декольте, которое мне запомнилось больше всего остального.

— У, сука рыжая... — услышала я голос Поришевича.

«А все мои рыжие волосы, — думала я в ужасе, переползая с носа на борт, — если бы не они, эта чертова кукла ни в жизнь бы меня не узнала. Рыжие, они такие заметные...»

Нужно было срочно что-то придумать. В надежде спрятаться я спустилась в каюту.

— Валечка, хотите мидий? — Виктор Эммануилович едва ворочал языком.

«Только мидий мне сейчас и не хватало», — подумала я, поймала на себе взгляд Алексея Роландовича Калугина. Сейчас сюда явится Поришевич, и тогда все. Меня ждет участь лобстера, останки которого мирно покоились на тарелке Лехи Склепа.

Я снова поднялась наверх и села на кормовую банку позади капитана. «Может, обратиться к нему? — пришла в голову мысль. — Но у Славика Поришевича небось и команда вся купленная». Из печальных раздумий меня вывел сам капитан.

— Девушка, сидеть здесь ночью без спасательных средств не полагается, наденьте вот это, — он бросил к моим ногам спасательный жилет.

Решение сверкнуло молнией. Нацепив на себя жилет и воспользовавшись тем, что команда яхты была занята сменой галса, я перекинулась через корму и по транцу почти бесшумно соскользнула вниз.

* * *

Очутившись в воде, я моментально протрезвела и, глядя вслед удаляющейся «Фетиде», поняла, что совершила непростительную глупость. Вряд ли пьяный Славик имел серьезное намерение лишить меня жизни. В худшем случае съездил бы по физиономии, хорошего в этом тоже, конечно, немного, но все лучше, чем ночью оказаться в Финском заливе в полном одиночестве и кромешной тьме.

В более идиотской ситуации мне еще не приходилось оказываться. Добраться до берега была практически не реально, тем более что я понятия не имела о том, где этот берег находится. Я и на суше-то ориентировалась с трудом и умудрилась заблудиться даже в Кавголове на лыжном кроссе. Одна надежда на то, что спасательный жилет не даст мне возможности утонуть и на рассвете меня кто-нибудь заметит.

Возблагодарив Бога и судьбу за то, что в Финском заливе не водятся акулы и что мне, подобно пассажирам «Титаника», не довелось очутиться в холодных водах Атлантики, я вертикально повисла в своем жилете, отчаянно пытаясь думать. Но мысли, которые лезли в мою голову, были исключительно мрачные. В спасательном жилете вполне может оказаться дырка, а плавать я почти не умею. Стометровка в бассейне на стадионе имени Ленина была моим единственным рекордом, да и то совершенным в силу необходимости скинуть зачет.

Я представила свой некролог в «Явке с повинной», написанный Скрипкой, потом вспомнила Манюню, которой не с кем будет играть в день рождения, и хотела заплакать, но ввиду огромного количества воды, которое меня окружало, это было бы совсем глупо. Вдруг меня словно током ударило — фотоаппарат!!! К счастью, он был здесь, в верхнем кармане куртки, и даже в относительно сухом состоянии, и гнев Спозаранника мне не грозил. А впрочем, что мне до Глеба, ведь если я и не утону, то непременно умру от воспаления легких, потому что уже замерзла. «Пусть хоть пленка останется», — обреченно подумала я и приготовилась к верной смерти.

Длинная светлая дорожка, внезапно возникшая на темной воде, напомнила мне о том, что, наверное, так души восходят к Богу. Однако в следующую минуту я поняла, что все еще жива, а таинственный свет шел от фонаря, которым светили с маленькой яхты, идущей мне навстречу. Я отчаянно закричала, пытаясь привлечь к себе внимание, и, избавившись от сковывающей движения юбки, попыталась плыть. Слава Богу, говорила себя я, что на свете существуют еще влюбленные, которые катаются ночью по заливу.

— Хватайся, Горностаева, — услышала я вдруг голос Скрипки. — Я знал историю про одну придурковатую журналистку, которая, не умея плавать, ночью сиганула в Финский залив, — продолжал он, затаскивая меня внутрь.

— Леша, — сказала я, стуча зубами от холода, — это самая лучшая из всех твоих историй. Только ты забыл добавить, что это была хорошая журналистка. — С этими словами я вытащила из кармана куртки чудо японской фототехники.

ДЕЛО
О ВОСКРЕСШЕМ МЕРТВЕЦЕ

Рассказывает Зураб Гвичия

Гвичия Зураб Иосифович, 39 лет, корреспондент отдела расследований. Закончил Рязанское высшее военное воздушно-десантное училище, участник боевых действий в Афганистане. После увольнения из ВС в 1996 году работал в частных охранных структурах. Квалифицированный и надежный сотрудник АЖР, настойчив в поиске информации, коммуникабелен, имеет, успех у женщин. Женат четвертым браком. В АЖР используется для силовой поддержки в расследованиях, хотя склонен к журналистике. Но качество его текстов пока еще далеко от совершенства...

Из служебной характеристики

Дым.

Густой удушливый дым разрывал ему легкие. Он прикрыл рот и нос рукой, постарался задержать дыхание.

В затылке, там, где его ударили, саднило. Он чувствовал, что волосы уже слиплись от крови. От души его приложили. Ничего не скажешь...

Дышать!

Он инстинктивно вдохнул. Закашлялся. Перед глазами все поплыло. Предметы в чужой комнате словно зазывали в безумный хоровод.

Так уже было однажды. В одной далекой стране. Их вертолет — Ми-8 — подбили. Пилоты смогли сесть. Ребята выпрыгнули. А он застрял — зацепился подсумками. Салон заволокло дымом, огонь подобрался совсем близко... Тогда его спас капитан. Грузин. Настоящий мужчина.

Где ты, Князь?!

Дышать!

Легкие ныли. Кричали. Молили о толике свежего воздуха. Голова кружилась. Глаза болезненно слезились.

Натыкаясь на стены, он выбрался из единственной комнаты в прихожую. Нашел дверь. Заперто...

Он не удивился. Так и должно было быть.

Дышать!

Он ткнулся в дверь, навалился всем телом. Но металлическая дверь не шелохнулась.

Дышать!

Еще одна попытка. Бесполезно...

Окно!

Он повернулся. Сквозь дым увидел, что в комнате уже вовсю бушует огонь. В кухню!

Дышать!

Он не удержался — рискнул вдохнуть. Закашлялся. В глазах потемнело. Ноги подкосились. Он упал.

Нет! Не так! Не сейчас!

Его жена — Инга — появилась совсем рядом. Протянула ему руку, улыбнулась. Такая живая в своем подвенечном платье. Словно и не было автокатастрофы, похорон.

«Инга...» — горячие губы едва шевельнулись. Он потерял сознание. Ушел в небытие.

Когда несколько минут спустя пламя вырвалось в коридор, подобралось совсем близко, как преданная собака, лизнуло ботинок, он уже ничего не почувствовал.

Вместе с Ингой и детьми он шел куда-то по солнечному лугу.

1

— Князь, тебя!

Голос моего соседа по отделу — Георгия Зудинцева — остановил меня уже в дверях. Через минуту и семь секунд я должен был предстать пред светлые очи моего шефа — Глеба Спозаранника. Мои прегрешения — против журналистики вообще и агентства в частности — были ужасающими. Добавить к ним еще и опоздание значило примерно то же, что самому подписать смертный приговор.

Я схватил трубку:

— Гвичия слушает!

— Товарищ майор, Кирилл Потапов беспокоит. Помните такого еще?

— Помню, — я чуть смягчился. — Конечно, помню, дорогой.

Кирилл — Кир — был в моем взводе в Афганистане. Потом мы вместе работали в службе безопасности «Трансбизнес Лимитед». Я-то оттуда скоро уволился — «не сошлись характерами». Кир остался и, по слухам, дорос до вице-президента по безопасности. Толковый был парень. Лихой и толковый.

— Зураб, радость у меня. Сегодня сын родился. Наследник.

— Поздравляю. — Оставалось еще сорок три секунды.

— Жду вечером. К восьми. Придешь?

— О чем разговор.

— Адрес... — Кир продиктовал. — Очень жду. Наши собираются. Я же обещал.

— До вечера.

Семнадцать секунд.

Я кинул трубку на рычаг и рысцой бросился в соседний кабинет. Но перед дверью помедлил мгновение. Перед кабинетом шефа я всегда робел. Как курсант-салага перед первым прыжком с парашютом. «Готов? — Готов! — Пошел!»

Нажал ручку и шагнул в кабинет.

— Вы опоздали на двадцать секунд, — приласкал меня Спозаранник уже на входе. — Для вас это обычное дело.

Я замер на пороге.

— Что же вы? — Глеб Егорович поднял на меня свои близорукие глаза. — Присаживайтесь.

Я опустился на краешек стула: Зудинцев называл это положение (к слову, очень неудобное) моей защитной стойкой. Спозаранник осторожно, двумя пальцами, взял со стола распечатку моего материала. Это был «финальный аккорд» по квартирным мошенникам.

Началось все с регионально-просветительской организации «Кантата» и тетки нашей секс-дивы Светы Завгородней. За шесть с лишним месяцев мне обрыдли все квартирные мошенники и пострадавшие от них граждане. Само слово «квартира» вызывало близкие к рвотным позывы. Но Спозаранник с завидным упорством (и занудством) давил из меня каждые две недели новую статью. И наконец попросил написать финал «квартирной эпопеи». Радости моей, понятное дело, не было предела.

— Посмотрим, Зураб Иосифович, что можно с этим сделать,— как-то обреченно, с особым вздохом-придыханием сказал Глеб Егорович. — В первом же абзаце у вас...

И понеслась. Понеслась, родимая! Вах!

2

Дом Кира я нашел без труда: нужно было только выйти на «Петроградской», перейти по подземному переходу Каменноостровский и зайти в первый от Большого проспекта подъезд. Третий этаж.

На лестнице меня встретил хорошо знакомый сладкий и пьянящий запах. Анаша. Похоже, травку курили где-то на верхних этажах. Судя по запаху — чуть горьковатому, — анаша была не самая кондиционная. Чего-то туда лишнего намешали. Я встряхнул головой: не моя это проблема. В другой раз умнее будут.

Я нажал кнопку звонка, который отозвался мягкими переливами. Щелкнул замок, и меня, словно щепку горный поток, подхватили волны веселья.

В просторных комнатах квартиры витал сигаретный дым, слышался звон посуды, а музыкальный центр почти на пределе извергал что-то старое и доброе, рок-н-ролльное.

— Майор!

— Князь!

— Зураб!

Кир совершил невозможное. Он действительно собрал почти всех «наших» — полтора десятка человек. Тех, кто был в моем взводе в Афганистане.

Мы редко собирались все — или без двух-трех человек все. Но еще там, на войне, когда подбили оба вертолета, на котором наш взвод куда-то там перебрасывали, Кир поклялся, что на день рождения сына соберет нас.

И слово свое сдержал.

...Часа через три мы вышли с Киром на кухню — перевести дух.

— Кого нет? — спросил я.

Потапов немного помрачнел, нервно затянулся сигаретой:

— Двоих. Кости Пирогова и Васи Сомова.

— Почему?

— Сомов полгода назад пропал в Псковской области. Ездил на выходные проведать семью — они где-то под Изборском отдыхали, — а до Питера не добрался. Ни его, ни машину так и не нашли.

— Проклятье! — зло выдохнул я.

Сомов отправился в Союз раньше нас. В очередном рейде — неизвестно куда, непонятно зачем — его «прошили» из пулемета. Мы с Киром почти сутки тащили Сомова на себе и, признаться, думали, что он уже не жилец на этом свете.

Вася выкарабкался. И, похоже, лучше всех нас вместе взятых смог справиться со своей памятью. Он примирился с тем, что было, и нашел силы идти дальше. И вот так — пропал без вести. Где-то и как-то.

— А Костя Пирогов?

— Год назад у него жена и дети погибли в автокатастрофе. Он сам едва уцелел. Долго лежал в больнице... — Кир схватил с мойки чистый стакан, плеснул себе водки из початой бутылки, стоявшей здесь же, на кухонном столе. Сказал, словно оправдываясь, но не передо мной — перед кем-то другим: — Я ему несколько раз помощь предлагал. Хотел его на работу к себе в службу взять. Он поначалу отказывался, а в последний раз — недели две назад — вообще меня не узнал.

— Как это — не узнал?

— Бормотал что-то в трубку, я с трудом слова разобрать смог. У него там музыка на всю катушку и голос... Голос у него какой-то пьяный был. Или отсутствующий.

Кир налил себе еще, выпил залпом. Натянуто улыбнулся:

— Пойдем к нашим.

— Пойдем.

Но веселиться так, как вначале, мы уже не могли То и дело я перехватывал тяжелый, замутневший взгляд, который бросал на меня через стол Кир.

Я понимал его. Наверное, лучше, чем все за столом. Стыдно так жить. Мы преуспели. Увлеклись новой жизнью, которая, помимо многого прочего, позволяла нам забыть о том, что было *там*, в Афгане. Мы женились, народили детей и укрылись в новых приятно-волнующих заботах. И все было хорошо.

А Костя Пирогов остался один. Ни семьи, ни друзей. Страшно это. Страшно.

* * *

Уже ночью холодный страх вытолкнул меня из сна, выбросил из теплых и нежных объятий жены. Погнал на кухню. Дрожащей рукой я нашарил выключатель. Яркий свет ударил в глаза, немного успокоил. На подоконнике нашел сигареты. Закурил, так же нервно, как это делал Кир. Когда мы с ним разговаривали.

Только прикурив — сразу за первой — вторую сигарету, я немного успокоился.

Не боятся надо и сгорать от стыда. Надо действовать. Что-то делать.

Например, поехать к Косте. Попытаться с ним поговорить.

Я почему-то верил, что меня — своего капитана — Костя послушается. Позволит себе помочь.

«Утром, — сказал я себе. — *Нет — днем. Я поеду к нему домой, поговорю, растормошу. Сделаю хоть что-нибудь...»*

3

Выбраться к Косте Пирогову я смог только под вечер. Он жил на улице Есенина.

Уже не помню толком, что меня задержало в агентстве. Какая-то мелочная, недостойная мужчины суета. Я куда-то звонил, кого-то уговаривал. Горячился, отчего в моей речи все явственнее ощущался тот дурацкий, из анекдотов акцент.

В машине — общественной «тачке» нашего агентства — я немного успокоился. Мне всегда нравилось просто ехать. Желательно — подальше и подольше, туда, где горы и солнце.

Над Питером моросил мелкий холодный не то дождь, не то снег. Прохожие спешили куда-то, оскальзываясь на остатках еще не растаявшего снега. То ли весна, то ли зима, то ли осень. Только в Питере так бывает — все в одном. Особенно в конце марта.

То ли дело в Грузии...

Помечтать о родине предков я толком не успел: прямо передо мной нарисовался дом-«кораблик», где в трехкомнатной квартире жил Костя Пирогов с супругой и детьми.

«Черт! — я одернул себя. — *Сейчас он живет один!»*

Я остановил машину перед нужным подъездом и заглушил мотор. Посмотрел на ярко освещенные окна. Я помнил дом и подъезд. Но не этаж и номер квартиры... Последний раз я был у Кости Пирогова, когда его младшему сыну исполнился год. Это было... Вах! Аж три года назад. Сколько воды утекло.

Вышел из машины, вбежал в подъезд. На первом этаже чуть помедлил и — позвонил в одну из дверей.

— Кто там? — ответил через пару минут сомневающийся женский голос.

— Извините за беспокойство. Не подскажете, как Константина Пирогова найти? Он вроде бы в этом подъезде живет.

Дверь чуть приоткрылась — ровно на цепочку. Выцветшие серые глаза немолодой уже женщины с подозрением оглядели мою три дня небритую физиономию и отличную кожаную куртку (скажу без лишней скромности, куртка действительно была классная. Я ее купил в короткий промежуток времени между увольнением из «Трансбизнес Лимитед», разводом с третьей женой и поступлением в агентство.)

— Мы с ним вместе служили. В Афганистане, — осторожно добавил я, пристально наблюдая за реакцией женщины. Название далекой южной страны все воспринимали по-разному.

— Однополчанин, что ли?

— Вроде этого.

Дверь вдруг захлопнулась прямо перед моим выдающимся носом.

И сразу открылась. Уже широко и радушно.

— Заходи, сынок. Заходи.

— А вы не боитесь чужого пускать? — Я еще медлил на пороге. — Да еще и «черного»?

— «Черные» и белые разные бывают, сынок. Разные. Ты проходи.

— Спасибо. — Я шагнул в маленькую аккуратную прихожую. Вся двухкомнатная квартирка была под стать своей хозяйке: скромная, чистенькая. Здесь веяло одиночеством. Похоже, женщине просто хотелось поговорить. Пусть и с первым встречным.

— На кухню проходи. — Хозяйка шла впереди. Она подвинула мне тщательно отремонтированный табурет. — Тебя звать как?

— Зураб. Зураб Гвичия.

— Благородное имя. — Женщина поправила передник. — Антонина Константиновна. Костя — Костя Пирогов — меня всегда тетей Ниной называл.

— Вы его знаете?

— А как же. Он и Юрка Сметанин...

(*Сметанин. Юрий Сметанин.*

Имя показалось смутно знакомым. Я слышал его совсем недавно.

От кого? Кир? Спозаранник? Соболин?

Черт! Слышал же!..)

...с моим Валькой такое вытворяли. Еще когда в школе учились. — На мгновение глаза тети Нины мечтательно затуманились. А я, признаться, впервые подумал, что у Кости Пирогова было детство. Я как-то привык о нем думать как о моем сержанте, а потом — моем старшине. До этого вечера Пирогов оставался для меня солдатом и бывшим солдатом. И хорошим, надежным парнем.

— И что было потом? — спросил я через силу: смутно знакомое имя не отпускало. Я лихорадочно перебирал варианты: нет, нет и снова нет. Проклятье!

— Валька теперь большой человек. Эксперт. В Москве работает. Его в армию не взяли — он, еще когда в школе учился, сильно расшибся на мотоцикле. Полгода его в больнице выхаживали. Врачи — осторожно так — говорили, что и не встанет он на ноги. А потом...— Глаза тети Нины увлажнились от свежести давнего уже воспоминания, она промокнула их платочком. Я терпеливо ждал, что она скажет дальше. — Чаю хочешь, сынок? — спросила она. Точно так же спрашивала меня бабушка Рената, со стороны матери. В душе шевельнулось что-то давно забытое. Похоже, я становился слишком сентиментальным. Это все после разговора с Киром началось. Или — возраст? Как-никак скоро сорок стукнет. Недолго осталось.

Я кивнул. Антонина Константиновна завозилась у плиты.

— А Костя Пирогов? Что с ним?

— Горе у него — жена с детишками погибли. Разом, в автокатастрофе.

— Я знаю, мне рассказывали.

Думай, Зураб! Думай! Сметанин Юрий. Юрий Сметанин. Проклятье!

— Ты не подумай, что он пить начал. Лучше бы запил, чем так... Почернел он весь. На мертвеца живого стал похож. А недавно тут такое случилось.

Тетя Нина налила мне чай в легкую нарядную чашку, придвинула сахарницу.

— Что? — Признаться, я был готов услышать все, что угодно.

— Недели три назад друг его — Юрка Сметанин — сгорел на пожаре. Даже мать его с трудом узнала. Мы с ней дружили когда-то. Когда Юрка из армии вернулся, она за город перебралась, на дачу к дальним родственникам. Юрку в закрытом гробу хоронили.

— А Костя? — Я напрягся.

— Он вообще не в себе. Из квартиры, похоже, не выходит. Разве только по ночам: кушать-то ему надо что-то. Через дверь слышно — музыка на всю катушку. Иногда — бутылки звенят. И все.

«...И мертвые с косами стоят», — почему-то вспомнил я «Неуловимых мстителей». Мне всегда там Яшка-цыган нравился. «Идиот, — сразу же одернул я себя. — В такой момент...»

Я встал:

— Антонина Константиновна, я поднимусь к нему. Может быть мне Костя откроет.

— Попытайся, сынок. Может, у тебя получится.

Ни тетя Нина, ни я — мы не верили, что у меня получится. И все-таки... Антонина Константиновна отперла мне дверь:

— Пятый этаж, направо от лифта. Ты потом заходи, сынок. Не убегай сразу.

— Конечно. — Я нажал кнопку вызова лифта. В шахте что-то загудело, звук приблизился. Двери кабины открылись с легким, почти старческим дребезжанием. На пятом этаже лифт выдохнул меня на темную площадку. Я повернул направо, помедлил перед тяжелой металлической дверью.

С другой стороны смутно доносилась музыка. Вроде бы — Гэри Мур. Длинный гитарный проигрыш, похоже, достиг своего апогея.

Я нажал кнопку звонка.

Его трель заглушила гитара. Мне показалось, что музыка стала чуть тише. Потом вроде бы послышались шаги. Осторожные, как и должны быть у человека, который подкрадывается к двери.

Я позвонил еще раз.

Постучал в дверь кулаком.

Ответа не было.

Я позвал:

— Костя! Пирогов, открой. Это я — Князь!

Постучал еще.

Ничего.

Только Гэри Мур затянул свою очередную композицию.

— Костя! — снова позвал я. Уже без надежды, что кто-то отзовется. За моей спиной повернулся ключ в замке соседней квартиры, дверь чуть приоткрылась, на бетон легла узкая полоса света. — Хорошо, — громко и решительно сказал я. — Я в двери свою визитку оставил. Захочешь — позвонишь.

Я повернулся и пешком зашагал вниз. Еще одной поездки на страдающем старческими недугами лифте я бы не выдержал.

— Ну как? — спросила тетя Нина, как только я переступил порог ее квартиры.

— Не открыл.

— Жалко парня, — тихо проговорила она.

— Антонина Константиновна, я пойду. Вот моя визитка, — я протянул ей бумажный прямоугольник. — Если что-то... Звоните.

— Мой телефон запиши, Зураб. На всякий случай...

— Спасибо. — Я записал телефон.

— Береги себя, сынок.

— До свиданья.

* * *

Меня осенило в машине.

Я уже сел за руль. Нашел в кармане куртки ключи.

104

Юрий Сметанин!

Вах!

Он же...

Его...

Проклятье!

Дурак ты, Князь. Предки могут гордиться тобой!

Я завел машину, вдавил педаль газа и резко взял с места.

Я спешил. Очень спешил, да?

Если повезет, я смогу застать Соболина еще на работе.

4

Не все сразу.

В репортерском отделе я нашел только Витю Восьмеренко.

— Привет, Князь, — Витя оторвался от экрана компьютера. Но оторвался только на мгновение: его цивилизации угрожали орды варваров. Срочно нужно было что-то делать. Витя защелкал мышкой.

— Проклятье! — выдохнул я. Устало привалился к косяку.

Витя Восьмеренко избавился от прямой и явной угрозы и повернулся ко мне:

— Князь, ты чего?

— Володя Соболин мне нужен. Давно он ушел?

— Часа полтора назад. — Витя снова весь был в игре. — Ты ему домой или на пейджер позвони.

— Конечно. — Я присел на край ближайшего к двери стола, вроде бы Шаховского. Придвинул к себе телефон. — Витя, ты же у нас пожарами занимаешься?

— Да, а что? — спросил Восьмеренко, не отвлекаясь от экрана.

Я положил трубку на место, позвонить Соболину можно и позже.

— Недели три-четыре назад был пожар на Есенина?

— Ну ты, Зураб, даешь!

— Это важно.

Витя вздохнул и полез в свой компьютерный
архив.

— А подробности?

— Например?

— Кто погиб-то? Мужчина? Женщина?

— Мужчина. Лет тридцати. Его Юрием Сметани-
ным звали.

— Сметанин? — Витя бросил на меня через плечо
удивленный взгляд. — Было такое. — Он пощелкал
мышкой, удовлетворенно откинулся на спинку стула. — Вот смотри. Обычный был пожар.

Я наклонился к экрану:

«7/02/2000 ТЕЛОХРАНИТЕЛЯ УБИЛА СИГАРЕТА?
32-летний мужчина стал жертвой пожара, который вечером в субботу, 5 февраля, случился на улице
Есенина.

Пожар начался в комнате однокомнатной квартиры примерно в 22.30. Кто-то из соседей заметил дым
и вызвал пожарных. Практически полностью выгоре-
ла комната, пострадала часть коридора. Пожарным
потребовалось около 30 минут, чтобы справиться с
огнем.

В прихожей, у самой двери, был обнаружен обго-
ревший труп хозяина. По всей видимости, мужчина
заснул с непотушенной сигаретой. Проснулся, когда
огонь уже разгорался. Он пытался выбраться из квартиры, но потерял сознание и погиб.

Как сегодня стало известно корреспонденту агентства, уже установлена личность погибшего. Это Юрий
Сметанин, он работал в одной из охранных фирм
Петербурга. Погибшего по остаткам одежды и часам
опознала мать. (*Виктор Восьмеренко, 10.20.*)»

— Это все? — спросил я.

— Да. Обычный бытовой пожар. Курить вредно.

— Курить вредно, — пробормотал я. Вернулся к столу Шаховского и снял трубку телефона.

* * *

— Соболина нет, Зурабик, — ответил Аня, жена Володи. Мне нравился ее мягкий голос. Он словно звал к чему-то высокому и далекому. — Он звонил час назад, сказал, что задерживается. Какая-то там тема по наркотикам.

— Спасибо, Анечка. Извини, что побеспокоил.

— Ничего страшного. — Мне показалось, Аня немного расстроилась от того, что мы проговорили так мало. Я попытался представить, что она делает сейчас, после того как положила трубку.

Наверное, вздохнула, с тоской посмотрела на телефон, потом, проходя в комнату сына, — на входную дверь. У кровати сына улыбнулась, коснулась рукой светлых непокорных волос.

Проклятье! Нет женщины прекраснее, чем та, кто смотрит на свое дитя. Уж я-то знаю: у меня четверо детей от трех жен.

Я скинул сообщение Соболину на пейджер

(*Володя! Это Зураб! Позвони мне в агентство!*)

и отправился в нашу комнату. Здесь было тихо и пусто. Выключенные компьютеры слепо пялились в полумрак. В столе у Зудинцева я отыскал нашу полулегальную пепельницу (Спозаранник не курил и не любил, когда курят другие). В столе Нонны Железняк мне удалось найти пакетик кофе с просроченной датой. Я немного поколебался и решил рискнуть. Кофе все-таки не консервы, может храниться и подольше.

Телефон зазвонил, когда я наливал воду в чашку. Мне ее предпоследняя — третья — жена подарила еще до того, как мы разошлись. Значит, между моим сообщением и ответным звонком Соболина прошло ровно столько времени, чтобы сходить-набрать из-под крана медленно текущей воды, поставить чайник. И еще малость, чтобы этот чайник нагрелся. Много что можно сделать за это время. Очень много. Например...

Я не спеша налил воду, с нарочитой аккуратностью поставил чайник. Телефон надрывался. Наконец я снял трубку:

— Слушаю.

— Князь, это Соболин. — Откуда-то издалека доносилась приятная, интимная музыка. Я почему-то представил, что Соболин звонит мне из какой-нибудь отделанной в восточном стиле спальни, а рядом с ним — не менее восточная красавица. — Что стряслось? Что за пожар?

— Пожар был...

— Не понял? — вскинулся Соболин.

— ...почти месяц назад.

— Что за дурацкие шутки, Зураб? — Володя, похоже, обиделся.

— Помнишь, в начале февраля на Есенина на пожаре погиб парень-охранник?

— Конечно. У нас тогда совсем пусто было. После убийства Ратнера вообще все и вся затихли. Пришлось бытовой пожар на ленту новостей ставить. А что случилось?

— Может быть, и ничего. Володя, на убийство Ратнера не ты ездил?

— Было дело.

— Ты не помнишь, вроде бы дня за три до убийства... По заявлению госпожи Ратнер никого не задерживали?

— Мать твою! — рявкнул Володя.— Точно! Я-то думаю, фамилия знакомая. Именно — Юрий Сметанин!

— Это задержание тоже ты отрабатывал?

— На него Витя Шаховской ездил. Меня тогда Обнорский в Выборг посылал. Связи с местными органами налаживать.

Я обреченно вздохнул:

— Какой у Шаха пейджер?

Похоже, только одно порцией кофе не отделаешься.

* * *

Убийство Игоря Ратнера — коммерческого директора пивзавода «Нерпа» — открыло новый год.

Как тогда, на следующее утро после убийства, мрачно пошутил Коля Повзло: «С открытием сезона... охоты».

Убийца действовал дерзко, но наверняка.

Ратнер с женой, детьми и матерью жил на третьем этаже престижного «доходного» дома на Вознесенском проспекте. Окна его кухни — единственные — выходили во двор-колодец.

Стрелок знал, что если финансист дома, то около полуночи обязательно выходит на кухню — перехватить что-нибудь. Убийца выбрал место: «черная лестница» через двор от подъезда Ратнера, окно между четвертым и пятым этажами.

Отсюда кухня в квартире финансиста просматривалась, как на ладони.

Поздно вечером в воскресенье, 23 января, во дворе-колодце прогремели выстрелы. Хотя «прогремели» — громко сказано: никто выстрелов не слышал.

Игорь Ратнер умер на месте.

Его жена Полина, прежде, чем свалиться в обморок, вызвала «скорую» и милицию.

Расследование взяли под особый контроль.

И так далее.

А вот за три или четыре дня до убийства Ратнера...

* * *

Шах отзвонился сразу. Наверное, это у него привычка еще из прошлой жизни: раз звонят на пейджер, значит, дело срочное.

— Витя, ты далеко? — спросил я.

— Не очень.

— Ты можешь подъехать в агентство? Разговор есть. Не телефонный. Это очень важно.

Шаховской вопросов не задавал, что-то быстро прикинул:

— Буду минут через пятнадцать. Готовь кофе.

— Легко, — бодро отозвался я.

— Еду.

Кофе... Я отправился на промысел в репортерский отдел. Восьмеренко немного, для порядку, поворчал, но на кофе все же раскололся.

Минут через десять я услышал, как во дворе, прямо под окнами, заскрипели тормоза «лохматки» Шаховского: «жигуленок» давно пора было отогнать на свалку и приплатить мусорщикам, а то ведь могли и не взять.

Кто-то, наверное Зудинцев, рассказывал мне, что еще года четыре назад Шах был вполне преуспевающим бандитом. Ездил на «мерсе» и жил на широкую ногу. Имел свой небольшой, но более-менее надежный бизнес. Потом начались какие-то проблемы, и Витя подался в журналистику.

Честно скажу, писать у него получалось много лучше, чем у меня. Мое военно-десантное образование не шло ни в какое сравнение с его филологическим: по неподтвержденным слухам, Витек закончил филфак университета чуть ли не с красным дипломом. По крайней мере, на английском он говорил с хорошим лондонским произношением. Хотя временами...

Когда мы только взялись за «Кантату», я впервые увидел Шаха «в деле». Профессионал!

Витя вошел в кабинет, скинул промокшую под снежно-дождевой моросью куртку.

— Что стряслось? — Он опустился в кресло, сразу же закурил.

Я налил ему кофе, придвинул пепельницу и сел напротив.

— Помнишь, дня за три-четыре до убийства Ратнера... По заявлению его жены задержали двух мальчиков-топтунов?

— Это было в среду, 19 января... — Витя тщательно стряхнул с сигареты пепел. — Вечером...

* * *

19 января в 20.34 в дежурной части 1-го отдела Адмиралтейского РУВД раздался звонок:

— Дежурный Васильев слушает!

— Это милиция? — спросил женский голос.

— 1-й отдел.

— Мне нужна помощь. Помогите... — голос женщины сорвался.

— Успокойтесь, пожалуйста. — Дежурный придвинул к себе сигареты, щелкнул зажигалкой. — Что случилось?

— За моей... за нашей квартирой следят.

«Еще одна...» — со вздохом подумал дежурный. После Нового года и Рождества часто бывает.

— Кто?

— Двое молодых людей. Они уже несколько дней следят. Скоро муж вернется, я за него боюсь.

— Муж? А кто у нас муж?

— Игорь Ратнер, коммерческий директор «Нерпы».

— *Ратнер? — переспросил дежурный. Как-то на совещании в РУВД их предупреждали, что на «земле» 1-го отдела появился еще один крупный клиент. Это было... Весной прошлой это было.*

— А вы... Как вас зовут?

— Полина Ратнер.

— Адрес? Телефон? Высылаем наряд. Они проверят.

Женщина старательно продиктовала адрес: Вознесенский проспект, угол с улицей Римского-Корсакова.

— Ждите. Скоро к вам приедут.

— Спасибо, — кажется, женщина была искренне растрогана.

— Не за что. Это наша работа, — ответил дежурный. Совсем как в «Ментах». Черт!..

Дежурный придвинул к себе микрофон рации. Вызвал наряд. А потом взял трубку телефона и отправил сообщение на пейджер Вити Шаховского.

Была года четыре назад одна история, когда еще младший лейтенант Васильев попал в крутой переплет... Помог ему выпутаться парень по кличке Шах. А сейчас Витя Шаховской, репортер агентства «Золотая пуля», регулярно получал сообщения о том, что творилось на «земле» 1-го отдела в Адмиралтейском районе. И никогда не оставался в долгу, если дело того стоило.

...Примерно через пять минут после звонка Полины Ратнер перед ее подъездом остановился патрульный уазик, закрыв выход на улицу. Двое милиционеров потопали наверх, на третий этаж. И на площадке второго этажа наткнулись на двоих парней.

Те пристроились на подоконнике и тихо о чем-то переговаривались. На полу скопилось изрядное количество окурков.

— Документы! — рявкнул старший из патрульных.

— Вы чего, мужики? — спросил один из парней и попытался встать.

— Сидеть! — старший толкнул парня назад на подоконник и повернулся к молодому напарнику: — Ты видел? Совсем оборзели, отморзки.

— Сержант! Эй, сержант! — второй парень вступил в разговор, однако с подоконника не поднялся. — Чего случилось-то?

— Не твоего ума дело! — рявкнул сержант. — Документы, твою мать...

Парни, поколебавшись, полезли в карманы. У того, кто возмутился первым, что-то тускло блеснуло за левым лацканом пальто.

— Что это? — сержант проворно выхватил у парня из наплечной кобуры пистолет. — Гляди-ка, Иж-71. А разрешение?

— Есть у нас разрешение, — второй парень был явно раздосадован. Он осторожно, стараясь не разозлить сержанта, вытащил из-под кожаного «пилота» свой «ствол». Протянул его сержанту вместе с документом.

— Сметанин Юрий Сергеевич, — прочитал сержант на пластиковом прямоугольнике. — Охранное агентство «Сенат». А ты? — Ему в руку легло второе удостоверение: — Понкратов Игорь Дмитриевич.

(— «Сенат»? — Я выпрямился в кресле.

— Именно. — Шах пристально посмотрел на меня. — Что-то не так?

— Нет. Полный порядок. Продолжай...)

Сержант задумчиво повертел «ксивы»:

— Знаете, здесь про оружие ничего не сказано.

— Но... — начал было Пократов.

— Сидеть! — сержант толкнул Игоря Дмитриевича на подоконник, вытащил наручники. — Надевайте!

— Зачем?

— Прокатимся. — Сержант повернулся к напарнику: — Паша, поднимись до квартиры. Попроси Полину Васильевну выйти на пару минут. Формальности.

Паша поднялся на площадку третьего этажа и позвонил в тяжелую металлическую дверь. Почти сразу громыхнул тяжелый замок, на пороге появилась молодая женщина в джинсах и свободной рубахе. Паша — высокий, уверенный в себе малый — оробел: женщина была очень красивой. Он с трудом выдавил из себя:

— Добрый, значит, вечер...

«Классная телка. Вот бы...» — додумать сержанту не дали: Сметанин и Понкратов разом рванулись куда-то вниз. Быстро бежать они не могли — мешали наручники.

Прикладом автомата сержант ударил в спину Понкратова, а Сметанина сшиб с ног уже на площадке второго этажа, прижал парня коленом к бетонному полу, зло прошипел ему в затылок:

— Лежать, сука! — Выпрямился, рывком, за рукав затрещавшей куртки, поставил Юрия Сергеевича на ноги. Подтолкнул наверх: топай. Пролетом выше Понкратов перекатился на спину, подтянул под себя ноги и пытался подняться.

Сержант заставил Сметанина сесть на пол, рядом с напарником, осторожно посмотрел наверх, по направлению дверей квартиры. Полина Ратнер молча смотрела на все, что происходило внизу.

— Извините, — вдруг пробормотал сержант, прочистил горло: — Полина Васильевна, вам придется с нами поехать. Нужно написать заявление. В 1-й отдел, на Якубовича...

— Я знаю, где это, — женщина чуть улыбнулась. — Я доберусь сама.

— Как скажете. — Сержант заставил Понкратова и Сметанина подняться на ноги. — Пойдем, Паша.

Они спустились на улицу, затолкали телохранителей в «стакан». Сели в машину.

— Спорим, она приедет в отдел в норковом манто? — вдруг с молодецким азартом спросил сержант напарника. — На десятку.

— Идет, — вяло отозвался Паша. Он недавно женился и теперь считал каждый рубль до ближайшей зарплаты. Десятка — деньги вроде бы и небольшие, да не всегда. Но отказаться от спора было как-то не по-мужски...

— Куда? — спросил водитель.

— В отдел, конечно.

Мотор уазика фыркнул, заработал ровнее. Машина тронулась с места.

...Спор сержант проиграл.

* * *

— Полина...

— Полина?

— Жена Ратнера приехала в отдел в пальто. — Шах закурил еще одну сигарету. — Обычное такое пальтишко. Неброское, но очень хорошее.

Витя задумчиво выдохнул дым:

— Заявление она написала. Но ребят выпустили уже через два часа: за ними приехал кто-то из «Сената». Разрешение на оружие у них оказалось в порядке, а сопротивление милиции... По-моему, до суда дело не дошло.

— И что было потом? — спросил я.

— Не понял? — спросил Шаховской. Похоже, он вспоминал что-то приятное. Пожалуй, впервые я видел у него по-юношески мечтательное выражение лица. — А потом убили Ратнера. И о топтунах как-то подзабыли.

— Все?

— Убийство, сам знаешь, громкое было. Да и задержанных телохранителей никто со смертью Ратнера не связал.

— А ты?

— Князь, ты мальчик взрослый. Можешь понять: когда в работе появляются личные отношения, работа накрывается... — Шах закурил очередную сигарету. — Соболин этого не знает. И никто не знает. Надеюсь.

Мы докурили уже в молчании. Шах потушил сигарету, одним глотком допил остывший кофе.

— Есть еще вопросы?

— Адрес и телефон.

— Чей?

— Ратнер Полины Васильевны.

Витек мгновение помедлил, потом достал из кармана куртки телефонную книжку:

— Пиши...

Я аккуратно записал адрес, тщательно сложил листок вдвое и положил его в карман рубашки. Шах натянул подсохшую куртку:

— Пока.

— Удачи.

Уже в дверях он остановился:

— Будь осторожнее. Она очень красивая.

И ушел.

5

Я проснулся от того, что Полина...

(*Вот! И я туда же! Ловил Шаха и сам — попался! Прав был Витек.*

Очень красивая женщина.

Никакие разумные доводы, которые я быстро перебрал в уме, меня не остановили...)

...что-то быстро говорила во сне. Я чуть осторожно приподнялся на локте, всмотрелся в ее сонное и от этого очень детское лицо. Прислушался.

— Нет! Не надо... Игорь!..

Имя ее погибшего мужа словно вытолкнуло меня из постели. Суеверный страх перед покойниками, похоже, оставили мне в наследство предки. Гордые горцы с уважением относились к усопшим. Я выбрался из-под одеяла, в сумраке спальни с трудом отыскал свои черные джинсы. Мягко ступая, выбрался на кухню. Здесь на темном, под дерево, столе белела пачка моих сигарет. Я опустился на стул и закурил.

* * *

Полина Ратнер легко согласилась на встречу со мной. Даже после того, как услышала, кто я и зачем мне нужно с ней поговорить.

Когда в нашем первом телефонном разговоре я первый раз произнес имя ее мужа, мне показалось, что вдова чуть слышно вздохнула-всхлипнула. Но голос у нее не дрогнул.

— Мы можем встретиться завтра вечером, скажем, в восемь часов? — спросил я.

— Конечно.

— Где?

— Будет проще, если вы подъедете ко мне. Адрес вы, похоже, знаете, — ее голос стал чуть насмешливым. Это вогнало меня в краску. Как малолетку, которые первый раз решается пригласить девчонку на свидание и малосвязно бормочет: кино, кафе, мороженое...

— Знаю... — выдавил я из себя.

— Я жду вас завтра. В восемь.

— До встречи.

— До свидания, Зураб Иосифович.

Еще немного сарказма или я становлюсь мнительным, как малолеток? Вах!

...Уже подходя к ее дому — мрачноватому, «доходному», в стиле «модерн» — я понял, что так толком и не знаю, зачем хочу встретиться с Полиной Ратнер. Вряд ли она сможет рассказать мне больше, чем Соболин или Шаховской.

Признайся, Зураб. Признайся себе: ты хочешь увидеть эту красивую женщину. И, может, с ней... переспать.

По крайней мере, я смог честно себе признать в том, чего хочу. Честно-то честно, да на душе от этого легче не стало.

Дурак ты, Зураб. Одумайся: у тебя жена красавица. Умница. Тебе же с ней хорошо? — Даже очень! Она такое... Такое вытворяет. И в постели, и по жизни. — Чего тебе еще нужно?

Я вошел в подъезд. На лестнице с широкими вытертыми старинными ступенями было мрачновато. Я поднялся...

(Площадка второго этажа: здесь сержант из 1-го отдела догнал Сметанина.

Окно. Подоконник. Окурков не стало меньше. Сметанин и Понкратов с умом выбрали «точку»: улица и подходы к подъезду просматривались замечательно. Правда, почему «топтуны» дали себя заметить? Или они не собирались прятаться? Да и вовсе они не топтуны.)

...на третий этаж, мгновение помедлил перед дверью. И нажал звонок.

Мягкая, переливчатая трель сразу канула куда-то в недрах квартиры. Потом послышались легкие и уверенные шаги. Громыхнул замок.

Мне сразу понравилось, что Полина Ратнер не стала специально принаряжаться. Полинявшие джинсы в обтяжку, свободная рубаха навыпуск. Густые медно-рыжие волосы собраны в «хвост».

Она улыбнулась:

— Зураб Иосифович?

— Добрый вечер, — собственный голос показался мне сдавленным и чужим. Дыхание перехватило.

Женщина! Какая женщина!

— Проходите, — она пропустила меня в прихожую. Заперла дверь. Молча показала на немного вычурную вешалку.

Я разделся и вслед за хозяйкой прошел в просторную комнату. У одной из стен — стеллаж с книгами, напротив — телевизор, в центре изящный столик, заваленный бумагами. Вокруг него — кресла и диван. Дальняя от меня дверь была чуть приоткрыта, (*Знак? Приглашение?*) была видна часть тщательно прибранной двуспальной кровати.

Полина остановилась у бара:

— Что будете?

Я мгновение поколебался. Вообще-то, Обнорский — особенно на службе — пить не разрешал. И к тому же я еще помнил, как мне было тяжко после празднества у Кира.

Полина Ратнер решила мне помочь:

— Коньяк? Погода сегодня очень нехорошая...

— Пожалуй.

Она быстро разлила коньяк по пузатым бокалам. Протянула один мне, сама, изящно подобрав ноги, села в кресло, мне показала на диван.

Я слегка качнул бокал, прислушался к аромату. Отличный коньяк. Мне такой дед наливал, когда я, уже после школы, курсантом Рязанского училища, приезжал на родину предков — в Цхалтубо.

— Спасибо, Полина Васильевна...

— Полина.

— Тогда просто Зураб.

— Договорились, — она чуть улыбнулась. С той минуты, как я переступил порог ее квартиры, Полина пристально меня разглядывала. Со сдержанным любопытством.

Из скупых упоминаний о ней в материалах по убийству ее мужа я знал, что она — вторая жена Ратнера. Первый раз тогда еще будущий коммерческий директор «Нерпы» женился на третьем курсе Финэка. Брак распался вскоре после получения дипломов. Кто-то из давнишних партнеров и друзей Ратнера после убийства обмолвился журналистам, что именно эта личная трагедия подтолкнула его. Разогнала на пути к успеху.

Полина окончила университет, философский факультет. Несколько лет стажировалась то ли в Англии, то ли во Франции (здесь информация газетчиков сильно разнилась). Потом вернулась и поступила работать в весьма преуспевающее издательство. Быстро стала редактором целой серии. Что-то вроде — карманная философия. Но карманная только в смысле формата. Книги в ее серии были как на подбор: Ницше, Аристотель, Фрейд, Юнг, Ортега-и-Гассет и другие. Не менее маститые.

С Ратнером она познакомилась на каком-то полусветском и полуклубном рауте. Года три они встречались. А потом, тихо и без излишней торжественности, поженились.

— О чем вы хотели поговорить? — спросила Полина.

— Я сразу хотел извиниться, если тема покажется Вам... покажется вам тяжелой.

— Я поняла. Итак?

— Помните, девятнадцатого января вы позвонили в милицию и сказали, что за вами следят.

— Да, конечно.

— Расскажите, как это было. — Я поставил на журнальный столик диктофон и нажал кнопку записи.

— Это началось еще до Нового года...

* * *

Она почувствовала чей-то тяжелый взгляд недели за две до Нового года. Полина не знала, кто и тем более зачем так пристально следит за ней. Это было ощущение. Неприятное, сковывающее.

На Новый год они с Игорем уехали за город, как давно собирались. Он попросил у приятеля еще студенческих времен попользоваться старым финским домом под Выборгом. Там, среди заснеженного леса, чувство, что за ней следят — отпустило.

А потом, когда на Рождество они приехали в город — Игорь обещал родителям быть на праздничном ужине, — давящее чувство вернулось. Игорю Полина ничего не сказала.

(— Не хотела его расстраивать, — сказала она, ее голос — впервые — чуть дрогнул. В глазах промелькнула печаль. — Может быть, надо было сказать? Но я еще думала, что это паранойя. Что мне просто грезится. А Игорь был занят запуском нового сорта пива. Мы толком и не виделись после Нового года и Рождества... — Полина вдруг резко нагнулась вперед, из-под пачки бумаг вытащила сигареты. Я протянул ей зажигалку. Она вдохнула дым, тяжело вздохнула. — Может быть, надо было сказать?

Я не ответил.)

Сразу после Старого нового года Полина поняла, что ее ощущение — реальность. Пару раз она замечала двух молодых парней — всегда одних и тех же, — которые топтались перед подъездом ее издательства. Или на машине — потрепанном и невзрачном «форде» — ехали следом, когда Полина с Игорем куда-нибудь отправлялись.

А девятнадцатого января...

* * *

— В тот вечер я приехала домой около восьми. — Полина закурила очередную сигарету. — Лифт не работал — случается. Я поднималась пешком. И на площадке между вторым и третьим этажами... Я увидела их. Они сидели, курили, о чем-то разговаривали. И, похоже, не обратили на меня никакого внимания. Я медленно прошла мимо них. Боялась не того, что они на меня бросятся. Боялась, что они со мной просто заговорят. Или один из них громко крикнет мне в лицо «Бу!»... Знаете, как это дети делают?

Я кивнул.

Она перевела дыхание:

— Самое страшное... Они не прятались. Я все так же медленно добралась до квартиры. И сразу позвонила в милицию. Те быстро приехали. Как меня Игорь и предупреждал... Мы переехали сюда весной 99-го. Он тогда сказал, что договорился вроде бы с кем-то из чинов в главке. И ему обещали особый статус... Судя по тому, что милиция приехала быстро, так оно и было. — Полина потушила сигарету. — Остальное вы, наверное, знаете.

— Вы забрали заявление?

— Нет.

— А что случилось? Говорят, что дело до суда не дошло...

— Мне в милиции сказали, что дело прекращено. Недавно совсем.

— Почему?

— Вроде бы Понкратов умер. Оказалось, что он был наркоманом, или, как у вас говорят — «нарком»?

— Примерно, — я позволил себе немного улыбнуться. Сочувственно.

— Я не настаивала. Зачем? Игоря это не вернет... — Полина резко встала. — Извините...

Она выбежала из комнаты, приглушенно зашумела вода. Похоже, Полина заперлась в ванной. Чтобы успокоится. Пусть так.

Вопросов у меня больше не было. Но что-то мешало мне уйти. Может, я не уходил, потому что меня научили еще в детстве — дед и дядья, — что мужчина не бросает женщину в горе и в беде.

Сильно сказано, Зураб. Вах, как сильно!

Я поднялся, прошелся по комнате. Остановился у книжных полок. Кто-то мне давно уже говорил, что книги могут рассказать о хозяине квартиры больше, чем обстановка. Я машинально коснулся кончиками пальцев корешков. Похоже, что книги читали и перечитывали. Девственно чистыми оставались только рекламно-подарочные фолианты, которые были «сосланы» на нижние полки. Легкое пренебрежение к парадности, на которую обязывало положение. Философия и беллетристика, советские еще учебники по экономике и недавние пособия по менеджменту были перемешаны.

На одной из полок я заметил фотографию Ратнера. Он был не такой, как на тех официальных снимках, которые печатали в газетах сразу после его убийства. Ратнер сидел на гранитных камнях. За его спиной накатывало на берег по-северному холодное море. Я, кажется, даже узнал место: между Репином и Солнечным есть один мыс, на нем точно такие же камни.

— Игорю нравилось северное море. — Полина остановилась рядом со мной. Я не заметил, как она вернулась в комнату. Только почувствовал, как моей руки коснулись легкие и нежные пальцы.

Я замер.

Понял, что не давало мне уйти.

Полине был нужен мужчина. Может, даже первый встречный. Чтобы в страсти перегорели остатки тяжелого горя и осталась от него только легкая и уже неизбывная печаль.

Я осторожно повернул Полину к себе, коснулся ладонями ее лица, нежно сжал. Наклонился и, чуть помедлив, поцеловал.

В первый миг она не ответила, словно замерла. А потом ее губы словно порхнули навстречу, навстречу моим губам. Руки легли мне на плечи. От нее пахло как-то по-девчоночьи. Как от моей дочери-студентки. Такой беззащитный и хрупкий запах.

— ...Ты не жалеешь? — спросила она, когда мы лежали рядом. Как-то незаметно для самих себя мы перешли с официальной дистанции «вы» на интимное «ты».

— Нет. А...

— Не будем об этом. — Полина подалась ко мне. Поцеловала, прильнула всем своим нежным молодым телом. На мгновение отстранилась, только чтобы сказать: — Не будем об этом. Пожалуйста.

* * *

Вдруг зажегся свет. Полина, придерживая халат, стояла на пороге кухни и сонно щурилась. Подошла ко мне, встала за спиной, обняла. Все еще нежно, но без страсти.

— Я разговаривала во сне?

— Да.

— И звала Игоря? — Она прижалась ко мне крепче. — Я знаю: он бы не стал возражать. Он всегда хотел, чтобы я жила.

— А сейчас ты живешь?

— Ты помог мне в этом. — Она взяла у меня из пальцев сигарету, затянулась и потушила ее в пепельнице. — Пойдем.

Я поднялся.

Она вдруг отстранилась:

— Знаешь, ведь я видела его. Неделю, наверное, назад.

— Кого? — Мне почему-то показалось, что сейчас Полина расскажет о том, как к ней являлся покойный муж.

— Ну, того «топтуна». Не Понкратова, а... Как его?

— Сметанина? — спросил я, не веря своим ушам.

— Именно — Сметанина.

Я отстранился, усадил Полину на тот самый табурет, где только что сидел сам, придвинул себе второй. Сел напротив.

— Подожди, — заговорил я, старательно подбирая слова. — Ты ничего не путаешь?

— Нет. Мы столкнулись с ним здесь недалеко. На Театральной площади. Он куда-то бежал, едва не сбил меня с ног.

— Ты уверена?

— Да, а почему ты спрашиваешь?

— Потому, что Юра Сметанин сгорел в собственной квартире пятого февраля. Почти месяц назад.

— Не может быть! Это был он! Я точно знаю!

6

— Спокойно, Князь. Как призывал один знаменитый персонаж? Спокойствие, только спокойствие. — Зудинцев терпеливо наблюдал за моими метаниями по кабинету. Утро, стену на другой стороне двора, напротив окон нашего кабинета, щедро освещало нежаркое мартовское солнце. — Повтори еще раз, что тебе вдова Ратнера сказала.

— Что примерно неделю назад она видела Сметанина, да? Живого и здорового, понимаешь?

— Допустим. Ты звонил в квартиру Кости Пирогова?

— Конечно. Раз сто! Никто не берет трубку.

— А этой, как ее... Тете...

— Антонине Константиновне?

— Ты ей звонил?

— Нет.

— Ты даже лучше не звони — съезди. Порасспроси ее, как дела. И заодно задай вопросы о Сметанине. Разумеется, придумай, на кой он тебе сдался. Хотя, по твоим рассказам, ходок ты редкостный: незнакомые тети тебе двери открывают, а молодые вдовы в постель ложатся.

— Да ну тебя!.. — в сердцах выкрикнул я.

Михалыч не обратил внимания. Он вернулся к своим делам, которые я прервал необычно ранним появлением в отделе и громкой тирадой на жуткой смеси грузинского и русского, в основном матерного. Зудинцев меня терпеливо выслушал. И, как обычно, дал дельные советы. Одним словом — опер, пусть и бывший.

Я натянул куртку, уже в дверях притормозил:

— Спасибо, Жора.

В ответ он только махнул рукой: спеши, мол, труба зовет.

* * *

Антонину Константиновну я застал дома. Похоже, она не расстроилась моему вторжению, а, наоборот, обрадовалась. Я, жутко стесняясь, протянул ей коробку печенья, которую прикупил, пробегая мимо «Метрополя».

— Тут вот... Что-то вроде гостинца.

— Ты проходи, Зураб. Сейчас мы чайку выпьем. Или, может, водочки? — Видимо, меня удостоили самого высокого доверия. — У меня тут как раз бутылочка на травах настоялась. Все хвори наши болотные отгоняет.

— Нет, спасибо. До шести вечера не могу — служба.

— Начальник строгий? — спросила тетя Нина. — Может, это и правильно.

Она набрала воды в чайник, зажгла газ.

— У меня, Зураб, радость.

— Какая?

— Сын из Москвы возвращается. Хотя не то чтобы возвращается. Его фирма здесь отделение открывает, а сына моего начальником в родном городе сажают. Он приезжал на днях. Да на следующий день, как мы познакомились.

— Здорово, — выдохнул я. Мне не терпелось задать вопросы, но мой шеф — Спозаранник — советовал сдерживаться. Не спешить. Что-то люди, если их, конечно, не торопить, и сами расскажут.

Чайник закипел. Тетя Нина поднялась, достала из сушилки две чашки. Тщательно заварила чай.

— Ко мне вчера соседка заходила. Она этажом выше Кости Пирогова живет, аккурат наискосок. Жаловалась, что он совсем обезумел. Музыка и днем, и ночью. А как-то вечером она видела, что он из дома выходил. В пакетах пустые бутылки перезванивались. Совсем парень опустился.. — Тетя Нина поставила передо мной чашку. — С травкой, для сердца полезно. Не пошаливает сердце-то?

— Есть немножко, — улыбнулся я.

Антонина Константиновна понимающе кивнула.

— Тетя Нина — можно я буду вас так называть? — вы в прошлый раз говорили, что Костя из-за Юры Сметанина сильно переживал...

— Похоже, до сих пор убивается. — Антонина Константиновна тяжело вздохнула. — Юрка в последнее время совсем... Как это? Крутой он стал. На машине шикарной ездил. У меня Валька до сих пор на отцовской «копейке», а Юрка на эдаком лимузине разъезжал.

— Лимузине? — с недоверием переспросил я.

— Знаешь, такая большая. На дверцах надписи. «Сенат».

(*«Сенат»! — Снова «Сенат»!*)

И еще казино какое-то... — тетя Нина на мгновение задумалась. — Нет, не помню. «Сенат» — точно, а вот казино... Извини, сынок. Не помню. Знаешь, как говорят: старость — не радость, молодость... Раньше «Евгения Онегина» наизусть знала. Поверишь ли?

— Конечно, верю.

— Теперь только «Мой дядя самых честных правил...» и остался.

— Антонина Константиновна, можно от вас позвонить?

— Работа?

— Именно, — я виновато улыбнулся.

— Это важно. Телефон в комнате, в гостиной.

— Спасибо.

«Гостиная» — самая большая в квартире комната — была прибрана с парадной тщательностью. Телефон, как генерал, разместился на высоком столике с одной-единственной ажурной ножкой.

* * *

— Охранная компания «Сенат», — бодро ответил мне девичий голос. Если судить только по нему, барышня — лет двадцати — обладала и другими прелестями.

— День добрый, — бодро отозвался я. — Можно ли Андрея Викторовича Саломатова услышать?

— Андрей Викторович очень занят, — решительно ответила секретарша.

— Я не хотел бы ему мешать, — вежливо, но с напором произнес я. — Только передайте ему, что Князь звонит. По срочному делу.

— Кто? — уже не так уверенно переспросила барышня.

— Князь, — медленно проговорил я.

— Минуту, — девица включила мне музыку, вроде бы из игрушки-фильма «Братья Марио». Мелодию, надо сказать, довольно однообразную я слушал пару минут. Потом в телефонной трубке взорвался голос Андрюхи Саломатова:

— Князь! Бродяга, как ты? Давно не было слышно.

С Андреем, коренным питерцем, мы вместе закончили Рязанское училище. Потом меня отправили к южным границам Родины, а он попал в спецназ во Псков. Встретились мы через пару лет, под Кабулом. Из армии он ушел на год раньше меня, еще капитаном. Сказал, что все обрыдло. Что он не хочет видеть, как все разваливается. С такими же, как он сам, парнями сколотил фирму. Поначалу занимался охраной грузов, потом инкассацией. Сейчас его «Сенат» в неофициальном рейтинге числился одним из лучших. Рекламу Андрюха своей фирме не давал. Стать клиентом можно было только по рекомендации кого-нибудь из давних «друзей».

— Андрюха, дело есть. Срочное.

— Всегда ты так, Зураб: только по делу.

— Жизнь такая.

— Это я уже слышал. Нужно увидеться?

— Именно. И желательно — прямо сейчас.

— Ко мне в офис сможешь подъехать?

Я посмотрел на часы, прикинул:

— Буду минут через сорок.

— Жду.

Андрюха положил трубку первым. Он всегда так делал. Словно боялся того «ничто», которого можно коснуться, послушав гудки отбоя. Ведь они возникают из ничего, уходят в такое же ничто. И словно затягивают, как сильный водоворот.

...Офис «Сената» сильно изменился с последнего моего визита.

(*Как давно это было. Вах! Давно.*

Я тогда только-только уволился из «Трансбизнес Лимитед», а потому прожигал жизнь и увольнительное пособие. И еще всерьез подумывал о том, что стоит остаться в охранном бизнесе.)

Мне показалось, что офис немного «повзрослел», если так можно говорить о помещениях во флигеле во дворе одного из домов на улице Маяковского.

Исчез дух авантюризма, с которым Андрей начинал. Это действительно была та еще авантюра. В Саломатова три раза стреляли, но только один раз он был ранен. Бесконечные проверки — санинспектор, пожарный инспектор, налоговый инспектор, ревизор из Главка, санинспектор и так далее — постоянно прикрывали офис. Потом Андрей, едва устояв на ногах, договорился с кем надо. Работать ему стало не в пример легче.

Дюжий парень в форме с сомнением оглядел мои потертые джинсы, куртку и трехдневную щетину на лице. Нажал какую-то кнопку. Внутренняя металлическая дверь чуть загудела, оглушительно щелкнула и чуть приоткрылась, приглашая меня войти.

Я поднялся на второй этаж. Дверь приемной была открыта. Секретарша

(*Я не ошибся, когда прикинул ее возраст по голосу — лет двадцать. Симпатичная.*

У Андрюхи всегда был хороший вкус.)

поднялась мне навстречу из-за просторного стола.

— Зураб Иосифович? — робко спросила она. Похоже, ей сильно влетело от шефа за уточняющие вопросы и, главное, незнание таких людей, как Князь, он же — Гвичия Зураб Иосифович. Она открыла мне дверь. — Андрей Викторович вас ждет.

Я ободряюще ей улыбнулся и шагнул в просторный кабинет.

— Князь! — постаревший Андрей — «...годы, годы, гады годы...» — уже спешил мне навстречу. — Встречу надо отметить!

Он почти никогда не говорил тихо. Я где-то читал, что у некоторых народов громкий голос нужен для того, чтобы разгонять бесов. Похоже, Андрей безуспешно пытался разогнать своих демонов.

Мы обнялись. Андрей повернулся к бару, но я придержал его за рукав:

— Сначала дела.

— Дела? — Саломатов пристально посмотрел на меня, с его лица исчезла улыбка. — Хорошо. Поговорим о делах. — Он показал мне на уютное кресло, придвинул к моему краю массивную пепельницу. — Кофе?

— И покрепче, да?

Андрюха дотянулся до кнопки на своем столе:

— Анечка, два кофе. Больших. Крепких. С сахаром, разумеется.

Пока Аня не принесла кофе, мы говорили о чем-то абстрактном. Вспоминали своих: кто и где, как и что. Через пару минут кофе — две огромные чашки — был на столе. Андрей тщательно закрыл дверь за Аней, вернулся в кресло:

— Слушаю.

Я не торопясь достал из кармана блокнот.

— Девятнадцатого января, в этом году, на Вознесенском, взяли двух «топтунов» — Юрия Сметанина и Игоря Понкратова. Оба они предъявили удостоверения «Сената»...

— Мать!.. — громко и смачно выругался Андрей. — Знал ведь, что эти отморозки достанут.

— Спокойно, капитан. Спокойно, да? — Я взял в руки чашку, отпил. После промозглой мартовской погоды кофе грел душу не меньше, чем глоток холодного пива в жаркий день.

— Поздно вечером девятнадцатого, часов так в одиннадцать, мне позвонил дежурный. Сказал, что звонил Сметанин, сказал, что они с Понкратовым влипли в какую-то историю. И теперь кантуются в 1-м отделе Адмиралтейского района. В КПЗ. Я, понятное дело, ноги в руки, прыгнул в машину и помчался вызволять красавцев. — Андрей прикурил от большой настольной зажигалки. — Приезжаю. Сидят красавцы. Наборчик у них — железный: оружие — раз, сопротивление — два, заявление некоей гражданки — три... Полтора часа я добивался, чтоб их по 122-й не закрыли. Отпустили наконец. Пока в отделе бумаги оформляли, позвонил своему заму по кадрам — Пете Семенову. Договорились, что он в офис подъедет. Что мы сразу это дело разберем.

— И как — разобрали?

— По полной программе. — Андрей прикурил следующую сигарету. — Привез я их сюда, вот в этот самый кабинет. Петя уже здесь был. И устроили им допрос с пристрастием.

— С пристрастием? — улыбнулся я.

— Ты бы Петю видел, он сам — сплошное пристрастие: два метра тренированного тела и вагон и маленькая тележка ума. — Саломатов немного успокоился, заговорил ровнее. — Первым Понкратов раскололся. Сказал, что Сметанин предложил ему подзаработать: в свободное от службы время попасти одного мэна. Спрашиваю: «Какого мэна?» Понкратов на Сметанина кивает, мол, он все знает. А я даже фамилию не знаю. Только — как выглядит. Что жена у этого мужика — красавица. Сметанин долго отпирался, сидел вот здесь, на стуле, — Андрей показал на центр кабинета. — Сидел, курил сигарету за сигаретой и, знаешь, зло так молчал.

— И все-таки заговорил?

— Только когда на него Петя с кулаками двинулся. Терпение у нас лопнуло. Рассказал, что еще осенью — он тогда казино «Патриот» на Стачек охранял — попал в ДТП: на своей машинке-старушке протаранил новую «бомбу». Из «бомбы» мужик молодой вылез, отрекомендовался Анатолием, вручил Сметанину ключи и клочок бумажки с номером телефона и сказал, чтобы через неделю Сметанин ему новую «бомбу» пригнал. Понятно, что мальчик Юрочка на встречу без машины приехал. Он, конечно, неплохо зарабатывал, но сорок-пятьдесят тысяч «баксов» на нулевую тачку собрать не мог. И ко мне не обратился. Анатолий его так внимательно выслушал, порасспросил о работе. Предложил разбитую машину отработать по специальности.

— «Потоптать»?

— Именно! В начале декабря Анатолий позвонил Сметанину и назвал объект. Сам, наверное, знаешь кого.

— Дай-ка угадаю. Ратнера и его супругу?

— Ага. Сметанин понял, что один не справится, и предложил Понкратову подзаработать.

— Вот так запросто?

— Вообще-то их понять можно. У меня перед Новым годом дела не ах как шли. Это сейчас худо-бедно наладились... Ну в общем, «потоптали» Юра с Игорем господина Ратнера. И «дотоптались» — попали в милицию. Я велел им сидеть дома и ждать, пока вызову.

Нужно было подумать. Хотел с Ратнером связаться — у нас общие знакомые были. Да не успел — убили его.

— На этом все закончилось?

— Не совсем. Похоже, у Понкратова после истории с милицией нервы сдали. Он и так наркотиками баловался. По крайней мере, разговоры такие ходили, но попасться — он ни разу не попался. А тут, видно, вкатал себе передозу. Его утром соседи нашли. Сметанин, как только о смерти Понкратова узнал, сюда примчался. Заявление на увольнение написал, деньги получил и пропал. Последнее, что я о нем слышал: он погиб на пожаре у себя дома. Задохнулся.

— Мать по часам и одежде опознала.

— Мрак! — Андрей резко встал. — Ты как хочешь, а я выпью. Чутка́. Нервы, знаете ли, Зураб Иосифович. Нервы.

Андрей налил себе изрядную порцию виски. И сразу сделал большой и жадный глоток.

— Вот такие дела.

— Понятно. — Я закурил. — Андрей, а что за парень Сметанин был? Я понимаю, конечно, что плохих ты просто не держишь. Но все-таки.

— Это надо с Петей поговорить. С Семеновым. — Саломатов снял трубку одного из аппаратов на своем столе, набрал три цифры местного номера: — Петя, зайди, пожалуйста. И личное дело Сметанина захвати. Жду. — Повернулся ко мне: — Сейчас зайдет.

Семенов — на вид лет тридцать пять — производил неизгладимое впечатление: высоченная «машина» в элегантном костюме и с аккуратной прической, словно только что из салона. Я сам не самого низкого роста, но рядом с ним почувствовал себя мальчишкой.

— Знакомьтесь, Зураб Иосифович Гвичия — Петр Семенов.

— Наслышан, — широко улыбнулся Семенов.

— Точно так же.

— Петя, расскажи Зурабу Иосифовичу...

— Зурабу, — поправил я. Меня всегда коробит, когда меня называют по отчеству.

— Расскажи Зурабу про Сметанина. Расскажи все.

Семенов открыл папку, которую принес с собой, придвинул ко мне.

— Он поступил к нам на работу в 1995-м. Замечательные данные: служил в армии, потом поступил на работу в ФСБ. Правда, там недолго продержался и ушел в физзащиту налоговой полиции. Пока был в ФСБ, набрался кое-каких специальных навыков. — Семенов не спеша переворачивал страницы личного дела. — Сначала мы его на инкассацию определили. Потом перевели в телохранители.

— А в казино он как оказался?

— Сам попросился.

— С кем он в «Патриоте» работал?

Петя на мгновение задумался:

— Его напарником Саша Павлов был... Минуту... — Семенов достал из кармана пиджака сотовый телефон, быстро набрал номер: — Васильич?.. Семенов беспокоит... Павлов сегодня работает?.. Уже уходит?.. — Он посмотрел на меня: поговорить надо? Я кивнул. — Попроси его задержаться. Мы сейчас подъедем. Минут через пятнадцать. До встречи.

Петя убрал сотовый, повернулся к шефу:

— Мы в «Патриот»?

— Да, конечно, — кивнул Андрей. Он почти прикончил свое виски и, похоже, думал о том, что нужно продолжить.

— Выходите во двор. Я там вас ждать буду. — Семенов вышел из кабинета.

Я натянул куртку, протянул на прощание руку Саломатову:

— С меня коньяк.

— Лучше — «Хванчкара», — Андрей улыбнулся. — Шутка.

Он пожал мою руку, на мгновение задержал ее в своей:

— Князь, зачем ты это делаешь?

— Почему ты спрашиваешь?

— У тебя вид охотника, который взял след.

— Забавно, — хмыкнул я. — Дело чести.

Андрей отпустил мою руку:

— Это серьезная причина. Но этого мало.

— Может быть, — пожал я плечами.

— Да. Нужна будет помощь — обращайся.

— Спасибо.

— Пока.

— Береги себя.

* * *

Семенов уже ждал меня во дворе. Мотор джипа уютно урчал. Я сел рядом с Петей, и он сразу взял с места. Через проходные дворы выбрался на Лиговку и вдавил педаль газа в пол.

— Зураб, можно вопрос? — спросил Семенов, когда джип свернул с Лиговки на Обводный канал.

— Конечно. — Я приоткрыл окно и закурил.

— Вы с шефом в Афгане были?

— Да.

— Он говорит, что как-то вы спасли полтора десятка рядовых из сбитого вертолета.

— Легенда.

— Не понял?

— Вертолет зацепили, а не сбили. Да и рядовых было только трое.

— И все-таки.

— Петя, давно это было. И вспоминать нет желания.

— Андрей тоже не любит об Афгане говорить.

— Пусть так и будет. Для кого-то эта война не кончится никогда.

Семенов лихо притормозил перед входом в казино «Патриот». Над городом уже сгущались сумерки, поэтому яркие огни над входом в казино уже зажгли. Огоньки бежали по громадной двуязычной вывеске, отражаясь на близстоящих машинах, которые уже припарковались перед входом.

Мы вошли. Семенов что-то спросил у охранника рядом со входом. Тот указал в глубь казино. Вслед за Семеновым я прошел в служебные помещения. В одном из них, похоже в раздевалке охраны, нас ждал парень лет тридцати. Он лениво листал страницы цветастого журнала и, видимо, сильно скучал. Вскинул голову, когда открылась дверь, увидел Семенова и вскочил:

— Петр Владимирович...

— Спокойно, Саша. Садись.

Павлов опустился на стул, но не сводил с Семенова глаза. Словно чего-то боялся.

— У Зураба Иосифовича есть пара вопросов, — пропустил меня вперед Петя. — Я пока выйду. — Он повернулся ко мне: — Жду вас у стойки бара.

Семенов вышел и тщательно прикрыл за собой дверь.

Я еще колебался. Наверное, боялся показаться сумасшедшим. Несолидно это как-то в моем-то возрасте. И все-таки. Попробовать стоит...

* * *

— Александр, — медленно начал я.

— Да? — в голосе и взгляде Павлова сквозило подобострастие, изрядно сдобренное страхом.

— Александр, когда вы в последний раз... — я помедлил, прежде чем закончить вопрос, — видели Сметанина.

— Дня за три до пожара. Он тогда в казино пришел. Очень просил долг вернуть. Я у него как-то пять сотен баксов занял. А после увольнения Сметанину деньги очень понадобились...

— И все?

Павлов колебался. Он уже порывался было что-то сказать, но не сделал этого.

— Проблемы? — улыбнулся я. Похоже, моя улыбка показалась ему зловещей. Слишком зловещей.

— Не то чтобы проблемы... — Павлов дотянулся до куртки на вешалке. — Позавчера, в мою смену, сюда пришла Юркина мать. Ирина Юрьевна... Его же по деду назвали. Передала мне вот эту записку и сразу ушла.

Он протянул мне сложенный вчетверо листок бумаги:

«Саша!
Мне срочно — срочно!!! — нужны деньги. Те пять-сот, что я тебе давал после Нового года.
Отвези их на дачу моей матери. Это в Рощине. Мы с тобой там были.
Срочно!!!
Не сомневайся — это я.
Юра.
21 марта 2000 года»

— Двадцать первого марта... Три дня назад... — пробормотал я. — Он что, жив, да?

— Я не знаю! — вдруг почти выкрикнул Павлов, вскочил, опрокинув стул. Заметался на маленьком пятачке между мной и стеной. — Не знаю!

— Спокойно, мальчик. Спокойно, — я старался говорить ровно и тихо, но голос срывался. — Но это почерк его?

— Что? — Павлов замер передо мной.

— Я спрашиваю: это его почерк?

— Точно — почерк Юры. Я много раз видел.

Я лихорадочно соображал.

Нет!

Полный бред!

Кто же тогда погиб? И кто живет в квартире Пирогова? Костя? Или...

Не может быть! Нет!..

— Когда ты собирался ехать в Рощино?

— Сегодня, — Саша посмотрел на часы. — Через сорок минут хорошая электричка.

— Поедем на машине. Идем.

Саша торопливо оделся, мы выскочили в зал. У стойки бара я сразу увидел Семенова. Его трудно было не заметить.

— Петя, нужно ехать в Рощино. Саша покажет дорогу.

— Нет проблем, — флегматично произнес Семенов, залпом допил минералку. — Есть новости?

— Новость. И хорошая, и плохая. По дороге расскажу.

* * *

Когда через час мы добрались до Рощина, сумерки уже сгустились до темноты.

Саша, путаясь в приметах, с третьего захода привел нас к дому в десяти минутах пешкарусом от станции. Старый финский дом. В одном из окон — кухня? — горел неяркий свет.

— Идем, — сказал я. Меня слегка потряхивало. Так уже было однажды. На охоте. Азарт. Погоня.

Но я боялся того, что узнаю.

Саша откинул проволоку, которая придерживала калитку, первым поднялся на крыльцо. Постучал в дверь. Мы с Семеновым старались держаться в тени. Где-то далеко лаяла собака.

— Иду, — отозвался женский голос в доме. Скрипнули старые половицы, и дверь распахнулась. На пороге стояла женщина лет пятидесяти. Еще очень красивая. Ее портила только жесткая линия плотно сжатых губ.

— Здравствуйте, Ирина Юрьевна, — сказал Саша. Он был похож на человека, который сильно замерз.

— Юра утром уехал в город, — сказала женщина. — Ты привез... Кто это? — истерично вскрикнула женщина: она увидела Семенова, который вышел из тени.

— Когда он уехал?

Женщина нервно забилась и замотала головой.

— Когда? — снова спросил Семенов. — Мы не причиним ему вреда. Нам нужно только поговорить.

— Утром, — с трудом выговорила женщина. — Около десяти. Он собирался вернуться завтра.

— Спасибо. — Семенов повернулся к Саше: — Останешься здесь.

Мы бегом бросились к машине. Взрывая колесами остатки снега, джип вылетел на шоссе. Семенов вдавил педаль газа. Стрелка на спидометре быстро поползла вправо, к каким-то запредельным цифрам.

Так быстро я никогда в своей жизни не ездил. И, похоже, ездить уже не буду.

На въезде в город Петя спросил:

— Куда?

— Улица Есенина, — ответил я.

* * *

Мы увидели пожар, как только свернули во двор.

Языки пламени вырывались из окон пятого этажа. Я еще надеялся, посчитал окна, прикинул. Горела квартира Кости Пирогова. Бывшая квартира.

Перед подъездом стояли пять пожарных машин, в нутро дома уходили пожарные рукава. Дюжие омоновцы держали на расстоянии толпу зевак. Чуть в стороне, у автобуса, собрались жильцы из подъезда, которых пожарные вывели из дома. Среди них я заметил тетю Нину. Она не отрываясь смотрела на языки пламени.

Я не стал к ней подходить.

Мы с Семеновым не задержались в этом дворе. Петя развернул машину и медленно — очень медленно, по сравнению с тем, как мы гнали по шоссе, — выехал на улицу Есенина.

— Все кончено, — пробормотал я. — Все кончено.

7

— Пожар начался в спальне, на постели. Потом заполыхала комната. А дальше — вся квартира. Примерно в это время какой-то мужчина позвонил по «01» и сообщил о пожаре. Еще минут пять, и надо было бы спасать весь дом. Все почти так же, как было пятого февраля, — Витя Восьмеренко не отрывался от своих записей. Он никогда не любил бывать в кабинете начальства, старался придерживаться проверенного солдатского правила: подальше от командира, поближе к кухне.

Кроме Вити в кабинете Обнорского были мы со Спозаранником. Пока Восьмеренко говорил, я не отрывал взгляда от окна, за которым синело уже по-настоящему весеннее и ласковое небо.

— Это все, Витя? — спросил Обнорский.

— Да.

— А причина смерти? — оживился Спозаранник.

— Пока — отравление угарным газом.

— Спасибо, Витя. — Обнорский встал и открыл Восьмеренко дверь. — Иди работай.

— Зураб Иосифович, должен вам напомнить... — начал Глеб Егорович.

— Не надо, Глеб, — остановил его Обнорский. — Оставь нас вдвоем.

Спозаранник кинул на шефа удивленный взгляд, но промолчал. Что-то было в выражении лица Обнорского, что не давало права возразить здесь и сейчас.

Андрей сел в кресло у стола:

— Поговорим, Зураб?

— Поговорим, — хрипло выдавил я, хотя никакого желания разговоры говорить у меня не было. Прошла уже почти неделя после пожара на Есенина.

Все это время мне хотелось молчать и думать. Думать о том, что я мог бы сделать, если... Ведь я был командиром. Для Кости Пирогова, для Вити Сомова...

— Что ты об этом думаешь?

— Не знаю...

— Так не пойдет. — Обнорский закурил. — Это твое дело чести. И надо его закрыть. Здесь и сейчас.

Я тоже закурил и — заговорил. Рассказал Андрею, как искал — живого или мертвого — Сметанина. И как его нашел. Чем дальше, тем легче шли слова. Меня словно прорвало.

— ...Похоже, что Сметанин по-настоящему испугался не после убийства Ратнера. Ему стало страшно, когда он узнал о смерти своего напарника — Игоря Понкратова. Я разговаривал с экспертами. Они сказали, что Понкратову вкачали сверхдозу. Сам он сидел на небольших порциях и пока не собирался повышать.

— Сметанин решил спрятаться?

— Решение, в теории, правильное. Но он оставил очень много следов. В «Сенате» проверили: записки с просьбой вернуть долги или дать в долг кроме Саши Павлова получили еще три-четыре человека. Но дело не в этом...

— В чем?

— Он заманил к себе Костю Пирогова. Сели-выпили. По душам поговорили. Наверное, в какой-то момент Костя повернулся к Сметанину спиной, и тот его оглушил. Может, бутылкой, может — утюгом... Мало ли чем.

— А мать? Она же потом тело сына опознала?

— Думается мне, что в тот момент, когда Сметанин переодевал Пирогова под себя, Ирина Юрьевна заявилась к нему — проведать. Нормальное для матери желание. Тем более была суббота. Как Юра ее убедил — может, запугал, — но она согласилась ему помочь.

— Материнский инстинкт.

— Наверное. Юра запалил квартиру, а сам — наверное, через крышу — перебрался в квартиру Пирогова. Ему нужно было продержаться месяц-полтора, чтобы собрать деньги. А потом — делать ноги.

— Его нашли раньше...

— Хочется думать, что кто-то следил за мной. Что я их навел...

— Это жестоко, Зураб. Слишком жестоко.

— Не знаю, Андрей Викторович, было бы лучше, если б до Сметанина первым добрался я. У меня с ним были свои счеты. Поэтому я его искал...

— Дело чести, — тихо проговорил Обнорский. Он пристально посмотрел мне в глаза. Я выдержал его взгляд. — Но мы ничего не знаем достоверно?

— Выходит, что так. Мы можем только предполагать. — Память услужливо подсказала сентенцию из популярного сериала: — The truth is out there...

Мой английский всегда был далек от совершенства.

* * *

В этот вечер на Северном кладбище почти никого не было. Витя Шаховской остался ждать меня в машине у ворот.

Я с трудом — несмотря на подробное объяснение Кира — нашел могилу Кости Пирогова, которая до сих пор была отмечена фамилией «Сметанин».

На памятник — временный и убогий — я старался не смотреть. Я смотрел в землю.

— Прости, Костя, — я говорил медленно. Слова с трудом выходили из меня. Так уже бывало. В Афгане, когда мы хоронили погибших. Или отправляли их домой в цинковых гробах. Последние слова, боль и горечь от того, что не сказал, не сделал что-то раньше. — Прости, что не помог тебе. Ты не волнуйся: мы все исправим. Ты будешь спать под своим именем и со своими. — Из внутреннего кармана куртки я достал флягу. Откинул крышку и сделал большой, крепкий глоток.

Водка обжигала, давила из глаз горячие слезы, но — приносила странное облегчение.

— Прости, Костя. Спи с миром...

ДЕЛО О ВРАЖЕСКОМ ШТАБЕ

Рассказывает Марина Агеева

45 лет, возглавляет архивно-аналитический отдел АЖР. Замужем, двое детей. Квалифицированный и ответственный сотрудник, однако из-за капризного характера часто вступает в конфликты с руководством. Склонна к полемике, нуждается в постоянном строгом контроле со стороны начальства.

Из служебной характеристики

— Ну, ты, Агеев, и свинтус, — говорила я мужу, блаженно потягиваясь после бурно проведенной ночи. — Я же тебе жизнь спасла, драгоценным здоровьем своим рисковала, а благодарности — ни на грош. Мог бы подсуетиться, по антикварным лавкам побегать, что тебе стоит порадовать жену лишним брюликом?

Приподнявшись на локте, Роман посмотрел на меня. Его взгляд выражал удивление.

— Марина, насколько я знаю, денег, предназначенных для господина Авдотина, в дипломате не оказалось. Исчезнуть бесследно они могли, или я ошибаюсь? Ты не догадываешься, куда это они подевались?

— *Деньги? Какие деньги?* — искренне изумилась я.

* * *

Признаться, я никогда не могла понять, почему Андрей Обнорский так настаивает на летучках два раза в неделю — в понедельник и в пятницу.

В пятницу — еще куда ни шло: можно подвести итоги недели, прикинуть планы на следующую. Но в понедельник... Лично мне редко удавалось добавить что-то к пятничному отчету. Впрочем, как и шефу отдела расследований Глебу Спозараннику. Только Володя Соболин, начальник наших репортеров, бойко рассказывал, что на ленте новостей прибавилось десятка полтора новых заметок. Если, конечно, Володя появлялся на летучке. Случалось, что он манкировал этим мероприятием.

— Все? — Андрей почему-то посмотрел именно на меня. Под его взглядом я почувствовала себя как-то неуютно. Так уже было однажды, когда после истории с моим чеченским любовником Обнорский вызвал меня к себе в кабинет для серьезного разговора.

Неужели, он уже знает? Но ведь Родька Каширин обещал, что никому не скажет! А если все-таки проговорился? Нет. Не может быть.

«Совсем ты плоха стала, мать, — подумала я. — Паранойя, мания преследования. Пора отдыхать...»

— Теперь — работать. — Обнорский потянулся за сигаретой. А мы заторопились к выходу. Первым убежал Володя Соболин: всю летучку он часто смотрел на настенные часы и нервно сгибал-разгибал какую-то бумажку.

Я уже была в дверях, когда Обнорский меня остановил:

— А вас, Марина Борисовна, я попрошу остаться.

Неужели все-таки Родион проговорился? Ведь я же его просила!

* * *

Утром в понедельник, по дороге на работу, я не смогла вспомнить, с чего началась наша ссора с мужем. Вроде бы Роман Игоревич сказал, что решил поддержать одного кандидата в Государственную думу, правда, тогда я не придала его словам особого значения. Я стала возражать ему скорее из чувства противоречия и врожденной стервозности. Мама говорила, что это у меня от бабушки со стороны отца — та славилась своим крутым норовом.

Я говорила, что политика — грязное дело. Что депутаты и кандидаты — последние сволочи. Что... В общем, много чего наговорила.

Роман продержался около часа, потом быстро оделся и выскочил из квартиры, хлопнув дверью. Минут через десять я услышала, как, взвизгнув шинами на слякотном апрельском асфальте, сорвалась с места его машина.

Я была почти уверена, что разозленный Роман Игоревич отправился на дачу в Репино. Он всегда убегал туда после наших с ним разборок. Оставшись одна, я бесцельно бродила по квартире. Сама не заметила, как оказалась в его помпезно обставленном кабинете. Села в огромное кресло, рассеянно выдвинула один из ящиков.

Не знаю, что я, собственно, хотела найти. Но уж точно не пистолет.

«Ствол» лежал в ящике поверх порнографических комиксов. На рукояти я увидела клеймо — вздыбленный конь. Вроде бы так до сих пор метят пистолеты от Кольта.

Моя ярость прошла. Я испугалась: мне представилось, как мой маленький ангел — Сережа — забредает в отцовский кабинет. Из любопытства — из чего же еще? — заглядывает в ящики стола. Ему же никогда этого не запрещали. Находит пистолет.

Я готова была отдать на отсечение голову и обе руки в придачу, что Сережа не утерпит — возьмет пистолет в руки. Он же мальчишка. А какой мальчишка не захочет подержать в руках настоящее оружие? Дальше... Что дальше? Конечно, Сережа неосторожно нажмет курок. И...

— Нет, — громко выдохнула я.

Нужно пистолет убрать куда-нибудь. Повыше. Подальше.

Я осторожно — словно боялась, что от одного моего прикосновения «ствол» бабахнет — коснулась пальцами рукояти, обхватила ее ладонью. Металл приятно холодил руку. Я не удержалась — прицелилась в парадный портрет мужа, который висел напротив стола.

Хватит, одернула я себя.

Безопасное — то есть недоступное для Сережи — место я искала довольно долго. А потом... позвонила Родиону Каширину. Любопытство было сильнее меня: страшно хотелось узнать, что за «игрушку» приобрел мой муж.

Родион согласился на следующий день заехать ко мне, посмотреть на «ствол».

Когда я вынесла ему пистолет, восторгам Каширина не было предела.

— Ух ты! — по-детски выдохнул Родька. — Я такие только на картинках видел!

Он осторожно взял пистолет в руки, долго рассматривал надписи на корпусе, клеймо на рукояти. Наконец выщелкнул обойму. Она была полная...

— Что это? — не утерпела я.

Каширин положил пистолет на журнальный столик и закурил сигарету.

— Это кольт «Коммандер». 45-й калибр. По-нашему — 11,43 миллиметра. Его сделали после Второй мировой, на базе M1911A1.

— А это что такое — M1119...

— M1911, — поправил меня Родион. — В 11-м году в армии США приняли на вооружение автоматический пистолет Кольта. Едва ли не первый штатный «ствол» в мире. Хотя, может быть, я и ошибаюсь. В 21-м этот «ствол», кажется, немного переделали.

Каширин еще с час рассматривал «игрушку» и убежал по своим делам. Я попросила его не говорить в агентстве про кольт. Сказала, что сама разберусь.

Муж вернулся из Репина поздно вечером в воскресенье. И меня, что говорится, понесло. Давно в моем семействе не велись такие крупномасштабные боевые действия с применением настоящего боевого оружия. Едва мы с Романом остались одни, я нацелила на него «ствол».

— Что это такое, спрашиваю я тебя?

Роман немного оторопел от моего стремительного натиска, но потом подтвердил профессионализм и компетентность Родиона Каширина, признавшись, что это действительно боевой пистолет системы Кольт.

— В дом, где маленький ребенок, ты приволок эту гадость, которая еще и заряжена!

— Маленькому ребенку это ничем не грозит, потому что, в отличие от взрослой тети, он не имеет привычки рыться в чужих вещах, — пошел в контратаку Роман, окончательно избавившись от растерянности. — У меня есть разрешение на ношение оружия. Государство мне доверят. Понятно тебе?

— Государство — это я! — поражаясь собственной находчивости, провозгласила я. По крайней мере, на территории нашего дома. Я запрещаю тебе хранить в доме оружие.

— Но почему?

— Хотя бы потому, что меня постоянно будет преследовать соблазн избавиться от мужа, который меня достал.

Естественно, Роман не удержался от банальностей, и его ответная реплика слилась с хором негодующих мужей всех времен и народов.

— Да кто другой терпел бы тебя так долго?! — заорал Роман и по знакомому до боли сценарию развил мысль. — Кому ты еще нужна? Что у тебя в жизни было, кроме случайных связей с черножопыми? На большее ни один не рискнул претендовать!

Уже глубокой ночью мы раздвинули как можно дальше друг от друга свои кровати. С обоюдного согласия в семье было объявлено военное положение. Пистолет Роман засунул в ящик прикроватной тумбочки. Я легла спать совершенно безоружной.

* * *

Я вернулась в кабинет шефа и села в кресло. Судя по всему, разговор предстоял долгий. Обнорский закурил еще одну сигарету, достал из ящика какую-то папку. Молчание затягивалось. Я посмотрела в окно, где ярко светило еще холодное солнце начала апреля. С крыши капало, но до настоящего тепла было далеко.

Андрей прокашлялся и заговорил:

— Марина Борисовна, вы прекрасно знаете, что в последнее время дела у агентства идут не самым лучшим образом.

«Не лучшим образом» — это было близко к истине.

— Мы должны искать дополнительные источники доходов.

— Выборы? — спросила я.

— Именно. Коля Повзло сказал, что в штабе Лепесткова Сергея Афанасьевича нужен аналитик. Сильный аналитик. Как бы там ни было, Лепестков готов заплатить агентству неплохие деньги. Мы же не можем такой шанс упустить? Марина Борисовна, только не говорите, что «политика — грязное дело».

— Политика — грязное дело, — с упорством избалованного ребенка сказала я. — И почему всегда я? Есть, например, Валя Горностаева или Аня Соболина? У Спозаранника — целый отдел. Почему я?

— Это дело я могу поручить только вам.

— Ну почему?

— Минуту... — Обнорский снял телефонную трубку, набрал местный номер: — Коля? Зайди ко мне. — И снова обратился ко мне:

— Извините, у Коли срочная информация, я просил его кое-что выяснить. Вы пока подумайте.

В кабинет вошел Повзло, как всегда — в мятых джинсах, из-под воротника рубашки торчит футболка. На щеках — недельная щетина. И все равно Коля нашим барышням нравится. Например, Ане Соболиной. После той истории, с прокуроршей в постели, когда Повзло Аню выручил, она уже не скрывала своих чувств. Или делала это очень плохо.

— Удалось что-нибудь выяснить? — спросил Обнорский.

Повзло, казалось, был удивлен:

— О чем?

— Помнишь, мы говорили по Авдотину?

— Это тот, который в одном округе с Лепестковым?

— Он самый. Кто его финансирует?

— «Монолитстройсервис». Агеев Роман Игоревич лично. — Коля словно не замечал моего присутствия. — Говорят, уже не один десяток тысяч «зеленых» к Авдотину ушло.

— Сколько? — не удержалась я. — Значит...

Я осеклась: значит, Роман Игоревич решил прибыль от последнего двухлетнего контракта с одной турецкой строительной фирмой вложить в этого фигляра?

Мне ли было не знать фамилию Авдотина? Надо было переработать тонну газетных публикаций и аналитических справок о Феликсе Авдотине, как это пришлось сделать мне, чтобы оценить мерзкую сущность этой человеческой личности. Марычеву, Жириновскому, Брынцалову и прочим доморощенным клоунам грозило списание за профнепригодность, если бы на большую политическую арену выпустили Авдотина.

Феликс Авдотин, по прозвищу «Король Оранжевое лето», вышел «в люди» из трущоб андеграунда. В какой-то постперестроечный момент он понял, что из диссидентских разглагольствований можно извлечь весьма существенную выгоду, исчисляемую в рублях, а при условии особого усердия — и в долларах. А как только понял, незамедлительно распрощался с лохмотьями и нечесаным «хайром», возлюбил малиновый пиджак и яркий оранжевый галстук.

Любимыми словечками Авдотина, которыми он награждал все явления окружающей действительности, были «отстой» и «кал». Он был мастером провокаций — прямой кишкой политических актов Северной столицы. И такого кандидата поддерживает мой муж! Зная характер Романа, я ничуть не сомневалась, что в случае успеха эти грязные политические игры затянут его по самое некуда. Как бы ни складывались наши отношения с мужем в последние годы, я была за многое благодарна ему и даже по-своему его любила. И уж что греха таить, мне было жалко денег. Наших денег и всего, что с ними связано. Потому что я нисколько не сомневаюсь в том, что к числу эрогенных зон в первую очередь следует отнести бумажник. Значит, выбора у меня не оставалось, придется принимать предложение Обнорского.

— Это все? — спросил Андрей, устало посмотрев на Николая.

— Пока — да.— Повзло демонстративно посмотрел на часы.— Андрей, я пойду? Дела...

— Да-да. Конечно.

Повзло ушел, а Андрей с нескрываемым интересом углубился в материалы папки, закурил еще одну сигарету.

— Андрей,— позвала я.— Андрей Викторович...

— Да?

— Это предложение, от Лепесткова... Оно еще в силе?

— Конечно. Вы согласны?

— Да. Согласна.

— Хорошо,— Обнорский захлопнул папку.— Завтра Коля отвезет вас на встречу с кандидатом.

* * *

Горностаева долго хохотала, когда я рассказала ей, что произошло в кабинете Обнорского.

— Чего тут смешного? — не поняла я.

— Обнорский тебя поймал, Мариша. Поймал...

— Что значит — «поймал»? — я чуть-чуть обиделась.

— Они с Повзло специально тему про Агеева и Авдотина в твоем присутствии обсуждали. Обнорский знал, что ты заглотишь эту наживку. И ты послушно заглотила.

— А если это мой шанс? Может, мне удастся поставить Агеева на место?

Валя была единственным человеком в агентстве, кроме Каширина, разумеется, которому я рассказала о пистолете.

Горностаева вдруг посерьезнела:

— Смотри не заиграйся. Помнишь, чем дело с Алавердыевым закончилось?

— Разумеется. Полным хеппи-эндом.

— А могло быть по-другому.

— Но ведь что было — то прошло. Правда?

— Как знать. — Валя включила компьютер, в базе которого хранились наши досье. — Давай лучше еще раз посмотрим, что у нас на Авдотина и Лепесткова есть.

* * *

Сергей Афанасьевич Лепестков назначил встречу на полдень. За пять минут до срока мы с Колей Повзло были уже на месте.

Предвыборный штаб генерального директора топливной компании «Клаксон» Сергея Афанасьевича Лепесткова располагался на одной из центральных магистралей города — Московском проспекте. Простор, евростандарт, полная компьютеризация и иллюминация. Сергей Афанасьевич мог себе это позволить. Как ни странно, знакомых лиц среди сотрудников штаба я не увидела. По кабинетам сновали какие-то плохо вымытые бесполые существа в лохмотьях «унисекс». Узнав, кто я и откуда, они сразу дали понять, что я имею счастье сотрудничать с командой самых крутых в нашем городе, а может быть, и в России PR-щиков. Я поверила на слово, почтительно склонила голову перед профи и занялась своей работой, которая состояла в составлении ежедневных мониторингов прессы и отслеживании предвыборных реляций конкурентов в городских СМИ.

Молодые люди на фоне евростандарта первое время работы в штабе резали глаз, но потом с ними стали происходить чудесные превращения. Превращения, как я потом заметила, происходили по мере поступления выплат от кандидата. Сколько им платил Лепестков, я не знала, поскольку сама работала безвозмездно, то есть даром. Деньги за использование знаний и опыта сотрудника Обнорского должны были поступить на счет агентства. Судя по тому, как кардинально сменили свой прикид молодые профи, платили им неплохо. В кабинетах стало намного легче дышать, потому что сигареты «Прима» мальчики и девочки сменили на «Парламент». Впрочем, после того как мне на глаза попалась листовка с биографией кандидата, которую, пыхтя и отдуваясь, составляли сразу несколько юных гениев, я утратила к ним всякое почтение и интерес.

Зато довольно любопытно было наблюдать за посещавшими наш штаб сторонниками кандидата Лепесткова. Мне даже пришлось пожать единственную, уцелевшую в гангстерской войне руку лидера одной из крупных преступных группировок. Милейший человек в общении — галантно пригласил меня поужинать с ним вместе. Соблазн был велик, но я вовремя вспомнила своего басурмана и праведный гнев Горностаевой и отказалась, сославшись на преданность делу Лепесткова.

Чуть было не попросила автограф для сына у популярного исполнителя, который согласился петь во славу Лепесткова после встреч с избирателями. Не знаю даже, что меня удержало.

Тугой кошелек и фолликулярную ангину в апреле посулил мне, проходя мимо, черноволосый мужчина в чалме. Сергей Афанасьевич, провожавший гостя до дверей офиса, вернулся и почему-то шепотом объяснил, что это был сам Ахмат — великий маг и чародей. Ахмат снимал с кандидата порчу и программировал его на победу в борьбе.

* * *

Мой муж — Роман Игоревич Агеев, — уличенный в пособничестве Феликсу Авдотину, отступиться от выполнения спонсорских обязательств перед «Королем Оранжевое лето» не пожелал, и отношения наши перешли в стадию затянувшейся холодной войны. Насколько я могла разобрать смысл нечленораздельных выкриков мужа, Авдотин в случае своей победы наобещал ему кисельных рек с молочными берегами — в виде каких-то беспроцентных кредитов и льгот. Похоже, Роман твердо уверовал в принцип, что «все в нашей власти, если во власти все наши».

За неделю до выборов в нашем округе разгорелись нешуточные страсти. Кандидаты все как один вдруг перестали расхваливать себя и начали поливать друг друга грязью. Страшась проиграть, они утрачивали чувство меры и приличий. Лепесткова во время теледебатов в прямом эфире питерского телеканала Феликс Авдотин назвал «свадебным генералом тамбовской мафии». Сергей Афанасьевич посоветовал Авдотину с его пиджаком и галстуком ассистировать Куклачеву и его кошкам, а не соваться в парламент. Лепестков пригрозил обидчику судом, Авдотин обозвал коллегу «калом» и «отстоем». Дело едва не дошло до драки.

Дебаты мы с Романом смотрели, рассевшись по разные стороны дивана.

— Придурок и хам! — прокомментировала я выступление Авдотина. — День выборов он встретит за решеткой, правда, ему будет о чем вспомнить в неволе: как ловко он порезвился на твои денежки.

— Уж кто заслужил небо в клеточку, так это Лепестков. И очень скоро — буквально завтра — об этом будут знать все избиратели. Вот, — Роман поднялся и вынес из кабинета видеокассету, — полюбуйся. Я разрешаю.

Видеомагнитофон со вздохом втянул в себя кассету и продемонстрировал мне смертный приговор кандидату в депутаты Госдумы — Лепесткову Сергею Афанасьевичу.

В далекие застойные годы Лепестков занимал должность директора детского дома. Этот факт был воспет в биографии моего кандидата — гуманиста и правдолюбца. Но вот люди, один за другим появлявшиеся на экране телевизора, утверждали как раз обратное. Они уверяли, что Сергей Афанасьевич Лепестков — изверг и садист — избивал ни в чем не повинных детей, запирал их в холодном подвале, морил голодом и присваивал себе деньги, предназначенные для сирот. Возбуждалось даже уголовное дело, и

Сергею Афанасьевичу грозил немалый срок тюремного заключения. Но потом дело было закрыто в силу необъяснимых причин. Все эти факты подтверждали бывший следователь прокуратуры, пара-тройка сотрудниц детского дома и несколько пострадавших от жестокости Лепесткова бывших его воспитанников. Создатели этого видеотриллера не поленились съездить в город Новая Ладога Ленинградской области, где стоит дом, в котором раньше ютились сироты, а теперь разместилась районная поликлиника. Они осветили для телезрителей зловещие подвалы, сопроводив эти кадры детскими стонами. Получилось очень убедительно. В моей душе обозначилась тень мрачного подозрения.

Всю ночь я не сомкнула глаз. Конечно же, не от сочувствия к растоптанной карьере Лепесткова. Я обдумывала, как мне убедить мужа не ввязываться в эти сомнительные дела, которые теперь почему-то называются большой политикой. Мое воображение рисовало страшные картины, мне казалось, что Роману грозит смертельная опасность, не зря же он приволок в дом этот черный пистолет. Я даже хотела признаться Роману, что работаю на Лепесткова, предложить ему сделку и выйти из игры вместе. Но к сожалению, я была не вольна в своих поступках. Для начала надо было посоветоваться с Обнорским и Повзло.

* * *

Утром следующего дня, не выспавшаяся и раздраженная, я приехала в агентство. Заглянув в кабинет к шефу, Обнорского я на месте не обнаружила. Вместо него посередине кабинета стояла гладильная доска, и Ксюша, секретарша Обнорского, с привычным для нее выражением вселенской скорби на лице самозабвенно отпаривала гульфик на парадных брюках шефа. Я обалдело попятилась к выходу, столкнувшись в дверях со Светочкой Завгородней.

— Ужас! — сказала я, обращаясь к ней.

— Ой, бросьте, Марина Борисовна, — ангельском голосом пропела Завгородняя. — Никакой это не ужас. По собственному опыту могу вам сказать, что многие женщины получают от такой работы ни с чем не сравнимое удовольствие, некоторые даже испытывают оргазм.

Спорить с Завгородней не решалась даже я. Светлана по праву считалась у нас в агентстве непревзойденным экспертом по вопросам секса и сексопатологии.

Чтобы как-то скоротать время, я направилась к себе в кабинет. Мои девицы в компании с Горностаевой уже пили свой утренний кофе. Валентина, обрадованная моим появлением, взахлеб начала мне рассказывать о нечеловеческих сексуальных способностях Скрипки. Все это я уже слышала не единожды. Мне кажется, я даже знала о расположении родинок на самых интимных местах нашего главного завхоза. Горностаева так утомляла меня своими рассказами, что однажды Скрипка явился мне в эротическом сне. И надо сказать, что это ночное видение меня не разочаровало. С тех пор я почему-то испытываю непонятное чувство вины перед Горностаевой, а на Скрипку смотрю с некоторым смущением.

Идиллия была нарушена внезапным вторжением Нонны Железняк. Походкой революционного матроса Нонна ввалилась в кабинет и стала требовать какую-то дурацкую информацию о сатанистах, преступную деятельность которых девятый месяц разоблачал ее Модестов.

— Ни тебе здравствуй, ни мне спасибо, — пробурчала Горностаева.

Мне пришлось вежливо отказать Нонне, сославшись на то, что, если Модестову нужна информация, он должен составить заявку по всем правилам штабной культуры, подписать ее у Спозаранника, после чего я еще подумаю, принимать ее к исполнению на этой неделе или отложить на следующую. Что ни говори, а человеческий фактор играет огромную роль. Приди ко мне с той же просьбой Шаховской или Каширин — проблем бы не было. Но беспардонную Железняк всегда приходилось ставить на место.

Поболтавшись по агентству еще с час, я потеряла всякую надежду переговорить с Обнорским. Как оказалось, его и Колю Повзло срочно вызвали на какое-то совещание в ГУВД. Нужно было принимать решение самостоятельно. В конце концов, раз мы решили работать на Лепесткова — надо работать честно. И я отправилась в его штаб.

* * *

После моего сбивчивого повествования благообразную физиономию Сергея Афанасьевича в буквальном смысле перекосило. Презрения и язвительности, которыми я собиралась сдобрить свой монолог, как ни бывало. Содержание видеокассеты я пересказывала, краснея и бледнея, словно гимназистка на переэкзаменовке. Как будто это я была виновата в появлении убийственного компромата на финише предвыборной кампании. Глядя в налитое кровью лицо кандидата, я вдруг явственно представила, как почтеннейший Сергей Афанасьевич учиняет расправу над бедными сиротами. Перспектива дальнейшей борьбы за его победу казалась мне крайне нежелательной. Словно угадав мои мысли, Лепестков вскочил со своего места, обнял меня за плечи, окутав стойкими парами туалетной воды «FERRE». Когда-то я дарила такую же Роману, а потом сама же запретила ею пользоваться в силу ее исключительно навязчивой вонючести. Лепестков накатывал на меня волны итальянского парфюма и путанных оправданий.

— И вы могли поверить этим гнусным обвинениям? Да у меня у самого двое детей, собака и попугай. Я люблю их и пальцем ни разу не тронул. Марина Борисовна, вы оскорбляйте меня своим недоверием! Что же делать? Что-то надо придумать. Но что? Эфир завтра вечером, вы говорите?

— Вряд ли, Сергей Афанасьевич, вы к этому времени успеете что-нибудь предпринять. Завтра утром мой муж должен передать кассету телевизионщикам, и еще, — я выдержала паузу, — я подозреваю, что штаб вашего соперника очень скоро получит солидные финансовые вливания.

— Не печальтесь, Мариночка, — Лепестков заговорщицки подмигнул мне. — Безвыходных положений не бывает.

Он взял со стола радиотелефон и набрал номер.

— Мишаня, — сказал он, — у меня тут возникли кое-какие проблемы. Как раз по твоей части. За тобой должок, не забывай. Подробности при личной встрече. Ну, все. Давай, на том же месте в тот же час.

Тон и манера разговора показались мне странными. Интуиция подсказывала мне, что здесь что-то не так.

— Сергей Афанасьевич, откройте мне сейф, пожалуйста, — в кабинет заглянула кукольная мордашка секретарши Лепесткова. Ключи от сейфа Сергей Афанасьевич не доверял никому и всегда держал их при себе.

— Извините, Мариночка, я на минутку.

Лепестков вышел, плотно прикрыв за собой дверь. Я закурила и на цыпочках подошла к столу. Если Лепестков зайдет, я сделаю вид, что стряхиваю пепел в его шикарную малахитовую пепельницу. На самом деле мне не терпелось узнать, что это за Сивка-Бурка такая решает сложные проблемы кандидата Лепесткова. Нажав кнопку радиотелефона, я взглянула на дисплей и как молитву стала повторять семь заветных цифр: 966-17-44.

Простившись с Лепестковым, я очертя голову понеслась в агентство.

— Родик, это архисрочно, — пользуясь терминологией пролетарского вождя, сказала я Каширину. — Пробей мне этот номерок.

Родион засопел и стал набирать какие-то мудреные коды в своих базах. Через пять минут я уже знала, что таинственный телефон принадлежит Михаилу Грицаю, личному телохранителю известного в городе криминального авторитета Леши Сладенького. Смутная тревога вошла в мое сердце. Анализу свои чувства, а тем более факты я подвергала. Против правды не попрешь: аналитик из меня — как из дерьма пуля.

* * *

Шансы Феликса Авдотина на победу в предвыборной гонке таяли с каждым днем. Сказать, что Роман был зол — значит ничего не сказать. Он рвал и метал, от чего в нашем доме воцарился страшный бардак. Но мне его реакция даже нравилась. В кои-то веки муж почувствовал, что я была права. Он настолько привык считать меня бесплатным приложением к своей жизни, что заслуживал отрезвляющей пощечины.

Это я хорошо ему залепила! Лилово-огненно и звонко. Во время вулканического извержения у Романа Игоревича произошел даже выброс тестостерона, что в домашних условиях происходит крайне редко. От участи быть изнасилованной разъяренным самцом меня избавило присутствие детей. На улице такая хорошая погода, а они торчат дома, зубрят что-то — наукоемкие засранцы!

На четверг у меня был запланирован поход в библиотеку. Сергей Афанасьевич обратился ко мне с довольно нелепой в условиях предвыборной борьбы просьбой — собрать информацию о группе «Spice girls», по которой с ума сходила его младшая дочь. Возможно, Лепестков хотел таким образом заставить поверить меня и себя в его трепетное и участливое отношение к подрастающему поколению.

Не предвидя никаких проблем с поиском материала об английских супердевчонках, я позволила себе подольше понежиться в постели. В половине двенадцатого, когда я уже было собралась выползти на свет Божий, дома неожиданно появился Роман. Угрюмое выражение, которое не покидало его лицо в последние дни, сменилось на радостно-возбужденное.

— А-а, ты дома?! — прокричал он с порога бодро и примирительно. — Что, дорогая, неужели иссяк твой трудовой энтузиазм?

— У меня библиотечный день, — тоже довольно приветливо ответила я. На этот раз детей дома не было, и я подумала, что может быть...

— Я буквально на пятнадцать минут, отпустил водителя пообедать, в час он за мной приедет, — разочаровал меня Роман. — Мне тут кое-что забрать надо из дома. Поставь пока кофейку. Если нетрудно, конечно.

С кофе вышла небольшая заминка. Роман, пройдя в кабинет, запер за собой дверь, так что я, как ни старалась, не могла не только невзначай заглянуть к нему, но и на слух определить, чем он там занят. Я уже стала сомневаться в целесообразности испанских дверных систем, установкой которых мы месяц назад завершили евроремонт в квартире.

Я едва успела отпрыгнуть в сторону и притвориться озабоченно бегущей на кухню, когда в коридор вышел Роман.

— Все, дорогая, победа! — радостно сообщил мне муж. — Содержимое этого чемоданчика, — он похлопал ладонью по черной натянутой коже, — уничтожит Лепесткова, разнесет его в пух и прах!

— И что же там? — спросила я, сверля глазами непроницаемый кейс. — Взрывное устройство?

— Ну, зачем так грубо, так пошло. Не женское это дело, Марина, работать с криминалом. Не припомню, когда последний раз видел тебя с томиком Цветаевой. Хотя ты теперь сама у нас сочиняешь — поэмы о криминальных авторитетах. Ха-ха!

Агеев продолжал ерничать, развалившись на кухонном стуле в ожидании кофе. Внезапно он замолчал и помассировал, начинающий вырисовываться над брючным ремнем животик.

— Черт, — сказал он, нахмурившись, — дай мне что-нибудь от желудка. Меня уже второй раз сегодня прихватывает.

— Похоже, одним словесным поносом ты сегодня не обойдешься, — как можно доброжелательней сказала я.

Роман смерил меня презрительным взглядом и сорвался в сторону туалета. А чемоданчик остался стоять, прислоненный к ножке стула. Возможно, если бы Роман повел себя несколько иначе и потратил оставшиеся ему до выхода пятнадцать минут не на то, на что он их потратил, я не сделала бы то, что сделала.

Я заперла Романа в туалете. Закрыла снаружи на ключ. Испанские дверные системы обладали такой уникальной возможностью. Помню, когда я пришла заказывать массивные дубовые двери, менеджеры продемонстрировали эту их способность как несомненное преимущество для излишне эмоциональных супружеских пар.

Раньше у меня не было повода удостовериться в качестве установленных нами дверных систем. Но теперь я убедилась, что приобретение это очень неплохое. Слова «дура», «идиотка» и «чертова кукла», доносившиеся из туалета, не долетали дальше коридора. Я включила на кухне легкую музычку, заглушив все нервирующие звуки, и взялась за осмотр кейса.

Конечно, так просто он не открывался, нужно было знать код. Но, как известно, против лома нет приема. Вооружившись самым большим кухонным ножом, стамеской и молотком, я довольно быстро порезала палец и изуродовала дорогую красивую вещь. Но варварам сдается все, сдался и швейцарский механизм. Окровавленной рукой завоевателя я откинула крышку, и восхитительное, непередаваемое чувство восторга овладело всем моим существом. Ровно уложенные одна к другой, на дне чемоданчика лежали пачки долларовых купюр.

— Раз, два, три, четыре, пять...

Звонок в дверь прервал мой сбивчивый шепот. Черт, за Романом должен был заехать водитель. Я метнулась в спальню, по дороге засунув чемодан в платяной шкаф.

— Марина, Марина! — донесся из туалета вопль безысходности.— Мне плохо, выпусти меня... Ну, хорошо, черт с тобой, не выпускай, отдай только Коле, водителю, мой кейс. Я прошу тебя, Марина. Это очень важно. Это не шутки, Агеева!

В спальне я за считанные секунды скинула с себя костюм, в котором собиралась идти в библиотеку, набросила на плечи легкомысленный пеньюар и, слегка взъерошив волосы, пошла открывать дверь. По дороге я заглянула в кабинет мужа, вытащила из-под стола вполне достойный на вид черный дипломат, месяц назад отправленный Агеевым на пенсию по старости. Я бросила на дно дипломата пачку бумаги для принтера и защелкнула замок.

На лестничной площадке топтался водитель Коля.

— Добрый день, Марина Борисовна, — отводя глаза от моей шокирующей раздетости, пробормотал Коля. — Я за Романом Игоревичем.

— А Романа Игоревича нет дома. Его срочно вызвали на совещание. В Смольный.

— Странно, — сказал Коля. — А вы ничего не путаете, Марина Борисовна?

— Господи, чуть не забыла, — воскликнула я, запахивая на груди пеньюар. — ...Роман Игоревич просил вам передать вот это.

С этими словами я вынесла из кабинета дипломат. Коля вежливо попрощался, и я закрыла за ним дверь.

Дальше я действовала очень быстро и собранно. Для начала отключила радиотелефон мужа, который уже несколько раз тревожно попискивал в кармане его куртки. Раз я сказала «на совещании» — значит, на совещании! Ни о каких «Spice girls» сегодня не могло быть и речи — меня ждали более важные дела. Перетянув кейс веревкой, я отнесла его в кладовку и засунула под кипу старых газет.

Проделав все эти нехитрые манипуляции, я почувствовала, что силы покидают меня. Выйдя на балкон, я глубоко вдохнула сырой морозный воздух и закурила. С высоты седьмого этажа хорошо был виден весь наш двор. Водитель Коля возился около машины, заботливо укладывая на заднее сиденье старенький дипломат Романа. От дальней подворотни по направлению к нему пружинистыми энергичными шагами приближались два бугая в черных кожаных куртках. В руках одного из них была бейсбольная бита. Еще секунда — и деревянная болванка с силой опустилась на Колину голову. Коля, как подкошенный, упал на землю, свернувшись жалким, безжизненным калачиком. Алая струйка крови причудливой лужицей медленно расползлась по талому весеннему снегу. С остервенением пнув Колю ногой, второй бугай подошел к машине, резким движением выдернул дипломат и побежал через проходной двор на противоположную сторону улицы. Я рванулась в кабинет мужа и, сбивая все на своем пути, схватила со стола нашу семейную реликвию — старый морской бинокль, с которым мой прадедушка — адмирал русского флота — сражался с японцами в Цусимском проливе. Перебежав на северный балкон, я нацелила окуляры на противоположную сторону улицы, навела фокус и увидела золотистый «опель», в который лихо запрыгивали бритоголовые отморозки. Машина взяла резкий старт и покатила к Неве. Номерной знак, который мне удалось разглядеть в бинокль, стоп-кадром врезался в мое ускользающее сознание.

* * *

В агентстве без особого труда установили, что автомобиль «опель-кадет» с номерным знаком Р213ВК78 принадлежит все тому же Михаилу Грицаю.

Выслушав доклад Каширина, Обнорский мрачно выругался и заиграл желваками.

В штаб к Лепесткову он поехал один. О чем и в каких выражениях Андрей разговаривал с нашим кандидатом, можно было только догадываться. Но Сергей Афанасьевич в тот же день отказался от участия в выборах, после чего был вызван на допрос в горпрокуратуру. Причастность его к разбойному нападению и связь с преступной группировкой Сладенького предстояло доказать следствию. Для нас она была очевидна.

С агентством за проделанную мной работу Лепестков расплатился сполна и по требованию Обнорского открыл счет в банке на имя Усольцева Николая Васильевича — пострадавшего водителя. Удар битой оказался для Коли тяжелым — ему предстояло длительное лечение в одной из зарубежных клиник.

Феликс Авдотин выборы в Госдуму проиграл с треском. А Роман с тех пор зарекся от политики.

Отношения у нас быстро наладились, вот только я до сих пор не знаю, как сказать мужу о кейсе, который так и лежит в нашем платяном шкафу. Ведь рано или поздно кто-то заинтересуется, куда пропали доллары — и тогда может начаться вторая серия этого безумного триллера... Неужели снова придется обращаться за советом к Обнорскому?

ДЕЛО
О ПРОПАВШЕМ БИЗНЕСМЕНЕ

Рассказывает Сергей Ложкин

На работу в агентство пришел по приглашению Об-норского после освобождения из заключения в февра-ле 2000 года. В милицейских кругах Санкт-Петербурга известен как жесткий и решительный человек, хороший профессионал. При этом некоторые сотрудники мили-ции отмечают излишнюю склонность к авантюре, счи-тают, что «посадка» Ложкина вряд ли была случайной.

За недолгое время работы в агентстве в качестве корреспондента отдела расследований проявил себя толковым, инициативным и работоспособным специа-листом. (При условии, что разрабатываемая тема пред-ставляет для него интерес.)

Характер — сложный. Дружеских отношений в кол-лективе ни с кем не имеет. Замкнут. Не признает ав-торитетов, может сорвать порученное ему задание. За короткое время работы в агентстве дважды совершал прогулы. Холост.

Из служебной характеристики

Ветер пошевелил листву. Прошуршал... Звук был почти не слышен. Такой звук бывает, когда прово-дишь рукой по затянутой в капрон ноге... ты почти сходишь с ума от этого звука. И глаза смотрят на тебя в упор. Дерзкие глаза самой красивой девочки из десятого «а».

Ветер прошуршал по опавшим листьям. Я выщелк-нул за окно окурок. Красный огонек прочертил в рассветном сумраке кривую траекторию, брызнул снопом искр... Желтое пятно в начале проспекта стремительно приблизилось, приобрело форму «волги» с плафоном на крыше. Тускло блестело лобастое стекло, блестел хромированный радиатор... там, за стеклом, сидела самая красивая девочка из десятого «а». Позавчера ей исполнилось тридцать семь. Я мигнул дальним светом. «Волга» притормозила, заложила крутой поворот через разбитые трамвайные пути, остановилась в нескольких метрах от моей «копейки»... Самая красивая девочка поставила на асфальт ноги в дорогущих туфлях. Ноги, обтянутые шуршащим капроном... Двадцать лет назад ты поцеловал эти ноги. И дерзкие глаза смотрели так, что ты сходил с ума... Всего каких-то двадцать лет назад. «Нельзя, — сказала она, когда твои руки скользнули выше, коснулись кожи над резинкой чулка... — нельзя, Сережа... не надо».

Всего-то двадцать лет... семь с чем-то тысяч дней... полжизни.

...Тридцатисемилетняя женщина в дорогущем кожаном плаще стояла на пыльном асфальте, растерянно смотрела на меня. Желтая «волга» рыкнула движком, уехала. Я вылез из своей развалюхи.

— Здравствуй.
— Здравствуй.
— Я опоздала?
— Как всегда...
— Да... действительно... Пригласишь в машину? Зябко.
— А?.. Да. Конечно... да.

Ветер прошуршал по листве... зябко... бабье лето. Мы сели в машину. Я пустил движок.

— У тебя есть сигареты?
— Да, конечно... Не знал, что ты куришь...
— Я, собственно, почти не курю...

Щелчок зажигалки... ярко-алые губы, сжимающие сигарету... морщинка... Семь с чем-то тысяч дней... «Ты во Внукове спьяну билета не купишь, чтоб хоть бы пролететь надо мной».

— Владик пропал, Сергей...

— Это я понял... Но чем я-то могу тебе помочь?

— Но ты же мент... то есть... ты же... Сергей, помоги мне.

— Я бывший мент, Вера... И почему ты считаешь, что произошло нечто худое? Может, просто загулял?

— Его нет больше суток... его убили.

— В милиции ты уже была?

— Да... да. Там никому ничего не нужно. Там.. они там... они... там...

И она заплакала... Она заплакала. Уронила сигарету и заплакала, как плачут бабы во всем мире. Вмиг ничего не осталось от облика аристократичной петербурженки... самая красивая девочка с дерзкими глазами рыдала взахлеб, текла по лицу косметика, дымилась на резиновом коврике сигарета. Серое небо над Наличной улицей клубилось облаками с Балтики... и плакала женщина.

* * *

Вот так началась для меня эта история... Впрочем, нет, началась она по-другому.

Вчера, когда я закончил возиться с бумагами, потянулся, закурил и подумал: хватит на сегодня, — в кабинет вошел Шеф.

— Хорошо, что ты на месте, — сказал Шеф. — Дело есть.

С Обнорским я познакомился в Нижнем Тагиле, но эта совсем другая история...

— Дело есть, — сказал Шеф.

— На миллион? — спросил я. Работать сегодня мне уже совершенно не хотелось.

— На сто баксов, — ответил он. — Пока... а потом, может, и побольше настучит.

— О'кей. А в чем дело?

— У меня сейчас дамочка сидит, жена нового одного. Так вот этот новый пропал. Ментам, сам понимаешь, наплевать. Ей посоветовали обратиться к нам...

— Понятно, — вздохнул я. — Давно пропал?

— Сутки.

— Ну так, может, бухает где... мы-то при чем?

— При том, что есть возможность заработать сотню-другую долларов. Пойдем, познакомишься с тетей. Я ей отрекомендовал тебя в высшей степени.

— Ну, пойдем... познакомимся. За сто баксов можно и познакомиться.

Мы прошли по опустевшим к вечеру коридорам агентства и вошли в кабинет Шефа. У окна стояла женщина. Она стояла спиной к нам... я не видел ее почти семнадцать лет... но узнал сразу.

— Вот, Вера, — сказал Обнорский, — познакомьтесь...

Она обернулась, глаза встретились.

— ...А ты чего встал в дверях? Проходи, Серега... вот, познакомьтесь: один из лучших наших сотрудников, в прошлом опер уголовного розыска Сергей Ложкин.

У меня заколотилось сердце... как тогда... Глаза Верины смотрели на меня изумленно и спрашивали: ты? Это ты? Кроваво горела рябина осенью семьдесят девятого... Это — ты?.. Да. А ты — это ты?

— А это, Сергей, Вера... У нее проблема, и ей нужно...

Обнорский посмотрел на Веру, осекся. Потом посмотрел на меня и снова на нее... И что-то понял. Иногда меня пугает эта его способность понимать то, о чем еще не сказано.

— Вы знакомы? — спросил Обнорский с интересом.

— Немного, — сказал я. У меня пересохло горло... как с похмелья.

— Здравствуй, Сережа, — сказала Вера.

— Ну вот и отлично, — бодро произнес Андрей. — Вы тогда сами обо всем и поговорите. Договорчик на проведение журналистского расследования оформим завтра, деньги — в бухгалтерию.

Вера кивнула. И я узнал этот наклон головы... впрочем, я и не забывал его никогда... Андрюха еще что-то говорил. Вера кивала. Я стоял истуканом. За окном опускались сумерки.

Вот так для меня началась эта история. Хотя... и это неправда. На самом деле она началась, когда...

* * *

...Двадцать лет назад, в семьдесят девятом, Владик Завьялов первым достал двойник «Пинк Флойд»... Это было круто! У Владика все и всегда появлялось у самого первого. Папа у Владика был какой-то шишкарь. Чтобы Владик не фарцевал, папа все ему сам добывал. Джинсы, билеты в «Октябрьский», японские «сейко», жевательную резинку...

— «Стена», — сказал Владик, — двойничок «Пинк Флойд». Папахен и мамахен сваливают на дачу... В восемнадцать ноль-ноль (Ах, «сейко» на руке!), папрашу без опозданий!

— Я, наверно, опоздаю, — сказала самая красивая девочка.

— А когда ты не опаздывала, Верунчик? — сказал Владик. — Ждать не будем.

А я сказал:

— Я за тобой, Вера, зайду.

— На фиг, — сказал Владик, — вы с Сашкой обеспечиваете бухалово. На Карпинке у лесочка есть «Тамянка».

На Карпинке у лесочка мы с Сашкой взяли портвейну. Из экономии. Чего за «Тамянку» два тридцать платить? Мы взяли портвейну и пошли к Владику. Посудины «ноль семь» оттягивали карманы. По дороге встретили Маринку, пошли вместе.

— Восемнадцать оборотов, Марина, — сказал Сашка, поглаживая себя по оттопыривающемуся карману.

— Опять вермуть какую-нибудь взяли?

— Обижаешь, Мариша, — солидно ответил Сашка, — три семерочки. Напиток интеллигентных людей.

— Ну ты стебок, Стариков, — сказала Маринка. — Я стебаюсь!

Алели рябины... как здорово алели рябины в сентябре семьдесят девятого года! Я сорвал одну гроздь.

— О... — сказал Сашка, — рябина — это хорошая закусь.

— Ты что же думаешь? Он рябину на закусь сорвал? — сказала Маринка. — Нет, Саня, он эту рябинку Верочке хочет принести... А Верочка не клеится... Верочка на Владика запала. Ой, круто запала!

Я ничего не ответил. Я начал ощипывать и бросать в рот ягоды. Они были горькими.

...А Вера почти не опоздала... мы даже не успели выпить. Маринка делала бутерброды, Владик сидел у пианино, тренькал, напевал: «Рок-энд-ролл мертв... а я еще нет... Рок-энд-ролл мертв...»

— Кстати, — сказал Сашка, — сегодня сорок дней.

— Чего сорок дней?

— Сорок дней, как погиб «Пахтакор». Они одиннадцатого августа гробанулись.

— Ну ты стебок, Стариков... Я стебаюсь!

— А ведь точно, — сказал Владик, отрываясь от инструмента. — Сорок дней... надо за это вмазать.

Он снова положил руки на клавиатуру, спел:

— «Пахтакор» мертв... а я еще нет.

— Ну ты стебок, Владик... Я стебаюсь.

В прихожей мелодично пропел гонг. Маринка сказала:

— Кажется, наша королева пришла... вдвоем открывать побежите, сопернички?

— Я открою, — сказал я.

— ...а я-а еще нет, — спел Владик.

Я вышел в прихожую. Снова пропел гонг. С календаря смотрела Пугачева, тренькало пианино... Я открыл дверь... Самая красивая девочка десятого «а» сказала:

— Привет... я не опоздала?

Она сказала: привет... и у меня забилось сердце. До сентября двухтысячного года оставалось еще больше семи тысяч суток... но тогда я этого не знал. Не мог знать. А если бы мог — не поверил.

— ...Итак, дорогие товарищи, — торжественно произнес Владик, — зачем мы сегодня собрались?

— Бухать, — сказал Сашка

— Ну, Стариков, ты стебок... — сказала Маринка.

— Нет, дорогой товарищ... Сегодня мы собрались, чтобы послушать альбомчик «Стена», написанный группой английских товарищей под руководством Коммунистической партии Советского Союза и Генерального секретаря Центрального Комитета дорогого товарища Леонида Ильича Брежнева лично.

— Бурные, переходящие в овацию аплодисменты, — сказал Сашка. — Весь зал в едином порыве встает. Следует, конечно, добавить, что овация продолжалась несколько минут, но у нас на это времени нет. Потому как мы собрались бу-хать.

— Правильной дорогой идете, товарищи!

Из динамиков заморской стереосистемы «Филипс» пошла мощная волна звука. Портвейн «три семерки» прокатился по пищеводу. Нам было по шестнадцать... мы еще ничего не понимали. Я смотрел в дерзкие глаза на разрумянившемся от портвейна лице. Я погибал.

— Вот когда мы встретимся через год...

— Э-э... через год мы все будем в стройотрядах... штудиусы.

— Э-э, ребята, кстати... следующий год! Он же необычный. Он — олимпийский!

— Ну и что? Этих олимпийских — каждые четыре года. Будет вам и восьмидесятый, и восемьдесят восьмой, и даже двухтысячный.

— Ну... до двухтысячного еще дожить надо.

— А в двухтысячном сколько же нам всем будет?

— Нам будет по тридцать семь.

— Ну ты стебок! По тридцать семь? Я стебаюсь... стоко не живут.

— Живут, — сказал Владик. — В двухтысячном году я буду человеком с положением... сделаю нормальную карьеру... все у меня будет.

— Ну ты стебок, — сказал Сашка Маринкиным голосом.

До двухтысячного года оставалось немногим больше семи тысяч суток. Всего половина жизни... мелочь.

* * *

— Хорошо, — сказал я. — Давай по порядку, Вера.

— А... с чего начать?

— Чем занимается твой выдающийся муж?

— А ты что — не знаешь? — спросила она с удивлением.

— Владик, конечно, великий человек... и я, разумеется, просто обязан знать о его биографии все... Но, понимаешь ли, Вера, последние пять лет я провел в Нижнем Тагиле, а тамошние газеты ничего о Владике не писали. Странно... не правда ли?

— Зачем ты так, Сергей? — спросила она. А потом без всякой логики добавила: — Я сильно состарилась? Страшная стала?

— Нет, — ответил я. — Ты самая красивая девочка из десятого «а».

— Ты все еще меня любишь?

— Нет... так чем занимался Владик? — сказал я. Слава Богу, она не обратила внимания на то, что вопрос поставлен как о мертвом.

— Понимаешь, Сергей... после того, как все рухнуло... ну, развал Союза, ГКЧП это и прочее... Владик, как и все, стал заниматься бизнесом.

— Понятно... как и все — бизнесом. Наркотики? Оружие?

— Не надо, Сережа... не надо иронизировать. Это ты всегда был упертый, как танк. А нормальные люди хотят нормально жить, зарабатывать.

— Ну, такой уж я стебок... А что за бизнес?

— Основное направление — автосервис. Ремонт, запчасти, обслуживание. А сейчас ребята затеяли построить мощный автоцентр, взяли землю в аренду, вложили в это дело бабки.

— Много?

— Около трехсот тысяч баксов... для начала.

— Ого! Не слабо... Ты сказала: ребята. У него есть партнеры?

— Да, конечно... Костя и Казбек. Нормальные мужики.

— Костя и Казбек... понятно.

— Сережа, что тебе понятно? Что понятно? Позавчера вечером Владик вышел из дому, сказал — по делу... И все — нет. Пропал. Вот это тебе понятно?

— Да... он сказал: куда поедет? К кому? Зачем?

— Нет.

— А ты не спросила?

Она беспомощно пожала плечами.

— Ясно... Знакомых, партнеров и так далее ты всех обзвонила?

— Да, конечно... никто ничего не знает.

— Он уехал на машине?

— Да... «форд-скорпио»... новый... номер...

Я задавал вопросы механически. Она механически отвечала. Я задавал положенные вопросы и думал о полоске кожи над резинкой чулка... Серые облака плыли над Наличной улицей. Расплывшаяся косметика превратила лицо в уродливую клоунскую маску... «Ты все еще меня любишь?» — «Да! Да, я безумно тебя люблю!»

— Скажи, Вера... а любовницы у Владика не было?

— Ты что, Сережа! Какая любовница? Ты меня удивляешь.

— Да я и сам на себя порой удивляюсь... Извини, Вера, просто я такой вот циничный мент. И мой ментовский опыт подсказывает мне, что во всех этих делах есть три определяющих фактора: деньги, бабы, водка... В девяти случаях из десяти все бывает именно так.

— Ты, — сказала она, — ты просто ревнуешь... ты завидуешь ему.

«Завидовать-то, пожалуй, нечему», — подумал я.

И в этот момент в Вериной сумочке запиликал телефон.

А завидовать-то, пожалуй, и нечему.

* * *

...Портвейн кончился. И тогда Владик достал из бара модной мебельной стенки «Вега» бутылку виски.

170

— Вот, — сказал он, — виски! Папахену подарили... сейчас мы бухнем как белые люди!.. Это вам не «три семерки».

— Ну, ты стебок, — восхищенно сказала Маринка.

— Виски нужно пить с содовой, — сказала Вера.

— Ерунда... настоящие ковбойцы пьют в чистом виде, — сказал Сашка. — Слабо, Владик?

— Нет, Шурик, не слабо... Учитесь, пока я жив, детишки.

Владик отвернул винтовую пробку с непривычного вида бутылки... Девочка с дерзкими глазами сказала:

— И я тоже... я тоже выпью чистого.

— А остальные члены нашей комсомольской организации? — спросил Владик. Я пожал плечами: наливай. Сашка кивнул: наливай. И только Маринка сказала:

— Я не буду.

— Четверо — за, воздержавшихся — один. Па-а-ехали.

Владик налил в фужер коричневатую жидкость. Я бросил в свой фужер ягодку рябины.

— А за что пьем? — спросил Сашка.

— За дам, — ответил Владик. — Попрошу джентльменов встать.

Шел семьдесят девятый год. Нам было по шестнадцать, мы казались себе взрослыми, умными и очень крутыми... Мы — джентльмены — встали. Девочка с дерзкими глазами смотрела на Владика. Красная ягода рябины в фужере с виски...

— За дам!

— Ну вы ва-а-ще стебки!

Рябининка скользнула в пищевод... дыхание у меня перехватило. Прямо напротив меня стоял с раскрытым ртом Сашка. Вид у него был изумленный... наверное, у меня тоже. И у Владика. И у Веры... но все же мы не умерли. Мы закусили и выжили.

— Ну, как виски? — спросила Маринка.

— Ничего виски, — ответил Владик.

— Ага, — сказал Сашка, — ничего особенного...
виски — оно и есть виски. А, Серега?

— Да, — сказал я. Меня уже накрывала какая-то
горячая волна. И голоса ребят как бы «плыли», ото-
двигались...

— Ну, — сказал Владик, — как говорят у нас в
Шотландии: между первой и второй перерывчик не-
большой. Предлагаю повторить. Есть возражения?..
Нет. Па-а-ехали.

Он снова налил виски.

— Хи-хи-хи, — захихикал Сашка и потер руки. —
Ты, Владик, стебок.

— Нормально?

— Ну!

Мы выпили. И стали закусывать рябиной.

— А что ты отцу скажешь, Владик? — спросила
Маринка. — Про виски?

— Папахену-то? А... придумаю чего-нибудь... испарилось, скажу.

— Хи-хи-хи... испарилось! Хи-хи-хи... ну, ты
стебок.

— Испарилось! Нормально?

— Ну!

Я тоже смеялся. И Вера смеялась своим глубоким
сопрано. Нам было хорошо... мы были пьяны. Рябина
казалась безумно вкусной.

— Надо будет побольше рябины запасти на зиму, — сказал Сашка.

— Ага... рябина хорошо под виски идет, — согласился Владик. — Сейчас мы пойдем запасать рябину...
Мы только вмажем по третьей и все пойдем запасать
рябину.

— Я не буду, — сказал я.

— И я не буду, — сказала Вера. — И ты, Владик,
не пей.

— Все будут пить! Сила советской комсомолии в
кол-лек-ти-визме!

Владик начал разливать виски. Я накрыл свой фужер рукой.

— Ты чего, Серый? Это же виски!

— Я не буду... И тебе не надо.

— Ты чего, учить меня будешь?

— Нет, не буду.

— А мне кажется: ты собрался меня поучить. Так?
Я промолчал.

— Давай сюда, Верка, свою посудину, — сказал
Владик. — Налью.

— Влад, не надо.

— Еще и ты будешь меня учить?

Влад пьянел на глазах... Взгляд его сделался стеклянным, движения резкими. Таким я его еще не видел.

— Ладно, — сказал Влад. — Ладно... хрен с вами.
Я сам выпью. Мы вот с Саней выпьем. Да, Саня?

И они с Саней выпили. И Влада понесло:

— А на хрен вы тут сидите, раз не пьете?

— Мы можем уйти, — сказал я. Вера кивнула.

— Ты-то можешь, а вот ее я не отпускаю.

— Влад, что ты несешь?

— Я не несу... я раз-го-ва-ри-ваю... я тебя, Верка,
предупреждаю! Чего ты из себя тут корчишь? Рассказать, что было на даче?

— Влад! — выкрикнула Вера.

— А... Влад! Ну, рассказать, как мы в постельке
барахтались?

— А ты подонок, Влад, — сказал я.

— Ну, ты стебок, — сказала Маринка непонятно
про кого.

— Подонок? Я подонок? А ну пошел вон из моей
квартиры, урод. Валите все отсюда, кроме Сани...

— Ну и слава Богу, — сказала вдруг Вера. — Пойдемте, ребята?

— Все валите, — заорал Влад и ударил кулаком по
столу. Попал по фужеру. Тонкое стекло лопнуло, из
руки обильно хлынула кровь. Вскрикнула Маринка.

— Во, кровь! — сказал Саня.

— Нужно перевязать, — сказала Вера.

— Вали, вали... без сопливых скользко... Саня пе-
ревяжет.

И мы ушли. На улице было уже темно, сыпался
мелкий дождь. Листва блестела в свете дождя. Мы

остановились под фонарем. Настроение было гнусное. Как будто тебе плюнули в лицо.

— Ладно, — сказала Маринка, — я пошла... пока, стебки.

И она ушла, засунув руки в карманы куртки.

— Погуляем? — спросил я неуверенно.

— Дождь, — пожала плечами Вера. — И, если честно, нет настроения.

— Давай пойдем на площадку... спрячемся в «теремке».

— А у тебя сигареты есть?

— Есть... кажется. — Я пошарил по карманам и достал пачку «Родопи». Выяснилось, что сигарета последняя. — Во! Есть... ты же не куришь.

— Вот и хочу попробовать...

— Как знаешь, — ответил я.

И мы пошли на детскую площадку с песочницей, уродливой горкой и теремком. Теплый сентябрьский вечер на излете бабьего лета сочился дождем, а рядом со мной сидела самая красивая девушка на свете. Я прикурил сигарету и передал ей. Тогда, в семьдесят девятом, я еще не слышал «Окурочка», и слова «...сам пьянел от того, как курила ты „Тройку" с золотым на конце ободком» были мне неизвестны. Но именно так я ощущал...

«...Я пьянел от того, как курила ты „Тройку" с золотым на конце ободком...»

Дым сигареты смешивался с ароматом духов, лицо и губы освещались при неумелых затяжках... Я пьянел! И даже сейчас, через двадцать лет, через семь с половиной тысяч дней, мне все еще кажется, что я сижу рядом с ней в этом теремочке... шуршат листья, дымится последняя в пачке сигарета.

...Из подъезда Владиковой кооперативной девятиэтажки вышли Владик и Сашка. Оба покачивались, оба несли по ведру. Правая рука Владика была кое-как перебинтована.

— У-у, там места рябиновые, — горячо и громко говорил Сашка.

— Точно рябиновые? — строго спросил Владик.

— Рябиновые! А ягода, знаешь, какая крупная?

— Ну... какая, например?

— Во! — Сашка показал рукой нечто размером с картошину.

— Это нам подходит, — сказал Владик.

Пошатываясь, наши одноклассники прошли мимо нас.

— Там рябиновые места, — продолжал рассуждать Сашка. — Крупная ягода! А вкус?

— Да... каков у нее вкус?

— И-зу-мительный, — торжественно сказал Сашка, побрякивая оцинкованным ведром. — Раз попробуешь — потом тебя за уши не оттянешь. Это у нас строго!

— Эх, надо было рюкзак взять, — сказал Владик.

— Зачем? — спросил Сашка и икнул.

— Как зачем? — удивился Владик. — Мы бы набрали по ведру, пересыпали в рюкзак и еще набрали бы по ведру.

Шаги, голоса, бряцанье ведер потихоньку стихали.

Места там рябиновые.

* * *

В сумочке у Веры заверещал телефон. И я вдруг подумал: а что, если это звонит Владик?.. Теперь уже, конечно, не Владик, а Владислав Игоревич. И все вопросы отпадут автоматом.

И Вера, видимо, подумала то же самое. Она посмотрела на меня своими огромными глазами. Оттуда, из глубины двора на Гражданке. Я посмотрел на часы — 6.32. Если телефон звонит в седьмом часу утра... что-то ведь это означает?

Она откинула крышку сумочки, взяла изящную, миниатюрную трубку. Снова растерянно посмотрела на меня. Я пожал плечами.

— Алло! — сказала Вера в трубку. И лицо ее изменилось, потускнело. Я понял, что чуда не произошло. Чудеса вообще случаются очень редко. Один раз на одну человеческую жизнь. Или чуть-чуть реже... Один раз на миллиард человеческих жизней. — Где? — спросила Вера. — Спасибо... спасибо, едем.

Она выключила телефон и повернулась ко мне:

— Машина нашлась... наш «форд». Стоит на стоянке возле бассейна «Спартак».

— Поехали, — сказал я. — Посмотрим.

Я включил передачу, и мы поехали.

— Быстрее можно? — нервно спросила она. Я подумал, что спешить-то нам особо некуда... но не сказал.

— Кто нашел машину?

— Костик... Костя Базаров. Он в тех местах по утрам бегает. Он — один из партнеров мужа.

— Рановато Костик Базаров бегает.

— Какое это имеет значение?

— Возможно, никакого... Машина, как я понимаю, закрыта?

— Не знаю. Это не важно — ключи у меня есть. Специально взяла... как чувствовала.

— Хорошо.

— Чего же хорошего-то, Сережа? Мне не машина эта сраная нужна... мне муж нужен.

Утром, по пустому городу, мы доехали быстро.

Здоровенный, почти двухметровый, Костик Базаров с маленькой таксой на поводке встретил меня подозрительным взглядом. Он был в шикарном спортивном костюме и, как и положено бизнесмену, с сотовым... Моя «копейка» со сгнившими порогами, моя потертая кожаная куртка явно господину Базарову не очень понравились. Такса была настроена более дружелюбно, виляла своим куцым хвостом.

Вера представила нас друг другу:

— Константин. Партнер и друг Владика... Сергей, наш общий с Владиком друг... еще со школы... милиционер.

— Бывший, — добавил я. Константин сказал: очень приятно. Но, кажется, приятно ему было не очень.

Черный, новенький «форд-скорпио» за спиной бизнесмена выглядел игрушечкой. Мигала красная точка на торпеде — сигнализация. На переднем сиденье лежал сотовый телефон — неосторожно. Запросто разобьют стекло и украдут.

— Открывай, Вера.

Она вытряхнула на капот моих «жигулей» все содержимое сумочки: косметическую дребедень, ключи от квартиры, телефон и прочее, прочее, прочее.

— Вот! — она протянула мне брелок. Руки у нее слегка дрожали. Я взял, нажал... «форд» дважды пискнул, мигнул габаритами, щелкнул центральный замок... и я распахнул дверцу.

— Вообще-то, в таких случаях требуется участие эксперта-криминалиста, — сказал я. — Будем вызывать?

— Не будем, — устало выдохнула Вера.

— Ну-ну... телефончик его? — спросил я.

— Наверно, его... это легко проверить.

— Да, конечно... ну-ка, наберите его номер.

Константин быстро пробежался по клавиатуре своего телефона... лежащий на переднем сиденье «Эриксон» бизнесмена Завьялова начал наигрывать какую-то мелодию. Вера смотрела на мурлыкающий «Эриксон» немигающими глазами... Звонок на ТОТ СВЕТ? Очень даже вероятно... очень.

Телефон мурлыкал. Три человека и собака смотрели на него.

— Прекратите, — выкрикнула Вера.

* * *

Наши замечательные одноклассники с ведрами удалились — держись, рябина! Мы смотрели им вслед... или мы не смотрели им вслед.

— Оставь докурить, — негромко сказал я.

— А... да. Не пойму, чего хорошего в этой отраве? — ответила она и протянула мне сигарету. Упал, рассыпался столбик пепла.

Я взял сигарету в губы и — ощутил привкус губной помады. И тогда я действительно чуть не сошел с ума. Сердце у меня заколотилось часто-часто... или, наоборот, остановилось?.. Этого я не помню.

— Вера, — позвал я хрипло.

— Что?

— Я тебя люблю.

Сколько раз потом я пожалел, что сказал эти слова. Но тогда я их сказал... мои слова рассыпались, как пепел... «Я пьянел от того, как курила ты „Тройку" с золотым на конце ободком...»

— Я знаю, Сережа, — ответила она, когда пепел уже рассеялся.

— Выйдешь за меня замуж? — сказал я очередную глупость, а она взъерошила мне волосы и ответила:

— Сережка, нам с тобой по шестнадцать лет... О чем ты?

— Не сейчас... а потом, когда положено...

— Вот потом и разговор будет.

— А Владик?

— Что Владик?

— Владик спрашивал у тебя?

— Возможно...

— И что ты ему ответила?

— Серега, Серега, — покачала она головой, — запомни, что ревность мужчину не украшает.

Я вдруг понял, что она значительно старше меня, умнее... ОПЫТНЕЙ. От этого стало не по себе... неуютно. Несказанное вслух «нет!» не прозвучало, но оно ПОДРАЗУМЕВАЛОСЬ. От этого было тоскливо. У шестнадцатилетних свои катастрофы... они огромны.

— Я хочу тебя поцеловать, — сказал я.

— Утешительный приз? Конфетка для мальчика? — сказала девочка с дерзкими глазами. И засмеялась, и добавила: — Я тоже хочу, чтобы ты меня поцеловал.

Сколько потом было у меня женщин? Влюбленностей и любовей... Приключений... Интрижек... Романов. Внебрачных половых связей, как пишут в медицинских памятках «Венерические заболевания».

...Их было немало. Но никогда я не любил так, как в шестнадцать. Искренне, страстно и обжигающе.

Впрочем, все это — пепел. Не надо, не надо, не надо бередить! И бредить — не надо. Все — пепел.

...И пьянеть от того, как курила ты «Тройку» с золотым на конце ободком.

* * *

Кроме телефона в «форде» мы обнаружили полотенце и плавки. И то и другое — влажное... Что ж — рядом бассейн.

Под креслом я обнаружил еще одну штуковину... но о ней я Вере пока не стал говорить.

— А вы, Константин, каждый день здесь бегаете?

— В общем да, по возможности...

— Значит, вчера вы «форда» здесь не заметили?

— А вот вчера я как раз не бегал... дождь шел.

— Ага, понятно... шел дождь...

— А вы, простите, Сергей, в каком отделе или службе милиции работали раньше?

— Я-то? Да я в паспортном столе сидел.

Вера посмотрела на меня удивленно:

— А мне говорили, что ты был опером в уголовном розыске.

— Ерунда какая... это тебе не правильно сказали, — ответил я и улыбнулся таксе. Такса завиляла хвостом.

— И что вы намерены предпринять? — снова задал вопрос партнер по бизнесу.

— А что тут предпримешь? — сказал я. — Либо найдется человек, либо... ждать нужно.

Вера отвернулась и стала смотреть в сторону.

— Будем надеяться, что все в порядке, — сказал партнер. — Вы, Верочка, главное — не впадайте в отчаянье. Все будет хорошо. Я в это твердо верю. И Казбек тоже.

Вот так, партнер по бизнесу в это верит. Твердо.

— А сейчас уж извините меня, но... вынужден откланяться, дела.

И он «откланялся» и ушел с таксой на поводке. Вера села в «форд». Я опустился рядом. Некоторое время мы молчали.

— Ты убеждена, что у твоего мужа не было женщины на стороне?

— Какое тебе до этого дело? Разве ты можешь мне помочь?

— Не знаю... мне будут нужны деньги, средство связи — тот же самый телефон... возможно — пара помощников.

— Сережа, ты возьмешься?

— Я не могу тебе пообещать, что найду твоего Владика. Я только попытаюсь это сделать... а что получится — знать не дано.

— Сколько денег нужно?

— Пока не знаю... Закончим работу — разберемся. Пока мне требуется всего лишь информация.

— Спрашивай... все, что смогу.

— Я уже спросил: у него была любовница?

— Господи, да что ты уцепился за эту мифическую любовницу? У него была... то есть есть я. Он любил меня... то есть любит. Неужели в тебе столько лет живет ревность?

— Нет, просто мне интересно узнать, почему под водительским креслом валяется презерватив?

— Презерватив? Какой презерватив?

— Вот этот, — ответил я и бросил на торпеду импортную резинку в яркой упаковке. Вера с удивлением взяла его в руки.

— Зачем Владику презерватив? — спросила она.

— Ну вообще-то, презервативу можно найти разное применение, но основное...

— Ох, не ерничай, Сергей... Ты уверен, что эта... ШТУКА... принадлежит Владику?

— А вот эта ШТУКА (я постучал по торпеде) принадлежит Владику?

— Я не думаю, что у него есть любовница, — со вздохом сказала Вера. — Он не такой...

— Понятно...

— Да что ты заладил свое дурацкое «понятно»! Что тебе понятно? Ты не сумел построить свою жизнь и хочешь отыграться на моем муже. А он трудился всю жизнь... и добился положения: и социального, и материального... В семье все отлично. Сотрудники его уважают... А ты? Чего добился ты? Милиционер! Да еще отсидевший милиционер... Господи! Как правильно я все-таки сделала выбор тогда...

— Да, ты толково сделала выбор.

— Да, толково... Теперь иди, Сергей... Иди. Извини, что отняла твое время. Но... твоя помощь мне не нужна. Я найду к кому обратиться. Прощай. Передавай привет Обнорскому.

Я вылез из салона «форда», аккуратно прикрыл дверцу. В моей «копейке» нужно хлопать дверью со всего маху. «Скорпио» бешено взревел мотором, рванул с места. Взвился с асфальта рыжий осенний лист, потянулся в воздушном потоке вслед за сверкающим автомобилем. Но, разумеется, отстал... опустился, вальсируя, на асфальт, замер.

В моем кармане остался лежать сотовый телефон отличного семьянина и честного бизнесмена. Вот с телефона-то мы и начнем.

* * *

Мы целовались не очень умело, но нежно. Ах, эта неумелая любовь несовершеннолетних! Еще во многом скованная стыдливостью и запретами... Однако в тот сентябрьский вечер мне было позволено многое. О, как много было позволено мне девочкой с дерзкими глазами в тот вечер. Позволено было моим рукам, моим губам, моим глазам.

Был ли к тому времени у меня «сексуальный опыт»? О да... он у меня был!.. В подвале, на продавленном диване. С пьянчужкой неопределенного возраста. Стоимость ее услуги составила «бомбу» бормотухи. Со всех!.. Нас было пятеро. Так что «сексуальный опыт» у меня был, но вспоминать о нем мне противно до сих пор.

А тот сентябрьский вечер, когда мы пришли к Вере домой, когда ее мать на дежурстве, а младший брат уже спал... когда мне позволено было так много... Этот вечер я не забуду никогда. Я помню, как был неловок... как не хотели поддаваться крючки на застежке лифчика... и как шуршит капроновый чулок под рукой... Я помню, как мне сказали: «Нельзя... нельзя, Сережа, не надо...»

Если бы я оказался чуть более настойчивым в тот вечер? Смогло ли это что-нибудь изменить? И хочешь ли ты перемен сейчас?

...Не надо бередить. И бредить — не надо.

Ах, дерзкие глаза девочки из десятого «а».

Все — пепел.

* * *

Вот с телефона-то мы и начнем, решил я. Нынешняя сотовая связь хороша тем, что здорово поддается контролю. Не в смысле подслушивания, хотя и тут особых проблем нет, а в смысле того, что все звонки, которые вы делаете, фиксируются компьютером вашей сети. Время разговора, его продолжительность и номер абонента... то, что доктор прописал!

Конечно, для начала я вышел на опера, который по долгу службы (но никак не «по велению сердца») должен осуществлять мероприятия по розыску пропавшего гр. Завьялова В. И. ...Я вышел на этого опера и попытался наладить контакт. Опер опера всегда поймет! Так, по крайней мере, я думал. Но видимо, сильно отстал за пять лет, проведенных в нижнетагильской зоне УЩ-349/13.

Мой молодой коллега, конечно, и без моего представления понял, кто я такой. Журналистские «корочки» повертел в руках без интереса... выслушал и сказал:

— Ну... ты же и сам все круто просекаешь. Может, сам и отработаешь этого бизнесмена? Ты же человек опытный... а у меня времени нет.

— К опыту еще нужно приложить ксиву, а ее у меня, лейтенант, нет. Вот с этим (я щелкнул пальцем по удостоверению «агентства») я много не наработаю... Мне же сейчас реально придется телефоны и адреса пробивать... Как прикажешь это делать?

— А как бандюганы без всяких ксив это делают? — сказал мне товарищ лейтенант. Сказал — и засмеялся... Действительно — смешно.

— Бандюганы это делают на энтузязизьме, а мне их энтузязизьм ни к чему. Понимаешь?

— Ну ладно, с пробивкой телефонов помогу, — великодушно сказал опер. Как раз этот вопрос я запросто мог решить сам, без его помощи. Помощь мне требовалась в другом, но я понял, что хрен ее дождусь. И оказался прав...

Короче, я пошел журналистско-партизанскими тропами. Возможности мои были не особенно широки... несравнимы ни с реальными бандитскими, ни даже с ментовскими. Я, рядовой журналист, ни задерживать граждан, ни допрашивать не имею никакого права. Все те «вмешательства в личную жизнь граждан», которые неизбежны при проведении журналистского (и любого другого) расследования, возможны только с согласия этих самых граждан... Ну не любят граждане этого! Не любят — и все тут. Особенно если они не в ладах с законом.

За сто баксов оператор сотовой сети выдала распечатку звонков Владика за интересующий меня период, то есть с того момента, как образцовый семьянин вышел из дому в последний раз, и до того, как телефон перекочевал ко мне. Всего звоночков оказалось шесть, а телефонных номеров — всего четыре. Разной продолжительности были разговоры. Но тем не менее все шесть звонков были сделаны за весьма короткий период — за вечер того самого злополучного понедельника. Последний звонок прозвучал в начале первого ночи, во вторник... Потом Владик на связь уже не выходил... Интересно, сколько он прожил после этого звонка?

Пробивка адресов — дело рутинное. И для меня оно никакой трудности не представило — «дорожку»* мой новый друг-оперок сообщил. Через час я сидел в своей конуре в агентстве и обсасывал первую информацию.

Итак, одиннадцатого сентября, около семи часов вечера, добропорядочный, не судимый бизнесмен

---

* «Дорожка» — пароль для адресной службы ГУВД (*жарг.*).

вышел из своей трехкомнатной квартиры на Васильевском острове... сказал жене: по делу, мол... и исчез. Почти сразу после выхода из дому он сделал один за другим три телефонных звонка. Два — своим партнерам, с которыми, кстати, у него отличные отношения, третий звоночек он сделал абсолютно мне неизвестной гр. Шурыгиной Антонине Викторовне, 1946 г. р., проживающей по адресу... Потом он опять звонил партнерам, а потом Митюхиной Елене Васильевне, 1950 г. р., проживающей...

Так вот в деле и появились две дамочки... Но одной нашей красавице уже полвека. Другой и того больше. Навряд ли процветающий тридцатисемилетний бизнесмен покупал презерватив для встречи с одной из этих дам. Всякое, конечно, бывает... но навряд ли. Однако у пожилых дам бывают дочки, племянницы, внучки, в конце концов.

Придется ехать в гости. Я зашел в шефу, чтобы доложить ситуацию, и — повезло! — застал на месте. Обнорский интенсивно трудился: лежал на диване и пускал дым колечками. Я лег на другой диван и стал ему помогать. На пару у нас получалось здорово... Вот такие мы стебки. Нет, теперь говорят — приколисты.

— Ну? — сказал Обнорский, когда сигарета кончилась. Я рассказал ситуевину. Андрюха, немного подумав, решил:

— Езжай. Только не один... Такие штуки мы уже проходили. Прихвати кого-нибудь. Из адреса отзвонитесь. Обязательно.

В коридорах агентства было еще тихо, пусто... «Прихватить кого-нибудь» не получилось. И я уже решил, что поеду один. В первый раз, что ли?.. Нет, не в первый. Но в иные, забытые уже «разы» в кармане у меня лежала ксива со словами: «капитан Ложкин Сергей Иванович состоит в должности старшего оперуполномоченного», а под мышкой висел табельный ПМ. Я был тогда ВПРАВЕ обратиться за помощью к любому милиционеру, участковому, оперу... Как говорится: почувствуйте разницу... Я ощущал разницу оч-чень хорошо!

И я бы поехал в адрес один, но на лестнице столкнулся с Шахом и Князем. Конечно, я был для них не авторитет... и вообще — в агентстве без году неделя. Но я сослался на шефа, и они поехали со мной. По дороге ввел их в курс дела, избегая ненужных им подробностей.

— Вопросы есть, коллеги? — спросил я.

— Есть вопросы... коллега, — сказал Шаховской, выделив последнее слово. Видимо, это должно означать, что я — бывший мент — ему не коллега... И я со своей стороны считал точно так же: хоть Виктор Шаховской и не привлекался никогда к уголовной ответственности, но в оперативных документах РУОП его фамилия замелькала еще в самом начале девяностых.

— Спрашивай, — ответил я.

— А премию с этой супружницы барыжной ты за работу, коллега, обговорил?

— Нет, — отрезал я.

— Лохи, — пробормотал Шах и больше ничего не спрашивал, смотрел в окно.

У Гвичия вопросов было больше: а сколько лет вдове? А не блондинка ли она? А как она «вообще, да»?

Я ответил: лет вдове семнадцать. Блондинка. «Вообще»: 90—60—90. И Гвичия тоже замолчал... только причмокивал иногда. Глаза у него стали мечтательными, подернулись нежным туманом.

* * *

Прежде чем ехать непосредственно в адрес, заскочили в местное РУВД... Повезло — застали нужного нам опера на месте.

— Да, — сказал он, — звонили мне про ваше дело... лейтенант Иванов, кажется... так?

— Да, — подтвердил я. Иванов — фамилия опера, который «отфутболил» меня в Василеостровском районе.

— Ну, а чего от меня-то вы хотите?

— Как чего? Неужели непонятно?.. Сходить с нами в этот адрес. Дело-то, скорее всего, об убийстве идет.

— Ну во-первых, пока только о розыске пропавшего... Во-вторых, я туда уже сходил.

— И что?

— А ничего, меня и на порог не пустили.

Шах хмыкнул, Гвичия изумленно вскинул брови. А я спросил... Я очень спокойно спросил:

— Простите, Виктор... э-э...

— Георгиевич, — подсказал опер, включая электрический чайник.

— Виктор Георгиевич, вы здесь в каком качестве служите?

— А там (кивок в сторону двери) висит табличка. На ней все написано... прочитайте.

— Я читал. Там написано, что в этом кабинете работают опера уголовного розыска.

Наш «опер» закончил манипуляции с чайником, поднял на меня глаза и сказал:

— Выйдите из кабинета... Я вас сюда не приглашал... пока.

— Спасибо за помощь, — ответил я. — Пошли, мужики... По-моему, кто-то таблички на дверях перепутал.

— Желаю успехов, — бросил опер.

Мы вышли. Сказать по правде, мне было очень противно. Гвичия посмотрел на табличку и сказал:

— Какой-то странный человек, да?

Шах тоже посмотрел на табличку, сплюнул и сказал:

— Лохи.

Я не сказал ничего.

Я не сказал ничего, я только подумал... но не сказал.

* * *

...Дверь в квартиру, где находится телефон, зарегистрированный на гр. Шурыгину Антонину Викторовну, наводила на мысли о коммуналке и бытовом пьянстве: следы неоднократного и неумелого ремонта, висящий на проводах звонок, порезанная ножом дерматиновая обивка... Таких дверей я за годы пахоты в УР повидал немало. И мог даже предположить, что увижу за дверью.

Гвичия начал давить на кнопку звонка. Делать это пришлось пять раз. Шаги за хлипкой дверью раздались тогда, когда уже нам показалось, что в квартире никого нет. Шаги были шаркающие, медленные... потом раздался кашель... потом дверь отворилась. На пороге стояла старуха в грязном халате и торчащих из-под него белых бязевых мужских кальсонах. Жиденькие волосы, характерный цвет лица, густой перегарный выхлоп... Все, как говорится, до боли знакомое. Я загодя приготовил свое журналистское удостоверение и придал лицу некое соответствующее профессиональное выражение. Все это оказалось лишним. Старуха посмотрела на нас мутными глазами, закашлялась и сказала:

— С утра уже ходить стали...

— Здравствуйте, бабушка,— вежливо сказал Зураб.

— Ишь, внучек нашелся... басурманин... Спят они еще... — Старуха явно собиралась захлопнуть дверь, но я не дал. Я сунул ей под нос удостоверение и начал работать. Кое-что, впрочем, мне уже было ясно.

— Мы журналисты,— сказал я.— А вы Антонина Викторовна?

— Что надо?

— Поговорить, Антонина Викторовна... Мы — журналисты.

— Стрекулисты-журналисты... аферисты! На похмелку дашь?

— Дам,— ответил я, доставая бумажник.

Выражение глаз старой алкоголички стало гораздо более осмысленным или, по крайней мере, заинтересованным. Я вытащил пятидесятирублевую купюру. На эти деньги можно купить одну бутылку заводской водки, но Антонина Викторовна наверняка купит две бутылки паленой.

...Деньги исчезли в кармане халата.

— Может, внутрь пригласите? — спросил я.

Старуха посторонилась, пропуская нас внутрь. Интерьер прихожей был именно таким, какой я себе представил, глядя на дверь. Тут ошибиться трудно. Вслед за старухой мы прошли в кухню, распугали тараканов.

— Ну, говори, чего надо, — сказала хозяйка.

— У вас в квартире есть молодые женщины?

— Сказала же: спят еще бляди.

— Дочери ваши?

— Тьфу! У меня сыны... да и их не вижу: по тюрьмам они.

— А что за бляди-то спят у вас?

— Бляди как бляди... известное дело, Ленка со Светкой.

— Комнату им сдаете?

— Что я сдам? Сама в одной клетухе сижу, как в конуре, девяти метров нет... Сосед сдает — Колька Мареман.

— А где сам Колька?

— Кто его знает? Бывает раз в месяц — деньги получить... Но ко мне уважительно, нет-нет, а водочкой угостит... иной раз.

— Понятно... А что за женщины — эти Ленка со Светкой?

— Так говорю тебе: бляди.

— Молодые?

— Молодые прошмандовки... Старухе хер когда нальют, хоть им через блядство много деньжищ сыпется... Жадные, прости Господи.

— Понятно. Мужики к ним сюда ходят?

— Бывает, сюда. Но больше по вызову. Интердевочки.

Гвичия брезгливо хмыкнул, раздавил ногой таракана. Я достал фотографию Владика, что дала мне Вера. На ней довольный, изрядно располневший Владик был снят на фоне новенького «форда».

— Этого человека знаете? Бывал у девок?

Антонина взяла фото, отодвинула руку подальше от глаз, после долгого разглядывания сказала:

— Разве всех упомнишь? Не знаю, не скажу.

— Понятно... Спасибо, Антонина Викторовна.

— Спасибо в стакан не нальешь, — ответила хозяйка и вышла. Через минуту она, одетая в старый плащ, пошла за опохмелкой. То, что в квартире остались три незнакомых мужика, нисколько ее не смущало. Впрочем, что здесь можно украсть?.. Шурыгина ушла, грязные завязки кальсон волочились за ней по полу.

А мы остановились перед дверью, за которой жили Ленка со Светкой. Вполне возможно, за этой дверью нас ждет разгадка исчезновения бизнесмена Завьялова... Вполне возможно, что нет.

Я посмотрел на своих коллег, кивнул и постучал по филенке.

* * *

— Какого хуя? — раздалось из-за двери.

Я постучал еще раз. На этот раз меня просто послали, назвали старой сукой. Обидно, не такой уж я и старый... Я постучал третий раз, а Гвичия медовым голосом попросил:

— Откройте доброму человеку, а не то он вынесет дверь.

После этого за дверью стало тихо. Затем послышалась какая-то возня, негромкий шепот... И наконец:

— Кто там?

— Конь в пальто, — рявкнул Шах.

Я посмотрел на него зло. Навряд ли стоит начинать разговор таким образом. Тем более что женщины могут быть совершенно непричастны к исчезновению Владика.

— Елена, — позвал я, — Светлана... откройте, пожалуйста. Мы журналисты, есть необходимость поговорить.

Снова негромкое шу-шу-шу за дверью.

— Если вы опасаетесь, можно вызвать милицию, разговаривать в присутствии милиционеров. Позвоните «02», мы подождем... Договорились?

...Дверь открылась. За ней стояла женщина. Молодая, но уже со «следами бурной жизни» на лице. Я сразу сунул удостоверение:

— Мы журналисты. Агентство «Золотая пуля». Меня зовут Сергей.

Она смотрела испуганно. Козе понятно, что на журналистов мы не очень похожи. Я еще — туда-сюда, но за моей спиной маячили откровенно бандитского облика Шах и Зураб Гвичия — «лицо кавказской национальности». Доверия у нормальных людей такое славное журналистское трио не вызывает.

— А что случилось? — спросила она.

— Пропал человек, — ответил я. — Разрешите войти?

— У нас тут... не прибрано.

— Ничего. Мы явились без приглашения, так что вы не должны об этом беспокоиться.

— Входите.

Мы вошли. В комнате было действительно «не прибрано»: на журнальном столике стояли пустые бутылки из-под водки и шампанского. Остатки закуски. На полу, на спинке стула — одежда, белье... Вторая женщина сидела на смятой простыни единственного в комнате дивана, сжимала у горла ворот халата, надетого наизнанку.

— Давайте познакомимся. Я — Сергей... Кто из вас Елена, кто Светлана?

Еленой оказалась та, что открыла дверь. Светланой — сидящая на кровати. Я без приглашения присел на пустой стул.

— Весьма приятно... Давайте сразу определимся: на наши вопросы вы отвечать не обязаны. Можете отказаться, вызвать милицию. (Я вытащил из кармана и протянул Светлане телефон, она вяло покачала головой.) Но лучше будет, если вы все же ответите. Понятно?

Обе кивнули. Все движения Светланы были несколько замедлены. Я заглянул ей в зрачки, и все стало ясно: героин.

— Хорошо... Жилье здесь вы снимаете. А прописочка у вас есть?

— Н-нет, — ответила Елена. — Здесь нет.

— Можно взглянуть на ваши паспорта? Разумеется, вы не обязаны мне их показывать. Я вас не принуждаю, только добровольно...

Елена встала, подошла к вешалке и, покопавшись в карманах плаща, достала довольно-таки потрепанный паспорт. Светлана сидела неподвижно. Я раскрыл паспорт с гербом и надписью «СССР». Так... Русакова Елена Михайловна... серия... номер... 20 января 1977 года... поселок Горки... Хвойнинского района Новгородской области... русская... и т. д. Прописка — по месту рождения. Как я и думал.

— Спасибо, — сказал я и вернул паспортину.

Светлана по-прежнему сидела неподвижно.

— А ваш паспорт, Светлана?

— Я... не знаю... где он...

— Если вы не хотите его показывать — ваше право.

— Может... в сумочке? — сказала она хриплым, низким голосом.

Елена взяла с кресла сумку, протянула мне.

— Нет, откройте сами... Если, разумеется, Светлана не возражает.

Русакова испуганно посмотрела на свою товарку... потом опрокинула сумку на постель. Господи, второй раз за день я вижу, как высыпают содержимое дамской сумочки. Точно так же, как и у Веры, в сумочке лежала косметика, но явно дешевая... ключи... записная книжка... На этом совпадения закончились: в сумочке у Веры не было паспорта, презервативов и, главное, шприца.

Русакова испуганно посмотрела на шприц — на Светлану — на меня. Сплюнул за моей спиной Шах, вздохнул Зураб. Я взял в руки паспорт... Шуцкая Светлана Сергеевна... 20 марта 1974 года... поселок Лесной... Хвойнинского... Новгородской... землячка, значит. Прописка? Прописка питерская... Судя по всему — общага. Лицо на фотографии — совсем юное, красивое, жизнерадостное... Что же ты с собой сделала, Света?.. Вторая фотография — в двадцать пять лет — отсутствует.

Я швырнул паспорт на простыню. Он лег на то же самое место, где лежал — слева от баяна[*].

---

[*] Баян — шприц (жарг.).

— Вот мы и познакомились. А вот этого человека вы знаете?

Я положил на стол фотографию Владика. Елена посмотрела и покачала головой. Я сразу понял: нет, не знает.

— А вам, Светлана? Вам он знаком?

Шуцкая молчала. Я повторил:

— Светлана Сергеевна, вам знаком этот человек?

Не глядя, она ответила:

— Нет.

— Возьмите в руки, посмотрите внимательно. Я думаю — знаком.

Нехотя Светлана взяла в руки фото. Рукав халата задрался, обнажая вену со следами уколов... На фото она почти не взглянула, шепнула:

— Нет, нет... не знаю. Зачем?.. Отстаньте!

Я встал, прошелся по комнате, по полу, покрытому грязно-серо-зеленым линолеумом. Окна в этих домах-«кораблях» почему-то сделали очень высоко — на высоте груди. За немытым стеклом стояли другие «корабли». Серые, одинаковые, как колумбарии крематория... Дымили трубы ТЭЦ, выбрасывая серые клубы дыма в низкое серое небо... Мне стало страшно. Серый город-крематорий с дымящими трубами смотрел тысячами своих слепых окон прямо мне в глаза. В серых коробках были заживо погребены тысячи таких вот Светок, Ленок, Олек, Дашек... тысячи спившихся старух, чьи сыны сидят в тюрьмах... тысячи пацанов, мужчин, женщин... детей.

Я быстро, поспешно опустил глаза вниз... Внизу лежало серое асфальтовое пространство... От ларька медленно брела старуха. Белели из-под плаща мужские кальсоны, завязки волочились по земле.

Я отвернулся от окна... В комнате ничего не изменилось. С недовольным видом стоял у дверей Шах, кривил губы Зураб, сидели на смятой постели две проститутки.

— Ладно, — сказал я, — давайте подведем кое-какие итоги, барышни. Вы живете здесь без прописки... занимаетесь, как я понимаю, проституцией...

Плюс есть еще одна проблема — героин. Нормальный криминальный фон. И вот на этом фоне вырисовывается фигура исчезнувшего — скорее всего, убитого — бизнесмена. Кстати, один из последних звонков в своей жизни он сделал сюда... Не Антонине же он звонил... Ну, что будем делать?

Русакова сказала вдруг:

— Свет, расскажи им... расскажи! Ну, ты же ни при чем... а, Свет?

Шуцкая качнулась вперед, сжала руки коленями, выкрикнула:

— Я ничего не знаю! Отстаньте.

Шах оторвался от косяка, шагнул, отбросил тупым носком ботинка пустую пивную бутылку и рявкнул:

— Ты, путана ущемленная, колись... грохнула барыгу?

— Тихо, Витек, тихо, — сказал я.

Почти наверняка эта Света Владика не убивала. Но почти наверняка знает, кто это сделал. Вот-вот она начнет говорить... Это я знаю точно. В комнате стало очень тихо.

Шуцкая подняла на меня глаза, сказала:

— Он звонил... звонил он, сука.

— Владик? — уточнил я.

— Да, Владик... Он позвонил ночью. У него всегда так — как приспичит, так все бросай — приезжай. Но я не могла. Понимаете?.. Я была просто не в состоянии... Понимаете?

— Понимаю, — кивнул я. Бабенка на игле — чего не понять?

— И я сбагрила его Катьке. Вы Катьку знаете?

— Катька живет в Автово? — наугад спросил я. Последний звонок Владик сделал Митюхиной Елене Васильевне. Этот телефончик установлен в Автово.

— Да, — кивнула Светлана. — Значит, знаете?

— Не все... Что дальше, Света?

— Ничего. Он меня обматерил, но Катьке все же позвонил.

Я задал еще десяток уточняющих вопросов. Все то, что рассказала Шуцкая, было очень похоже на правду. Мерзкую и обыденную. От обыденности она выглядела еще более мерзкой.

Даже Шах помрачнел, когда Светлана рассказала, что вытворял с ней добропорядочный семьянин Владик Завьялов. А Зураб просто потемнел лицом. И Ленка приоткрыла рот. Видимо, товарка потому и не направила ее к Владику вместо себя, что пожалела землячку... Сбивчивый рассказ проститутки был похож на поток блевотины.

Неужели Вера ни о чем не догадывалась?

* * *

Я оставил Зураба сидеть со Светкой и Ленкой. И мы с Шахом поехали в Автово. Наверное, в этом была моя ошибка. Разве мог я предположить, что офицер ВДВ, выпускник Рязанского училища, воевавший в Афгане, раненый, награжденный... разве мог я предположить, что Зураб Иосифович даст себя обмануть проститутке, сидящей на игле?

Не мог... Не мог я этого предположить. И я оставил грузинского князя с проститутками, чтобы присмотрел, чтобы не дал им связаться с Катькой... Зурабик «присмотрел».

Мы с Шахом пересекли город. Мы выехали из одного района-колумбария, пересекли город, и приехали в другой район-колумбарий. Страшненький панельный пейзаж за окном моих «жигулей» был все тот же... Универсальность новостроечных декораций ошеломляла: и дом оказался таким же. И подъезд. И квартирная хозяйка. И сама квартира, где Катька снимала комнату.

Не оказалось только самой Катьки. Она ушла куда-то за десять минут до нашего появления.

Мы с Шахом остались ждать.

* * *

Мы просидели в машине почти час, когда зазвонил «Эриксон» семьянина Владика. Телефон, собственно, позванивал довольно часто. Какие-то голоса, мужские и женские, спрашивали Владислава Игоревича,

Влада или господина Завьялова. Ничего удивительного в этом нет: у человека, занятого в бизнесе, есть масса контактов... И далеко не все знали, что Владик исчез.

На этот раз позвонила Вера.

— Сергей, это ты? — спросила она.

— Я... извини, но телефон я прихватил случайно. Сегодня же верну. Куда его тебе привезти?

— Господи, о чем ты? Очень хорошо, что ты его взял... Сергей, мне только что позвонила женщина... Она сказала, что Владик убит...

— А что за женщина?

— Не знаю, сказала, что ее зовут Кэт.

Вот, значит, как!.. Кэт... радистка Кэт... Яволь, геноссе Борман...

— Сергей, ты слышишь меня?

— Да, я тебя слышу. Что еще она сказала?

— Она сказала, что Владик убит.

— Это я понял. Что еще? Соберись, Вера.

— Если я хочу знать, кто его убил и где его тело... тело... его тело...

Веру «заклинило», и она зарыдала... И тут уже я ничего поделать не мог. Оставалось только ждать, пока она успокоится.

Я сидел в машине, слушал плач тридцатисемилетней женщины с потухшими глазами, курил и смотрел, как ветер гонит вдоль улицы опавшие листья. Мне хотелось вышвырнуть в окно телефон, вышвырнуть вон Шаха... Что ты делаешь? Что ты делаешь со мной, Вера?

Плакала женщина, похрапывал задремавший Шах, ветер шуршал опавшими листьями... Звук напоминал нежный шорох капрона, когда ты проводишь по нему рукой... Тебе шестнадцать. Ты робок и дерзок. Ты полон надежды и думаешь, что впереди еще целая жизнь... А флот домов-«кораблей» все плывет. Куда он плывет?

— Извини... извини меня, Сережа... Я больше не буду.

— Ничего, все в порядке...

— Его убили, Сережа... Эта женщина за две тысячи долларов может рассказать, кто убил и где находится... тело.

— Понятно, — сказал я. — Вера, тебе нужно прямо сейчас идти в милицию, к лейтенанту Иванову. Рассказать ему все это, и тогда...

— Я только что от него, Сережа!

— Что сказал Иванов?

— ЕМУ НИЧЕГО НЕ НАДО. Он пишет бумажки. Он пишет какие-то бумажки и говорит по телефонам. Помоги мне, Сергей.

— Хорошо, что-нибудь придумаем...

* * *

Я позвонил Зурабу.

— Князь, — сказал я, — у девок была возможность позвонить этой радистке Кэт?

— Кому? — спросил Зурабчик меланхолически.

— Катьке этой.

— Нет, конечно. Как можно, Сергей?!

— То есть ты все время держал их в поле зрения?

— Конечно, дорогой.

— Никто из них из комнаты не выходил?

— Нет... конечно.

— И ты тоже не выходил?

— Э-э... я...

— Ну, выходил или нет? — спросил я, уже догадываясь.

— Я... понимаешь, Сергей, выходил на минуточку... в туалет.

— Огромное тебе спасибо, Зураб Иосифович. Ты очень помог.

* * *

— ...Что-нибудь придумаем, — сказал я.

А ничего особенного и придумывать-то не надо. Все уже давно придумано.

...Ровно в пятнадцать ноль-ноль Вера припарковала свою тачку имени товарища Генри Форда на проспекте Стачек напротив метро «Кировский завод».

День хмурился, сочился слякотной моросью. Люди у метро текли непрерывным потоком. Подъезжали и отъезжали машины, сновали маршрутки. Место для встречи радистка Кэт выбрала удачное. Интересно, сама или кто-то подсказал? Если второе, то не исключены сюрпризы.

В старые добрые времена я бы постарался привлечь к операции нескольких оперативников и «наружку»... Нынче у меня были Шах и Зураб... Мы заняли позицию минут за сорок до приезда Веры. Зурабчик — разведчик ВДВ — попытался оправдаться, но я был зол и сказал:

— Князь, я в курсе, что грузины покупают дипломы инженеров, врачей, учителей, юристов... Но чтобы купить дипломчик об окончании Рязанского высшего военного воздушно-десантного училища... нет, не слыхал!

Зураб хотел что-то сказать, но ничего не сказал. Обиделся. И стал смотреть в окно. Я подумал, что, может, зря я так: одно дело воевать с духами в Афгане. И совсем другое — здесь, с урками, насильниками, убийцами...

Шел дождь, с запада все тянуло тучи, блестели зонты над потоком прохожих... Радистка Кэт появилась с опозданием в двадцать минут. Я засек ее сразу. Не столько по описанию, которое дали Светлана и квартирная хозяйка, сколько нюхом. Путана прошла мимо «форда» раз... другой... на третий быстро рванула заднюю дверцу и села за спиной Веры. Толково! Видно, смотрит западные боевички и считает, что все делает грамотно...

— Пошли, — сказал я.

Мы вышли из машины. Я даже дверцы не стал запирать — некогда... В комнате радистки Кэт мы нашли шприц. Оптимизма это не внушало: наркоманы бывают совершенно непредсказуемы... Я не мог исключить, что Катька-Кэт приставит к горлу Веры шило или опасную бритву и скомандует: гони!

Я рванул правую заднюю дверцу, нырнул в салон. Радистка Кэт посмотрела на меня изумленно. Попыталась дернуться в левую дверь. Я не дал. А если бы сплоховал я, то на улице страховал Шах.

— Сиди спокойно, Кэт... Куда теперь-то бежать? Тем более — деньги-то еще не получены. Ты ж за деньгами пришла?

— Сдала ментам, сучка? — спросила Кэт Веру.

На переднее сиденье сел Зураб. А Вера как-то по-детски пожала плечами.

— Я не мент, Кэт, я журналист.

— Да от тебя за версту псиной несет, мусор!

— Мусор — это, пожалуй, ближе к истине. Но давай-ка сейчас не будем время терять... Слушай меня внимательно: ты попала...

— Еще поглядим, — сказала она и сжала губы.

— ...ты очень крепко попала. Ты проститутка — раз! Ты на игле — два! Владик исчез, после того как позвонил тебе — три! Уже этого достаточно, чтобы закрыть тебя на трое суток. Поняла?

Катька упрямо молчала, и это мне здорово не нравилось. Такой тип поведения мне знаком хорошо... Если не сломаешь сразу, потом намучаешься. Я продолжил:

— Поехали дальше... Твой звонок госпоже Завьяловой зафиксирован на магнитофон. Там ты прямым текстом говоришь, что знаешь, кто убил и где спрятан труп.

Вера вздрогнула. Зураб посмотрел на нее с жалостью. А у меня времени на жалость не было — я работаю. Я мусор.

— Так что в самом лучшем случае — недонесение. Не знаю, как там по новому кодексу, а по старому статья 190. Наказание предусматривает до трех лет. Но это если недонесение, Кэт... это если всего лишь недонесение...

Я немного помолчал. Атмосфера в салоне стала весьма напряженной.

— Если недонесение, — продолжил я. — А если соучастие?

Катька прикусила губу. Сейчас заговорит, понял я.

— Я не убивала.

— А кто убил?

— А деньги? — сказала она. Стойкая все-таки деваха.

— Вера, дай деньги, — попросил я.

— В бардачке, — тихо ответила Вера.

— Зураб!

Зураб открыл бардачок, извлек пачку купюр, схваченных аптечной резинкой. Я бросил их на сиденье между собой и Кэт. Дождь резко усилился, забарабанил по крыше. Тонкая пачка баксов лежала на дымчато-голубом велюре. Потоки воды бежали по скошенному лобовому стеклу... На улице потемнело, а атмосфера в салоне сделалась почти невыносимой.

Кэт взяла в руки пачку. Пересчитала... Потрясающее самообладание!

— Ну допустим... допустим, я расскажу. Тогда ты отдашь мне бабки и отпустишь? Так?

— Не-ет, родная... Ты мне впаришь, что убил Иванов... имя ты забыла, отчества не помнишь, а где живет — не знаешь... труп сброшен в Финский залив... так? И за это, золотце, ты хочешь две тонны баков? Так, родная, не бывает.

— Чего же ты хочешь?

— Для начала познакомиться, Кэт. Покажи-ка паспорт.

— Нет с собой. Дома оставила.

— Поедем домой, — сказал я и назвал Вере адрес. Вера пустила движок. Кэт нехотя расстегнула замочек сумки и вытащила паспорт.

— Отбой, Вера... Радистка Кэт нашла свой аусвайс.

Я пролистала паспорт... Екатерина Антоновна Стрельчук... номер... серия... 19 января 1979... Воронеж... прописка, соответственно, воронежская... Все как и должно быть, без неожиданностей.

— Ну? — сказала она.

Я опустил паспорт в свой карман.

— Э-э, — сказала она. — Ты что, охренел в атаке.

— Сколько стоит нынче чек черного*, Кэт?

---

* Героин.

— По-разному, — пожала она плечами. — А тебе зачем?

— Хочу знать. Киножурнал был такой: хочу все знать. Не видела?

— Ну, где как... от ста пятидесяти до двухсот.

— Значит, от пяти до семи баксов. Здесь (я кивнул на пачку), таким образом, хватит на 400 чеков... Говори, Кэт... время-то идет.

— Мне эти бабки нужны, чтобы скинуться...* Понял?

— Понял... Мне все равно, зачем тебе бабки. Мне нужно знать: кто, как, почему, когда и где убил Владика... куда дели труп?

Вера стиснула руки на руле. Зураб сидел бледный. Густо пробивала кожу синяя щетина... Наверно, они считали меня сволочью.. но на это мне было наплевать.

— А гарантии? — спросила она.

Нет, потрясающая баба. С таким характером она, может быть, сумеет скинуться... Такие случаи бывали.

— Слушай, Кэт, не пори херню! Какие, к черту, гарантии? Даешь толковую информацию — получаешь бабки и свободу. После проверки, разумеется... Нет — едем в ментуру. Или — еще смешней? Я отдаю тебя партнерам убиенного раба Божьего Владислава.

И тут она начала хохотать. Глупо, дико, с повизгиванием. Со страхом глядела на нее в зеркало Вера... Кэт хохотала, прижимала ладони к щекам, но остановиться не могла.

— Парт... парт... не... рам, — вырвалось сквозь хохот. — Парт... не... рам.

Потихоньку смех перешел во всхлипывание, а потом Кэт сказала:

— Они же его и убили!

* * *

Асфальт кончился, пошла грунтовка... Мокрые кусты вдоль дороги, пни, горы мусора... строящиеся по обеим сторонам дома.

_____

* Вылечиться, избавиться от наркозависимости.

— Далеко еще? — спросил Зураб.

— Нет, — ответила Вера, — рядом.

Это были первые слова, которые прозвучали за всю дорогу от Стачек до северной окраины города.

...После того как закончилась истерика у Кэт и прозвучали слова: «Они же его и убили», — началась истерика у Веры. Кто может ее осудить? Она и так держалась хорошо. Очень хорошо. У нее за спиной бывший одноклассник, бывший мент, разговаривал с проституткой об убийстве ее мужа... Здорово, да?

Пока Зураб успокаивал Веру, я — такой уж я стебок, ребята! — быстро колол Кэт. В тот момент она была полностью сломлена, отвечала на вопросы легко, не вспоминала ни про гарантии, ни про деньги.

...Владика убили Костик и Казбек. На квартире Костика. Пили. Трахали ее, Кэт, как могли и как хотели... Костик даже снял кое-что видеокамерой... Еще пили... Потом у них начался спор вокруг каких-то процентов, долей, рублей... Хрен поймешь, короче... Владик — урод паскудный, садист! — уж на что до секса охоч, но от процентов и долей завелся больше... Про нее забыли. Спорили. Орали. Потом Казбек и Костик начали Владика бить. Казбек — ножом. А она уже плевала на все на это — вмазалась... Под утро ее заставили мыть пол в гостиной и в ванной... В ванной крови было очень много. Все было в крови! И пол, и стены, и сама ванна. Еще там лежал туристский топорик...

— Знаешь — маленький такой. Казбек и Костик снова выпили, стали обсуждать, что делать с телом. «...Отвезем на комплекс, — сказал Костик, — там в блоке „Б" полы совсем тонкие... под низ и — бетоном!.. Хер кто когда найдет...» А Казбек ему в ответ: «Кто, мол, бетонировать будет?..» «Мудак, — сказал Костик, — я ж сам бетонщик... всех делов на час-другой...» Тогда Казбек и говорит: «Хорошо, давай. А с этой сучкой чего? Она же все видела, блядь такая! Может... ее тоже?..» Но Костик сказал:

«Не надо, она молчать будет. Ты, падла, молчи, поняла? А то кому менты поверят — тебе или нам? Ты молчи, сука, а то закроем...» И дали мне двести баксов... выгнали... больше ничего не знаю. Честно... я скинуться хочу, домой уехать... У меня мать там одна. Она больная, старая... Я скинуться хочу. СТРАШНО!

* * *

— Далеко еще? — спросил Зураб. Он сидел за рулем.

— Нет, — ответила Вера, — рядом.

Впереди показались низкие, недостроенные корпуса. Вздымалась лапа экскаватора, стояли вагончики-бытовки. Зураб аккуратно объезжал выбоины на дороге. Навстречу нам проехал КамАЗ, обдал грязной водой из лужи... Трое мужчин в спецовках оранжево-голубого цвета оживленно спорили, совали друг другу какие-то бумаги. На голову над ними возвышался Костик. Бизнесмен. Партнер. Который верит. Твердо. Который еще и бетонщик.

Мы подъехали. На нас никто не обратил внимания, все были увлечены производственным спором. Это здорово напоминало сцену из какого-нибудь фильмеца советской эпохи, «поднимающего сложные моральные-этические проблемы в жизни молодого советского рабочего». У нас никаких сложных морально-этических проблем не было. По крайней мере, у меня. Я приехал посмотреть на полы в блоке «Б». Всего-то.

Потом один из прорабов (или бригадиров — я не знаю) увидел «форд». И что-то сказал Костику. Разумеется, он знал этот «форд». Костик обернулся. Спокойно так обернулся, солидно. Как и подобает бизнесмену. Как и подобает квалифицированному бетонщику. И даже сделал морду лица, которая должна означать: удивлен... приятно удивлен, Верочка... нет ли каких известий от Владика?

Есть у нас, господин бетонщик, известия от Владика. Есть.

Первой из машины вышла Вера, и Костик двинулся ей навстречу. А потом вышли мы с Князем. И Костик остановился. А в глазенках метнулось что-то... Страх? Наверно, страх.

А потом из машины выбралась Кэт. И страх превратился в ужас. И респектабельное мурло закаменело.

Я подошел в упор и спросил:

— Где?

Он молчал... Интересно, скулила такса, когда они убили партнера? Нужно будет спросить у Кэт.

— Где блок «Б», господин бетонщик?

— Там, — сказал он, но никакого направления не показал. Так и стоял столбом, опустив руки.

— А Казбек где? — спросил я.

— Не знаю... уехал.

— Понятно... Ну, веди, хоть блок «Б» посмотрим.

И мы пошли смотреть могилу Владика — блок «Б». Вера не пошла, осталась у машины. Зураба я попросил остаться тоже — присмотреть за Кэт. За славной радисткой Кэт. Конечно, она не тянула на «17. Блондинка. 90 — 60 — 90». Но Зураб кивнул молча и остался.

А мы с бетонщиком пошли смотреть блок «Б». Он шел впереди, я сзади. Он плелся как студень, шел, не разбирая дороги. По грязи, по лужам... Дорогущие ботинки шлепали, полоскались обшлага брюк.

Блок «Б» оказался низким и гулким бетонным помещением. Совершенно пустым, безликим. Если бы я не знал, что этот «блок» стал могилой для человека, я бы просто заглянул внутрь — и вышел. Но теперь все в этой бетонной коробке носило иной смысл... Жалко ли мне моего одноклассника Владика Завьялова? Нет. Нет, мне нисколько не жалко моего одноклассника Владика. Я всего лишь бывший мент. Черствый, бездушный мент. Стебок.

Мы вошли. Шаги гулко отдавались под низким бетонным сводом. В углу по стенке сочилась вода. Что будет в этом «блоке»? Гараж? Ремзона? Склад запчастей?.. Я не знаю. Я знаю, что пока здесь могила садиста.

— Вот, — сказал Константин, остановившись в углу.

На бетонном полу выделялась «заплатка» размером полметра на полтора.

* * *

...Элитный дом... Наверное, это означает, что дом населяет элита нашего высококультурного города: ученые, архитекторы, писатели, мыслители.

— Элитный дом, — сказала Вера.

Я не стал уточнять, какого рода элита живет в доме. Элита как элита... Бляди как бляди, сказала Антонина, когда получила полста рэ на похмелку...

Мы вошли в подъезд с телекамерой над входом. Внутри, в застекленной будке, сидел охранник. Меня он изучил тщательно. Я подмигнул... Охранника звали Витя. В 1993 Витя служил в ОМОНе. Ему вменяли 148-ю — вымогательство, но за недоказанностью Витек был оправдан. Брал его я и покойный нынче капитан Р. Я подмигнул, но Витек не ответил... А форма у него красивая, черная, с надписью «SECURITY» красным шрифтом в желтом круге.

Чистый, не изгаженный лифт с большим зеркалом плавно, быстро и бесшумно поднял нас на восьмой этаж. Вера открыла стальную дверь квартиры: входи. Я замешкался на секунду... Двадцать с лишним лет назад самая красивая девочка с дерзкими глазами открыла простеньким ключом картонную дверь двухкомнатной хрущевки и сказала: «Входи... мать на дежурстве, придет часа через два».

Я замешкался на секунду и вошел. Вспыхнул свет, освещая просторный холл с зеркалом во всю стену, с изящными бра, с подвесным потолком, с... Зеркало отражало красивую с бледным лицом женщину в кожаном плаще стоимостью в новые «жигули».

— Вот... здесь я живу.

Кухня тоже была просторной. Пожалуй, он вместила бы четыре кухни, вроде той, где мы пили чай с вареньем двадцать с лишним лет назад... нормальная элитная кухня.

— Выпить хочешь? — спросила Вера.

«Я тебя хочу», — хотел сказать я. Но не сказал. А сказал другое:

— Да, выпью.

Она открыла бар. Там много разных бутылок стояло. Они искрились, сверкали, разбрасывали разноцветные лучики... Во, сказал Владик, виски!.. Ну, ты ва-а-ще стебок...

— Ты что предпочитаешь? Водку, виски, коньяк?

— Водку, — ответил я.

— Какую? — спросила она, не оборачиваясь.

— Все равно.

Она брякнула бутылками. Я подошел сзади... я подошел сзади и ощутил запах ее волос. Вера замерла... а я уже начал терять контроль над собой. Я хотел эту женщину двадцать с лишним лет... И хочу сейчас.

— Сергей, — сказала она тихо.

— Что?

— Нельзя... Нельзя, Сережа... не надо.

Она обернулась ко мне. Глаза оказались совсем близко. В них не было ничего от той девочки из десятого «а». Порыв ветра обрушился на окно кухни. Крупные капли зазмеились по стеклу... Этого я, разумеется, не видел — я ощущал спиной. И ветер, и холодный дождь, и тяжелое шевеление Финского залива.

Губы... вкус губной помады. Кажется, той же самой, что и двадцать лет назад... Снова рванул западный ветер с Финского залива... Это бред! Жена небедного питерского бизнесмена из 2000-го года никогда не станет пользоваться помадой, которая годится для шестнадцатилетней школьницы из 79-го.

Губы... губы, губы! Вкус помады. И ветер с залива. Не слишком ли много для бывшего мента?

...Нельзя, Сережа... не надо...

Эти слова звучали в моей голове семь с половиной тысяч суток. А может быть, семь с половиной тысяч лет... Какая разница?

Я поднял ее на руки и понес в спальню. Рука с шорохом скользнула по капрону колготок... И этот звук тоже был ОТТУДА, из моей юношеской катастрофы. Из беды с запахом чужого виски...

Я стал смел и опытен. Я легко справился с застежкой лифчика. Я пренебрег шепотом: не надо... нельзя... О, как я стал опытен! Как легко я сделал покорной тридцатисемилетнюю вдову с пустыми глазами. И захватил плацдарм на сексодроме мертвеца. Ты победил, бывший мент! Кого? Ты победил мертвеца! Вот такой уж я стебок!

...Ветер моей грандиозной победы летел над Финским заливом. Ветер стучал в окно кухни. Мы пили водку, закусывали сардинами и орешками. Моя победа была огромна!

— Почему ты не сделал этого тогда?
— Потому что ты сказала «нет».
— А разве я могла сказать «да»?
— Не знаю... наверно, могла.
— Ты не понимаешь...
— Не понимаю... Налить тебе?
— Налей... но все-таки ты ничего не понял. Мне было шестнадцать. Это совсем другое ощущение жизни.
— Выпьем?
— За что?
— За другое ощущение жизни.

Мы выпили. Мертвый голый бизнесмен Завьялов лежал в морге на Екатерининском проспекте. В пятнадцати минутах ходьбы от мест рябиновых. Интересно, стал бы он пить за другое ощущение жизни?.. О, он был большой стебок, наш комсомольский вожак Владик.

— А что ты понимаешь под «другим ощущением жизни»?
— Долго объяснять.
— Ты спешишь?
— Нет, я никуда не спешу... но объяснять очень долго.

...Отбойный молоток взломал бетонную «заплатку» блока «Б». От грохота заложило в ушах. Низкий свод отражал и усиливал звук.

— Копайте, — сказал прокурорский следак. На меня он смотрел зло.

Когда я позвонил в прокуратуру и сообщил о предполагаемом трупе, меня хотели послать подальше. Хорошо, ответил я, сейчас я позвоню на НТВ, в их присутствии вскрою пол и сам выкопаю труп. Перед телекамерами расскажу всю эту х... Вас устроит?.. Через час они приехали.

— Копайте.

Две лопаты легко вошли в землю. Очень скоро, на глубине полуметра всего, обнаружился сверток из шелкового покрывала. Наружу торчала правая рука со шрамом от расколотого двадцать лет назад фужера... Так что я понимаю под другим ощущением жизни?.. Долго объяснять.

Из разреза халата выглядывала грудь с розовым соском. И дымилась сигарета в холеной, с ухоженными ногтями, руке. Стервенел ветер моей победы... Я взял сигарету из ее руки, затянулся и не ощутил вкуса помады. Тогда я затушил сигарету и сунул руку под халат.

— Сережа.

Если бы она сказала: нельзя. Но она не сказала: нельзя. Она сказала: Сережа-а...

* * *

Утром я ушел. Внизу подмигнул омоновцу-security Вите. Но он мне не ответил. Он, кстати, в отличие от меня, несудимый. Так что вполне имеет законное моральное право смотреть на меня свысока. Гусь, блядь, свинье не товарищ!.. Это точно.

Я вышел из дома. Ветер моей победы уже поутих. Я прошлепал на стоянку, сел в свою развалюху. На восьмом этаже «элитного дома» светилось окно кухни. Там темнела фигура девочки из десятого «а». Самой красивой девочки с дерзкими глазами.

Я выехал со стоянки. Темное тело Финского залива в белых гребнях наваливалось на берег...

— О, как долго, Сережа, — сказала она, когда я распластался рядом с ней на кафельном полу кухни.

— После выпивки всегда долго.

— А еще хочешь?

— Чего: выпивки или секса?

— Сереж-жа!..

— Хочу, — ответил я, и мы сели выпивать. Мы много выпили, но я так и не смог опьянеть. А Вера — напротив.

— Сначала все складывалось хорошо... Родители Владика купили нам однокомнатную квартиру. Папа-хен у него все умел добыть, пробить... везде у него был блат. Нам купили мебель, родня наделала подарков. После свадьбы мы уехали в Гагры... Там он мне и изменил в первый раз. В медовый месяц! Но тогда я этого не знала, на седьмом небе была. Это уж потом по пьянке он рассказал... А тогда все складывалось хорошо. Владик бойко делал карьеру в комсомоле. Черт знает, до каких высот он бы дорос... ан — Горбачев, ГКЧП, гуд бай, Советский Союз. Вот тогда-то и начались все проблемы: и пьянка, и бабы... и злость в нем появилась... Бил меня несколько раз. Мне бы тогда уйти. Но... к хорошей, я имела в виду — к сытой, когда заграничные шмотки, собственная «шестерка» и прочее... К сытой жизни быстро привыкаешь. А тут все бросились в бизнес, время было дурное, чумовое. Бабки посыпались бешеные... Просто сумасшедшие. И Владик как-то отошел, добрее стал. Хотя теплоты в отношениях уже совсем не было. Откуда ей быть? Но жили. С виду — счастливая семья. Бездетная, но счастливая... Жили. Многие мне завидовали: Канары, Париж, Стокгольм, иномарка... Никакой теплоты уже, конечно, не было. Но как-то все устаканилось. Владик вроде погуливать перестал... ну, думаю, перебесился. Господи, если бы я знала!

— А как ты не знала?

Вера помолчала, потом налила себе еще водки, выпила залпом, сказала:

— А я и не хотела ничего знать! Понимаешь? Ты понимаешь?

— Понимаю... ты не хотела.

— Ты ни хуя не понимаешь. Что ты можешь понять? Ты знаешь, что такое одиночество?

— Нет, не знаю.

— А я звонила тебе... но ты же мент! О, ты Опер! Тебя хрен застанешь. Ты в бегах, ты с преступностью борешься... А как мне было тошно — ты знал?

— Нет. Зачем ты мне звонила?

— А как ты сам думаешь?

— Я ничего не думаю, я — мент.

Она заплакала.

— Не плачь, — сказал я. — Все — пепел.

Она продолжала плакать. Тихо, без пьяного надрыва. Из разреза халата виднелась грудь. Я встал и прошел в спальню — одеться. Ее и моя одежда лежали вперемежку. «Главное, — говорил знакомый опер, — не надеть впопыхах бабские трусы». Я оделся и вышел в кухню. Вера сидела курила сигарету.

— Куда ты? — спросила она.

— Домой.

— Прямо сейчас?

— Да, Вера, сейчас... извини.

Она поднялась, запахнула халат у горла. Движение было несколько ненатуральным, киношным.

— Когда ты сказал, что не любишь меня больше, я сначала подумала, что ты лжешь.

— Сначала я тоже так подумал.

Она снова села. Тяжело, нетрезво. Подперла голову рукой.

— Уходи. Что же ты не уходишь?

А что, действительно, я не ухожу? Раньше это никогда — почти никогда! — не было для меня проблемой. Я уходил легко. Или не очень легко... Я забыл.

— Ах да... я же еще с тобой не расплатилась... Сколько нынче стоят услуги частного детектива? — Что ты молчишь? — закричала она. — Что ты смотришь, мент?

Высота моей победы выросла до Эвереста!

— Ты хочешь меня унизить? — спросила Вера тихо.

— Нет, Вера... Я потратил сто долларов.

— Сколько?

— Сто баксов... сто долларов США.

— Ты все-таки хочешь меня унизить... так? Показать, что я сука, падкая на деньги... Что же ты не учтешь, что я два раза тебе дала? Это тоже денег стоит.

— Вера!

— Если ты добавишь: Надежда и Любовь, то получится групповуха. Ты любишь групповуху, Сережжа?.. А хочешь стриптиз? На сдачу.

— Ладно, я пошел...

— Подожди... баксы я сейчас принесу.

Она вышла из кухни. Она шаталась. Ей хотелось, чтобы я считал ее пьяной. Видимо, так ей легче.

* * *

Я вылез из машины. Ветер моей победы стих. По заливу катились волны с барашками на гребнях. В окне восьмого этажа элитного дома горел свет. Но женщина там уже не стояла.

ДЕЛО О «ТИХОМ ХУТОРЕ»

Рассказывает Максим Кононов

До работы в агентстве Кононов Максим Викторович, 33 лет, занимался коммерцией, знаком со структурой мелкого бизнеса, неплохо ориентируется в теневой экономике. Склонен к нестандартному мышлению, неплохо владеет журналистским стилем, правда, присутствует некий крен в «желтизну». Иногда злоупотребляет спиртными напитками, правда, на рабочей дисциплине это серьезным образом пока не отражалось...

Из служебной характеристики

— Эй, журналюга, курить есть?

Грязный башмак сверху ткнулся мне в шею. Что за дела? Я сжал щиколотку наглеца двумя пальцами и легонько крутанул.

— У-у, бля! — завопил мой сокамерник. Шконка едва не треснула под ним. Кто-то в углу тихо застонал во сне.

— Все заткнулись, быстро! — раздался мощный бас...

Где ж я вчера так повеселился?

Помню, я зачем-то поперся к супруге на работу. Получил в агентстве зарплату, наврал Спозараннику про срочную встречу в РУБОП, а сам дерябнул пивка и рванул в парикмахерскую на Галерной, где Юлька стала директором. Наше расставанье, как выяснилось, обеспечило ее карьерный взлет.

Но разговора не получилось. Юлька вышла с феном — я ее, видите ли, от клиента оторвал. Сразу холодом обдала: зачем явился?.. Как будто я сам знал — зачем. Сказал, что хочу отцовский долг исполнить, бабки привез. Но купюра в пятьдесят баксов вызвала у Юльки презрительный смешок: «Оставь себе на опохмелку!» Я настоял: бери, пригодятся! А когда купюра исчезла в кармане ее халата, тут же ухмыльнулся: «Разве ты когда-нибудь от денег отказывалась!»

Юлька аж побелела от злости — ох, любил я доводить ее до такого состояния... Ну а когда спиной повернулась — пришлось ее за руку схватить.

— Саид!

На Юлькин крик вырос охранник — ни дать ни взять чеченский боевик. Как только им разрешают по городу гулять?

— Слушай, джигит, дай мне с женой поговорить! — нахмурился я.

Саид изучающе оглядывал меня.

— Не понимаешь, да? Вернись на исходную, Саид — полевой командир Хаттаб тебя заждался...

— Зачэм так говоришь? — Саид сокрушенно покачал головой. Взгляд его был печален.

Но присел я все-таки вовремя — кулак Саида впечатался в обитую оргалитом стенку так, что горец взвыл от боли. На прощанье я лягнул его в коленную чашечку, услышал звон разбитого стеклянного столика и Юлькино верещанье: «Держи его, держи!» Как бы не так! Попробуй догони, сперматозоид мусульманский.

Потом я отходил от пережитого в кафе. А потом... Я уж к дому подгребал, когда от стены отделилась размалеванная девчушка:

— Молодой человек, отдохнуть не хотите?

— Отдых закончен — работать надо! — объяснил я ночной труженице, с трудом ворочая языком.

— Минетик всего за полтинник — недорого...

А ведь правда — недорого. Мой трудный день нуждался в достойном завершении. Незнакомка уже из сумочки презерватив достала, голову нагнула, когда ментовская дубинка шарахнула мне промеж лопаток. «Вот суки!» — успел я подумать и сразу же отключился...

Лязг двери.

— Кононов! — рявкнул мент.

Я спрыгнул с лежанки.

— Везет пидору, — вздохнул наверху сокамерник.

Дежурный капитан, оскалив кривые зубы, изучал мое удостоверение.

— Что ж ты, журналист! В таком солидном агентстве работаешь, а пьешь, как ханыга! Развратом в общественном месте занимаешься. Неужели нормальную бабу не найти?

И вдруг протянул руку:

— Звать меня Серегой.

— П-приятно, — пробормотал я. Башка трещала.

Кривозубый Серега достал из сейфа «Пятизвездную» и разлил по стаканам. Развернул сверток с бутербродами. Чокнулись.

— Читал я все ваши книжки! Не думал, что живого журналюгу встречу у себя в обезьяннике, — хохотнул Серега. — Как же ты залетел-то?

— Как будто не знаешь, — хмыкнул я. Водка прибавила мне смелости. — Хулиганов ловить надо, Серега, а не бизнесом заниматься вместе со шлюхами.

— Ты на нашу зарплату поживи, еще и не таким бизнесом займешься! — обиделся капитан. — А насчет хулиганов — не надо, у нас в районе с раскрываемостью полный порядок.

— Заявы не регистрируете — потому и порядок!

— Ишь ты, умный какой! — удивился Серега. И налил еще водки. Выпили. — Есть одна темка интересная, — прищурился Серега, протягивая «Беломор». — Как раз для вашего агентства...

— Раз такая пьянка, может, вернешь все, что у меня в карманах было?

Серега придвинул мне бумажник, пейджер и ключи. Деньги оказались на месте. На пейджере — одно-единственное сообщение от Спозаранника, который волновался, успешно ли прошла моя встреча в РУБОП.

Водка так подействовала, что я совсем обнаглел.

— Ну а где полтинник, который я шлюхе дал? — развалился я на стуле, затягиваясь «Беломором».

— Витек, — пнул ногой Серега спящего на диване опера. — Верни журналисту деньги.

— Какие такие деньги, какие еще деньги? — нервно затараторил мигом вскочивший щуплый опер. — Не было никаких денег, знать ничего не знаю...

— Витек! Человек заплатил полтинник, а за какое, спрашивается, удовольствие? Если денег нет — давай отрабатывай. Хочешь, — повернулся Серега ко мне, — Витек у тебя сам отсосет? — Он захохотал, довольный своей шуткой. На затравленного Витька жалко было смотреть.

— Ну его, откусит еще, — махнул я рукой. И допил остатки водки. — Что за тема-то?

— Понимаешь, — доверительно начал Серега, — привезли к нам недавно одного пьянчугу. Лыка не вязал...

— Знаю я, как вы сюда привозите...

— Да нет, — нахмурился Серега. — Конкретный пьянчуга, мочился возле ларька. Угрожал ребятам, всех нас посадить грозился. Ну, пришлось его утихомирить. А наутро выяснилось, что он прокурорский, вдобавок из нашего района. Теперь прокуратура нас за жабры взяла. Проверками, сволочи, задолбали. Начальника нашего жалко — хороший мужик, правильный, а его из-за этой твари вот-вот снимут. Может, напишешь про это?

— Почему нет? — пожал я плечами. — Только с прокурорским тоже надо поговорить — вдруг все не так было...

— Бля буду — именно так! — долбанул стаканом по столу Серега. И достал из сейфа вторую бутылку.

* * *

— Я вижу, Максим Викторович, вы неплохо отметили получение зарплаты. — Спозаранник поднял глаза от компьютера. — Кажется, вы вчера отправились на встречу с источником в РУБОП. Представ-

214

ляю, насколько содержательно прошла эта встреча и как вам было нелегко явиться на работу в полдень.

— Все туфта, Глеб! Зато мой источник свел меня с ментом, который работает на «земле». Есть классный компромат на одного прокурора!

Видеть надо, как ноздри у Спозаранника раздулись! И глаза хищно заблестели. У Глеба такое бывает в двух случаях — когда он прокалывает дыроколом бумаги (щелк-щелк!) и когда слышит, что очередной работник прокуратуры влип во что-то нехорошее. Мы в отделе называем это состояние Спозаранника «томительный оргазм». Наверное, Глеб в своей супружеской кровати держит под подушкой дырокол или Закон о прокуратуре. А может, то и другое вместе... Дело лишь в том, что, когда Глеб начинал свою журналистскую карьеру и плотно работал с ментами, те ему внушили, что все прокуроры — сволочи, мешающие честным операм раскрывать преступления.

Спозаранник выслушал историю о пьянчуге-прокуроре, потирая руки от удовольствия.

— Отлично! Ставим в ближайший номер «Явки с повинной». Обязательно этого гада сфотографируем. Думаю, написать за неделю тебе будет несложно?

— Как два пальца обоссать! — обнадежил я Глеба.

Знал бы я, чем это все кончится...

* * *

Оказалось, что даже добраться до райпрокурорского «следака» Голобородько — и то сложнее, чем обоссать два пальца. Секретарша меня послала к зампрокурора, зампрокурора — к прокурору. А прокурор — грузный дядька в засаленном пиджаке — сидел за своим длинным столом и смачно хрустел огурцом. Выслушал он меня, утирая губы салфеткой.

— Все контакты — через пресс-службу горпрокуратуры! — радостно выпалил прокурор. И достал второй огурец.

Мне это ужасно не понравилось.

— Жопа не треснет? — поинтересовался я.

215

— Что-о? — прокурор привскочил на стуле и звучно пернул от возмущения.

— Лучше бы огурец вместо затычки вставил! — бросил я на прощанье и хлопнул дверью что было сил. Но прокурор прощаться со мной не захотел.

— Статья 319-я! Оскорбление представителя власти! — услышал я за спиной крики прокурора и его тяжелый топот. — Штраф от пятидесяти до ста МРОТ!..

Я прибавил ходу.

— Исправительные работы от шести месяцев...

— Уймите вашего пердуна, — бросил я постовому на выходе. Тот понимающе усмехнулся.

— Убежал, Виктор Павлович! — в голосе мента слышалась трудно скрываемая радость.

Через десять секунд я уже вскакивал в трамвай — и гори он огнем, Виктор Павлович, со своей пресс-службой и со своим Голобородько.

* * *

В принципе, текст я мог написать и так, без встречи с пострадавшим следаком — менты мне слили массу информации. Я узнал даже, что скромный следователь райпрокуратуры ездит на черном джипе — красивая деталь для моей будущей статьи.

— Увы, Глеб Егорович! — развел я руками, входя в кабинет своего начальника. — Повидаться с господином Голобородько никак не удалось — прокурор воспротивился...

— Господин Голобородько тебя заждался, — кивнул Спозаранник на молодого человека в сером костюме, который сидел у окна и читал последний номер нашей «Явки с повинной». Он тут же встал и приветливо пожал мне руку, назвавшись Николаем Николаевичем. — А по поводу вашего инцидента с прокурором, Максим Викторович, вам придется объясняться с Обнорским. Кроме того, шефу сегодня зачем-то звонила ваша жена... Думаю, ему есть что вам сказать.

Вот непруха так непруха...

— Пойдемте, что ли, в буфет, — предложил я гостю. Мы сели в угол, взяв по чашечке кофе.

— Можно ли присоединиться? — томно спросила Завгородняя, подваливая к нам со стаканом сока в руке.

— Света, ну есть же свободные столики, — урезонил я девушку.

— А может, я хочу пообщаться! — заявила Светочка, глядя на ошалевшего Голобородько.

— После, после, не мешай взрослым дядям, — шлепнул я ее по бедру.

Света уселась за столик напротив и начала строить глазки моему гостю. Я же приготовился слушать.

— Наш прокурор, Виктор Павлович — человек со странностями, — улыбнулся Голобородько. — Но он настоящий работяга и честный мужик.

— Наверное, надо перед ним извиниться, — вздохнул я.

— Он вспыльчивый, но отходчивый. Отправил вас в пресс-службу, потому что привык все делать по правилам... Но проблема не в этом,

— Я весь внимание...

— История такая, — начал Голобородько. — Я провожал двух своих друзей. По пути мы взяли по бутылке пива в ларьке. Шли к метро, разговаривали... Да, одному из них захотелось по пути отлить. Мы выбрали тихое место. Как оказалось — не самое тихое. Но это не повод для того, чтобы нас избивать и душить. Я, между прочим, две недели провел на больничном. Следы от удавки до сих пор не прошли, — он расстегнул верхнюю пуговицу и показал пятна на шее.

— Но сотрудники милиции говорят другое! — возразил я.

— А что бы вы еще говорили на их месте? — улыбнулся Николай. — Это же так очевидно — они друг друга никогда не сдают. Вам не случалось попадать в милицию?

Я уклончиво пожал плечами.

— Вам повезло, — сделал вывод Голобородько. — Почему вы больше верите им, нежели нам, работникам прокуратуры?

Я снова пожал плечами. Нельзя сказать, чтобы меня не одолевали сомнения.

— Для вас очень важно, чтобы появилась эта статья? — осторожно поинтересовался Николай.

— Конечно, важно, — убежденно сказал я. — Этот вопрос уже решен на уровне начальства.

— А если я подкину вам... (Ну-ка, ну-ка, сколько он, интересно, мне собрался подкинуть?) — ...одну крайне любопытную тему, а вы взамен пообещаете не писать про меня — ваше начальство не будет против?

— Смотря что за тема, — поскучнел я.

— Адвокат-взяточник! — поднял палец Голобородько. — Собирает деньги с родственников клиента — якобы для следователя, для судьи. Обещает самый мягкий приговор. Но деньги присваивает себе. Приговор выносится самый суровый. А в ответ на претензии родственников адвокат заявляет: деньги ушли по назначению, судья не сделал того, что обещал, а с меня взятки гладки! И таких случаев много. Ведь, согласитесь, это же гораздо интереснее, чем какой-то прокурор, избитый в ментовке. Давно пора заняться адвокатами...

— Ну а факты?

— Дам факты!

— Я должен обсудить ваше предложение со Спозаранником, — задумчиво сказал я.

— Мы с ним уже обсудили, пока вас ждали. У Глеба Егоровича нет возражений, — улыбнулся Голобородько.

На том мы и расстались.

— Макс, — хмуро сказал мне в коридоре Обнорский. — Свои семейные дела, я думаю, ты решишь сам. Если что-то разбил в парикмахерской — надо заплатить. А с прокурорами нам ссориться не надо. Понимаешь? Старайся все-таки конфликты решать цивилизованно. Если, конечно, хочешь продолжать у нас работать.

Я понимающе кивнул.

— Максим Викторович, я вычеркиваю из вашего плана тему «писающий прокурор» и пишу вместо нее «адвокат-взяточник», — произнес Спозаранник, не поднимая глаз от компьютера, когда я вошел в кабинет.

Я кивнул снова. Все оказалось совсем не так страшно.

И уже через пару дней я имел полное досье на члена областной коллегии адвокатов Незовибатько. Я узнал, что у него три квартиры, «тойота-лексус», «форд» и 99-я. Я узнал, что он специализируется на защите молодых людей, обвиняемых в разбоях и других тяжких преступлениях. Любит рассказывать родственникам подзащитных о своих огромных связях в правоохранительной системе. Берет с них бешеные бабки, превышающие во много раз обычный адвокатский гонорар. Обещает оправдательный приговор. И каждый раз родственники остаются в дураках — и без оправдательного приговора, и без денег. Случаев, подобных тем, что мне рассказал прокурорский следак Николай, я имел в кармане целых три. Статью можно было написать за вечер.

* * *

Месяца три назад, когда Юлька узнала, что я стал журналистом и, стало быть, златые горы мне не светят, она где-то раздобыла мой рабочий телефон и начала меня доставать.

— Займись нормальным делом — я помогу тебе получить кредит! — убеждала меня жена.

Я отбивался, говорил, что все это уже у нас было — и кредиты, и долги, и наезды. Но Юлька не унималась:

— Завтра тебе позвонит Потапыч, у него сестра в банке работает, все расскажет — сколько, на каких условиях...

Я швырял трубку, она перезванивала снова. Я ее успокаивал, но через несколько минут опять вскипал. Спозаранник, слушая наши беседы, сдержанно хмыкал. Жора Зудинцев с Зурабом усмехались. Нонна высокомерно поджимала губы, и только в глазах ее новоиспеченного мужа — Мишки Модестова — я находил долю сочувствия.

Как-то я сорвался и послал Юльку по телефону куда подальше. Звонить она перестала. Тогда, выждав паузу, начал звонить я.

Но в парикмахерской, едва услышав мой голос, говорили, что Юльки нет. Я стал наносить ей визиты, последний из которых и закончился разбитым столиком. Сейчас я шел в парикмахерскую, чтобы заплатить за него сто пятьдесят баксов. На жизнь оставалось с гулькин нос...

Знакомый мне джигит стоял перед телевизором и пил из банки кока-колу. Кисть руки у него была перевязана.

Я тихонько присвистнул — Саид дернулся.

— Саид! Ты зачем убил моих людей?

Горец печально глянул мне в глаза. Классику советского кино он не знал.

— Зачэм так говоришь? — Саид неторопливо двинулся мне навстречу. Но тут же из зала вылетела, как вихрь, Юлька, шандарахнула его по голове феном, оттолкнула и подскочила ко мне:

— Принес?

Я разжал кулак — баксы исчезли в кармане ее халата.

— Все! Теперь — уходи.

— Юль, он тебя трахает? — кивнул я на Саида. — Где же твой патриотизм?

Теперь феном по башке получил уже я.

Но спорить не стал — это могло опять чем-нибудь кончиться.

Мне оставалось лишь утешиться «соткой» водки с парой бокалов пива в «Любаве» да светским трепом с буфетчицей Ларисой.

А у дома меня окликнули.

* * *

— Кононов!

Незнакомец из черной «тойоты» дружелюбно помахивал мне рукой.

Их оказалось даже трое. Два здоровых «шкафа» и юркий чернявый человечек.

— Господа, а что будет, если я не сяду в вашу машину? — полюбопытствовал я.

— Ничего! — усмехнулся «шкаф».

Я плюхнулся на заднее сиденье и достал сигарету. Чернявый тут же щелкнул зажигалкой.

— Алексей Юрьевич Незовибатько, — представился он.

— Такая солидная фамилия, а вы такой миниатюрный, — выразил я недоумение. «Шкаф» хохотнул.

— Не валяйте дурака, Кононов! — обиженно дернулся чернявый. — Вы, наверное, знаете, что нам сейчас нужно...

— Освежить дыхание? — ухмыльнулся я. Теперь захохотали оба «шкафа». Чернявый натянуто улыбнулся.

— М-да, комик... Не случайно вас называют Безумный Макс.

— Так в чем проблема, Алексей Юрьевич?

— Вам очень важно, чтобы ваш материал обо мне появился?

Я промолчал.

— Триста баксов, — сказал Незовибатько.

— Сколько? — возмущенно воскликнул я.

— Хорошо, четыреста, — поспешно исправился адвокат. — Но ни копейки больше!

— Я, можно сказать, душу вложил в этот материал — а вы мне предлагаете такие гроши... — вздохнул я и приоткрыл дверцу «тойоты».

— Алексея Юрьевича просто оклеветали, — сказал «шкаф». — На самом деле он очень квалифицированный и порядочный адвокат. И поэтому у него много завистников.

— А вы, простите, его клиент?

— Я его коллега, — «шкаф» протянул мне визитку, на которой значилось: «Абрам Фляшман, юридические услуги».

— Вы тоже адвокат? — обратился я ко второму «шкафу».

Тот широко улыбнулся:

— Не, я водила, в натуре...

— Ну что ж, господа, вы приятные люди, спешу откланяться...

— Кононов! — остановил меня Алексей Юрьевич. И протянул толстый конверт. — Возьмите — почитайте.

— Зачем?

— Здесь кое-что гораздо интереснее, чем адвокат, на которого имеют зуб клиенты. Офицер РУБОП занимается открытым вымогательством! И продолжает служить. Это полное досье на него...

Я открыл конверт. К стопке бумаг были приколоты четыре стодолларовые банкноты, которые я тут же аккуратно, держась за скрепку, передал Алексею Юрьевичу.

— Боитесь даже пальчики оставить? — усмехнулся он. — Экий вы осторожный...

— Перед сном обязательно почитаю, — пообещал я. — А писать о вас все равно придется — статья в плане стоит! Могу лишь рядом со статьей ваше интервью поместить с фотографией...

— Почему вы не можете сказать своему шефу, что факты не подтвердились и поэтому писать не о чем?

— Факты — упрямая вещь, — сокрушенно ответил я. — Они подтвердились — вот ведь загогулина какая!

— Спорим, статьи не будет? — сказал Незовибатько. — Так что лучше возьмите деньги — они вам пригодятся.

— Вам тоже! — улыбнулся я, пожимая руки всем троим.

И уже поднимаясь по лестнице, подумал, что четыреста баксов мне были бы очень кстати.

* * *

В конверте я нашел заявление в прокуратуру от гражданки Кравчук Зинаиды Николаевны. Она держала кафе на паях с подружкой. Затем подружка решила выйти из дела, Кравчук заплатила ей долю. Подружке показалось мало, она начала вымогать с бывшей компаньонши ежемесячно круглую сумму.

Но не сама, а с помощью сожителя — офицера РУБОП Сивоголовко.

Я нашел также фотографии Сивоголовко (похож на обкуренного Шварценеггера), ксерокопию его паспорта, данные его сожительницы и гражданки Кравчук. Еще там была аудиокассета, которую я тут же решил прослушать. Ничего особенного: обычный телефонный разговор, мужик требует бабки, женщина испуганно оправдывается, но при этом несколько раз явно умышленно называет мужика по имени — Мишаня. Что ж, если этот Мишаня — и в самом деле майор Сивоголовко, то материал может получиться интересный. Но сперва хорошо бы разобраться с этой чернявой «крошкой Цахес» — Незовибатько...

— Вынужден вас огорчить, Максим Викторович, — заявил мне с утра Спозаранник. — Про вашего адвоката... как его — Небейкопытко?.. мы писать не будем. Так решил Обнорский — его полчаса обрабатывала по телефону Пафнутьева.

Вот те раз! Железная леди Пафнутьева работала в прокуратуре, контролировала всех криминальных журналистов города и обязана была не допускать до печати ни одной публикации, которая хоть как-то могла повредить ее родному ведомству. Когда я однажды, сидя в кабинете Пафнутьевой, отпустил ей комплимент по поводу ее ножек, она испепелила меня взглядом, и с тех пор я стал ее злейшим врагом. Из всех сотрудников нашего агентства с Пафнутьевой мог найти общий язык один лишь Соболин — у него вообще с прокуроршами все хорошо получалось... А по-моему, женщина-прокурор — это извращение какое-то. Все равно что мужчина-зоофил.

— Что ей за дело до нашего адвоката? — удивился я.

— Говорит, что прокуратура его проверяет, а публикация может помешать. В общем, это не наше дело — шеф не захотел с прокуратурой в очередной раз ссориться, тема закрыта. Похоже, ваш адвокат оказался крепким орешком.

— Раз такая пьянка, Глеб Егорович, давайте займемся одним уродом из РУБОП...

Я вкратце пересказал Спозараннику ночную встречу с адвокатом.

— Все очень интересно, — задумчиво сказал Глеб, — только что-то мне в этой истории не нравится... Хорошо, я вычеркиваю у вас тему «адвокат-взяточник» и пишу: «рубоповец-вымогатель». Хоть мы с РУБОП и дружим, но если все окажется правдой — то почему мы должны молчать?

* * *

Кафе «Тихий хутор» оказалось обычной разливухой, пропитанной дешевым пойлом, табачным смрадом и грилем. Пока я ждал директрису — дернул в баре сто грамм водки с бутербродом и обнаружил, что водяра паленая.

Зинаида Кравчук оказалась крупной миловидной хохлушкой, с начесом, яркой косметикой и огромным количеством бижутерии. Тараторила она безостановочно, понять что-то в ее певучей жалобной речи было трудно...

— Ой, да ж Мишаня, говорю, да разве ж по-людски это, в налоговую дай, ремонтникам дай, а тут еще СЭС пришла, садитесь, говорю, я ж вам стол накрыла, кто ж слова худого скажет, говорю, да ни в жисть, Мишаня, я ж с Нинкой рассчиталась, где ж я тебе найду...

— Стоп, Зинаида Николаевна! — хлопнул я ладонью по столу. — Давай-ка по порядку...

Через полтора часа я уже был сыт по горло — к счастью, не только рассказами Зинаиды, но и свиным шашлыком, который принес с графинчиком водки в ее кабинет нагловатый бармен. Как рассказала мне хозяйка кафе, раньше их с Нинкой «крышевал» рубоповец Мишаня Сивоголовко, которого Зинаида знала еще с детства. Затем Нинка сошлась с Мишаней, и они вдвоем решили кафе у Зинаиды отобрать. Для этого Нинка сперва вышла из учредителей, Зинаида залезла в долги, чтобы рассчитаться с ней, а теперь Мишаня наезжает на нее чуть ли не ежедневно.

— Дело знакомое, — махнул я рукой. — Ну а кто тебе посоветовал разговор ваш записать и заяву накатать в прокуратуру?

— Так друзья ж и посоветовали, но результата ж никакого, шо же делать — мне ж деньги отдавать надо, а народ не ходит, да тут еще Мишаня... Ну посоветуй, шо мне делать? — она доверчиво глянула мне в глаза.

— А знаешь, Зинаида, почему народ не ходит? — закурил я сигарету из ее пачки. — Глянь в окно — улица перерыта, парковки нет, пока от перекрестка до твоего кафе дойдешь — ноги сломаешь. Эти трубы еще полгода перекладывать будут. А ведь план реконструкции давно был сверстан — вы бы с Нинкой поинтересовались, когда кафе открывали. А вы дешевой арендой соблазнились. Так?

Она виновато кивнула.

— Дальше. В кабинет тебе водку хорошую приносят, а за стойкой продают не «ливиз», а хрен знает что. У твоего бармена на роже написано, что он ворует! Один раз такое выпьешь — больше уже сюда не потянет. Дальше. Столы в зале когда последний раз протирали? Дальше. Телевизор орет так, что себя не слышно... Кто о клиентах будет думать?

— Ой, ну ты прям такой умный, такой умный, — затараторила Зинаида, — а у меня уборщица уволилась, чем я ей платить буду, если ж ты умный, так помоги...

Зинаида встала открыть форточку и как бы невзначай задела меня бедром, так что я не удержался и шлепнул ее по широкой заднице.

— Ой, да ты ж всех женихов поотбиваешь — ну-ка одерни сейчас же, кому говорю!

Я протянул руку одернуть юбку и обхватил Зинаиду за талию. Она не сопротивлялась. Когда наши губы соприкоснулись, я с удивлением почувствовал, что Зинаида мне уже совсем не кажется такой вульгарной, как при первом знакомстве. Я быстро расстегнул ее блузку и повернул ключ в двери. Через пять минут маленькая кушетка бешено раскачивалась под нашими телами, пол в кабинете ходил ходуном.

* * *

— Все вопросы — в пресс-службу РУБОП, — заявил мне майор Сивоголовко. Мы стояли у здания Управления на Чайковского, майор поглядывал на часы и периодически переговаривался с кем-то по мобильнику.

Я неторопливо закурил.

— Думаю, пресс-служба вряд ли что-то знает о кафе «Тихий хутор»...

Сивоголовко напрягся.

— ...и о его хозяйке, которая подвергается вымогательству со стороны одного из сотрудников РУБОП.

Майор оглянулся, сделал пару шагов в сторону, подозвал меня жестами и угрожающе произнес:

— Все, что связано с хозяйкой кафе — наша оперативная разработка! Никаких комментариев я давать не буду! И в ваших же интересах не допускать никакой утечки об этом деле — я предупреждаю официально...

— Слушай, майор, не надо гнать пургу! — ухмыльнулся я.

Сивоголовко схватил меня за грудки, я тут же надавил ему на костяшки рук, но ослабить стальную хватку рубоповца оказалось нелегко.

— Миша, проблемы? — полюбопытствовал крепыш в камуфляже.

— Все в порядке, — процедил сквозь зубы Сивоголовко и отпустил меня.

— Так вот, уважаемый, — продолжил я. — Комментариев ты можешь не давать, но объясняться с начальством после нашей публикации тебе придется! Расскажешь, как с хозяйки кафе бабки тряс...

— Ты что, Зинкин «пахарь», что ли? — криво усмехнулся майор.

— Ну, «пахарь», и что дальше?

— Зинка осталась нам должна...

226

— Если должна — так сядем, бумаги посмотрим и разберемся, кто кому должен! Думаю, что ты ей...

— Миша, давай быстро! — раздался крик из автобуса, куда запрыгивали бойцы с автоматами.

— В общем, так, — бросил мне Сивоголовко. — В среду в «Тихом хуторе» — в три часа. Если найдем общий язык — кое-что интересное подкину.

— Только без «маски-шоу»! — предупредил я. Сивоголовко еще раз усмехнулся и исчез в автобусе, который тут же сорвался с места.

* * *

Зинаида жила совсем рядом с агентством; только Фонтанку перейдешь — и ты уже на работе.

— Спозаранник встал спозаранку! — поприветствовал я Глеба. — «Не уходи, пожалуйста!» — взмолилась румынская разведчица Позаранку. Но Спозаранника ждали великие дела...

— Что-то, Максим Викторович, из вас пошлятина лезет, — поморщился Спозаранник. — И между прочим, уже одиннадцать часов. Понимаю, для вас это — «спозаранку». Судя по вашему виду, вы всю ночь развлекались с девушками вместо того, чтобы спать...

— Глеб Егорович! — воскликнул я. — Давно известно: нет лучше влагалища, чем жопа товарища!

Спозаранник опасливо посмотрел на меня и на всякий случай отстранился.

— Кстати, как дела с рубоповцем-вымогателем? — спросил Глеб.

Этот простой вопрос застал меня врасплох. Я ведь так и не решил, что мне делать — то ли писать статью про Сивоголовко, то ли перетереть с ним и с Зинкой на предмет финансов... Если перетрешь — то писать уже нельзя. А если он «маски-шоу» устроит — то тем более будет не до писаний. Вот ведь попал...

— Завтра — разберусь окончательно! — заверил я Глеба. И тут же решил посоветоваться с Кашириным и Шахом по поводу своей «стрелки» с майором

Сивоголовко. В «курилке» я популярно обрисовал им ситуацию, не забыв упомянуть о своих отношениях с Зинкой.

— Во дает! — захохотал Шах. — У меня такой же случай был. Здесь самое главное — не болтать лишнего во время встречи. Этот твой майор наверняка будет увешан микрофонами. И не ставь ему никаких условий — иначе под чистое «вымогалово» тебя подведут...

— Бесполезно, — махнул рукой Родион. — Если они задумали тебя «закрыть» — все равно «закроют», даже если ты будешь молчать. Агентство подставишь — мы все потом не отмоемся. Лучше не ходи на «стрелку».

— Не, ну как это — не ходи? Это уже западло! Раз бабе пообещал помочь, о стрелке сам договорился — отступать некуда! — возразил Шах. — Давай так — мы тебя завтра прикроем в кафе, свою «прослушку» установим и посидим рядом — все-таки два лишних свидетеля не помешают...

Каширин без особого энтузиазма согласился.

* * *

В кабинете у Зинаиды было спрятано аж два диктофона, а за стенкой в зале сидели за бутылкой водки Шах с Родионом. Народу почему-то набежало немерено. Музон ревел, как пробитый глушитель. Местная гопота, в дрезину пьяная, подпевала хором:

    — Крошка моя, я по тебе скучаю,
    Ты далеко, и я в кулак кончаю!..

Было уже шесть вечера, Шах с Родионом приговорили второй пузырь водки — а майор Сивоголовко так и не появился.

— Видать, не судьба! — весело попрощался Шах. Смурной Каширин оловянно смотрел в пол. Поддерживая друг друга, они удалились. Сладкая парочка — мент с бандюганом.

— Вот что, Зинаида, отдохнем где-нибудь в приличном месте! — заявил я.

— Ой, — обиделась Зинка, — а здесь, значит, неприличное!

— Давай, давай! — подтолкнул я ее. — Не все ж тебе в своих стенах торчать — посмотришь, как другие люди досуг организуют.

Через час мы уже сидели с ней в клубе злых гурманов «Хули-гули», среди обнаженных официанток, суетившихся вокруг нас с подносами. Известный шоумен Мотя-Адмирал вытаскивал посетителей на сцену — принять участие в конкурсе любительского стриптиза, а в паузах читал стишки:

> — Лежит хомяк, на нем — хомяк,
> Хуяк-хуяк — еще хомяк![*]

Зинаида фыркнула и в приступе беззвучного хохота упала на стол. Но в этот момент ментовская дубинка опустилась рядом с ее головой, фужер разлетелся вдребезги, и десяток камуфляжных бойцов с автоматами ворвались в зал.

— На пол! Всем на пол! — орал один из них в мегафон. — Что, сука, не понял?

Зацепив взглядом того, кто огрел меня дубинкой по почкам, я все искал среди бойцов Мишаню Сивоголовко. В том, что это «маски-шоу» устроили из-за нас с Зинаидой, я не сомневался.

— Приготовить документы! Оружие и наркотики сдать добровольно!

Лежа, я увидел, как Моте-Адмиралу, который собрался отползти со сцены, дали ногой под дых. Сквозь истеричные женские крики, матерщину и звон посуды я услышал вдруг знакомый голос.

— Вадим, ты что, охуел? — крикнул я самому главному из «камуфляжных», который, вскочив на стул, отдавал распоряжения бойцам.

Тот уставился на меня и вдруг сорвал маску с кучерявой головы.

---

[*] Стихотворение из репертуара Романа Трахтенберга.

— Тьфу, черт! Как ты здесь оказался, Макс?

— Зашел на ваше «маски-шоу» посмотреть! — съехидничал я.

Вадим Резаков, замначальника одного из отделов РУБОП, отвел нас с Зинаидой в фойе.

— Что за праздник-то у вас такой, Вадим?

— Да, понимаешь, подстрелили сегодня одного нашего сотрудника. Начальство в бешенстве — распорядилось рейд устроить по всем элитным местам, чтобы бандюки немного со страху потряслись.

— Вадим Романович, еще один «ствол» нашли! — подбежал к Резакову боец.

— Вадик, — вгляделся я в бойца, — эта сволочь мне чуть почки не отбила! Можно, я ему по ебальнику дам?

— Но-но! — завопил боец. — У нас «Вихрь-антитеррор», имеем право!

— Сучонок ты, а не «Вихрь»!

— Брейк! — крикнул Вадим и отправил бойца обратно. — Извини, Макс, сам должен все понять...

— Да я-то понимаю. Скажи лучше, кого из ваших грохнули?

— Михаила Сивоголовко из 8-го отдела.

— Ой! — вскрикнула Зинаида.

— Что это с ней? — удивился Резаков.

Я озадаченно молчал.

— Вадим, а за что его убрали, как думаешь?

— Врать не буду, не знаю, — вздохнул Вадим. — Но разговоры про него ходили разные... Если совсем откровенно, между нами — тварь редкостная. Помнишь историю с фальшивыми векселями «Шмакойла»?

Естественно, я помнил — Спозаранник расследовал это дело уже который месяц и чуть ли не каждую неделю встречался с президентом компании господином Шмаковым. Группа мошенников предъявила «Шмакойлу» фальшивые векселя, получила дизельного топлива на полмиллиона и успела его реализовать. Исполнителей сумели найти, но ничего от них не добились — они быстро вышли на свободу, дело зависло.

— Так вот, — продолжил Вадим, — мы работали по «Шмакойлу» вместе с УБЭПом. Там наш Сивоголовко в полный рост нарисовался — как самый главный организатор аферы. Потому мы от этого дела и отошли — некорректно своих разрабатывать, пусть «гестапо» работает.

«Гестапо» называли отдел собственной безопасности в РУБОП.

— Вадим Романович, — раздался радостный крик. — Марихуану нашли!

— Извини, старик, — попрощался Резаков. — Лучше вам отсюда уйти. И в ближайшую неделю вообще не советую шляться по ресторанам — на наших нарветесь.

* * *

— Жалко Мишаню, — вздохнула Зинаида, выйдя из ванной в желтом махровом халате. Я курил, развалясь на диване перед телевизором.

— Не пойму, Зин, он тебя в дойную корову превратил, а ты его жалеешь!..

— Все равно жаль, он же не всегда таким был, мы ж в школе вместе учились, в Черновцах, до десятого класса. Хочешь фотки посмотреть?

Зинаида порылась в серванте и достала большой фотоальбом.

— Вот он, Мишаня, он еще за мной ухаживал... А это — я, с бантиком, смешная, правда?

Но внимание мое на групповом фото подростков привлек отнюдь не Мишаня и даже не Зинаида...

— Скажи-ка, дорогуша, а это что за клоп чернявый?

— Та ж Леша это, Незовибатько.

Так-так-так...

— Ну а это что за улыбчивый шкет такой?

— Та ж Колюня, Голобородько...

Я со стоном рухнул на диван.

— Ну, Зинаида, вы мне все вместе за Севастополь ответите!

Но Зинка «Брат-2» не смотрела и потому реплику мою не поняла.

Порывшись в блокноте, я нашел домашний телефон капитана Сереги, с которым мы пили водку во время его дежурства.

— Серега, один вопрос! Как звали двух приятелей прокурорского следака, которых твои ребята задерживали?

— Да мы их сразу и отпустили, только документы проверили — они парни спокойные оказались, не то, что этот... Колобродько?

— Голобородько! Как их фамилии?

— Спроси что-нибудь полегче! У них у всех троих фамилии — с такими только в цирке выступать. Что-то типа Ебанько, только не Ебанько...

— Может, Незовибатько и Сивоголовко?

— Точно! Ну ты даешь — глубоко копаешь!..

— Спасибо, Серега, с меня пузырь! — Я повесил трубку и утомленно вздохнул. Зинаида с тревогой наблюдала за мной.

* * *

Весь следующий день я не мог найти Спозаранника — он бегал по источникам. Но зато я успел внимательно изучить все его папки с документами по «Шмакойлу». Оказывается, в этом деле сменилось аж пять следователей, но один из них носил фамилию Голобородько. Как раз именно тогда дело находилось в райпрокуратуре. По странному совпадению, именно он изменил всем подозреваемым меру пресечения и отпустил их из-под стражи. Когда выяснилось, что этих мошенников, похитивших у «Шмакойла» топливо, защищали адвокаты Алексей Незовибатько и Абрам Фляшман, я не слишком удивился.

Такую редкую удачу надо было обмыть!

Ну а когда я вернулся из пивняка, пришлось еще добавить — все агентство отмечало день рождения Агеевой. Это был как раз тот редкий случай, когда сухой закон в «Золотой пуле» нарушался — шеф делал исключение для Марины Борисовны как для ценного кадра. Я выпил за именинницу трижды, затем за ее детей, за всех ее любимых мужчин, в число которых попали и мы со Спозаранником. Но самого Глеба я так и не видел.

И лишь у туалета я услышал перебор струн и знакомый голос:

— Дэчен, дэче-е-ен...

Пригорюнившись, Спозаранник сидел напротив сортира и пел под гитару молдавскую народную песню.

— Как дела, Глеб?

— Дела херовые...

Оказывается, Спозаранник, узнав об убийстве рубоповца Сивоголовко, автоматически решил, что тема для нас закрыта — писать о том, как убитый занимался мелким рэкетом, неэтично. И потому он вычеркнул из плана отдела эту тему и вновь вписал туда прокурора Голобородько. За что Обнорский на совещании устроил ему разнос.

— Почему Кононов уже целый месяц занимается прокурором, который обоссался у ларька? — орал Обнорский. — Что там можно так долго расследовать?

Никакие аргументы шеф не желал принимать и объявил Спозараннику выговор.

— Глеб, обещаю — с тебя выговор снимут! Я тебе сейчас такое расскажу — кондрашка хватит!

Спозаранник с недоверием пошел за мной в кабинет.

* * *

Ноздри Спозаранника раздувались все больше, рука его автоматически искала дырокол.

— Итак, что мы имеем? Три закадычных приятеля-хохла — прокурор, адвокат и рубоповец — обманули «Шмакойл» на три миллиона. Но, видимо, не успели поделить деньги. Или каждый из них считал, что достоин большей доли. Короче, они явно имели претензии друг к другу. Потому Голобородько решил посадить за решетку Незовибатько и слил нам компромат на него. Но у Незовибатько оказалась крепкая лапа в прокуратуре — кто-то из начальства подключил Пафнутьеву и притормозил нашу публикацию. Заодно Незовибатько решил избавиться от организатора аферы — Сивоголовко. Сперва слил тебе на него компромат, а затем, видимо, решил, что этого недостаточно и что «Мишаню» надо ликвидировать. Скорее всего, они вдвоем — Незовибатько и Голобородько — заказали Сивоголовко. Тьфу, черт, голова идет кругом... Что же нам со всем этим делать?

— Все очень просто, Глеб! Я звоню Голобородько и говорю ему открытым текстом: либо ты нам рассказываешь, как «обул» со своими одноклассниками «Шмакойл», либо мы пишем о том, как ты обоссал ларек!

— Мудро, — резюмировал Спозаранник.

По домашнему телефону Голобородько женский голос ответил, что Николай Николаевич в отъезде, с работы он уволился и вернется не раньше чем через полгода.

— И что дальше? — спросил Глеб.

— Все очень просто. Я сейчас звоню Незовибатько и говорю ему: либо ты нам все рассказываешь про «Шмакойл», либо мы пишем, что ты взяточник, а вдобавок вместе с Голобородько обоссал ларек. И никакая Пафнутьева нас не остановит.

— Мудро, — заметил Спозаранник.

Женский голос ответил мне, что Алексей Юрьевич уехал за границу и, судя по всему, надолго.

— И что дальше? — спросил Глеб. — Позвонить на тот свет Мишане Сивоголовко мы вряд ли сможем... А фактов у нас никаких, к сожалению, нет.

— Где справедливость? — воскликнул я. — Эти два хохла сейчас на Канарах жарятся, а нам за них тут отдуваться — факты искать. Конечно, Резаков мог бы помочь — но вряд ли станет.

— Это мы сейчас посмотрим, — сказал Спозаранник и набрал номер. — Вадик, у нас с Кононовым есть к тебе интересное предложение! Мы тебе скажем, что было при себе у покойного Сивоголовко, а если угадаем — ты нам расскажешь все, что знаешь, про его участие в афере со «Шмакойлом»! Идет? Так вот — у покойного было при себе досье на прокурорского следователя Голобородько. Угадал? Чтобы тебя заинтриговать еще больше, скажу, что это досье он собирался передать господину Кононову, но, к сожалению, не успел... Ждем тебя завтра с утра.

— Честно говоря, Глеб, мне это не пришло в голову! — удивился я.

— А напрасно! — назидательно произнес Спозаранник. — Любую схему надо выстроить до логического конца — и она окажется истинной.

* * *

Даже после двухчасовой беседы с Вадимом Резаковым, которая плавно перенеслась в кабинет Обнорского, вопросов у нас все равно оставалось больше, чем ответов. Все, что нам представлялось ясным, нуждалось в доказательствах, а их не было. Будь мы следаки — мы бы даже в розыск не могли объявить внезапно исчезнувших из города Голобородько и Незовибатько.

Но поскольку мы не следаки, а журналюги — для сенсационной статьи материала у нас было более чем достаточно.

Моя многострадальная статья была уже подписана нашим юристом Аней Лукошкиной, я последний раз вычитывал завтрашнюю полосу «Явки с повинной», но тут в кабинет ворвался, как ошпаренный, Спозаранник.

— Все пропало! — причитал он. — В приемной сидит Пафнутьева и ждет Обнорского. У нее одна цель — снять из номера твою статью! А это «гвоздь» номера!

— Успокойся, Глеб! Почему ты думаешь, что Обнорский пойдет ей навстречу?

— Он не станет ссориться с прокуратурой! — в отчаянии крикнул Глеб и выскочил.

Но через минуту вбежал снова.

— Максим Викторович! Ответственное поручение! Обнорский сейчас на пресс-конференции в Домжуре, труба у него отключена. Бегите туда и сделайте все, чтобы задержать шефа на полчаса. Пафнутьева дольше ждать не станет — у нее прямой эфир с прокурором, а потом газета уже уйдет в типографию, и мы будем спасены!

Я развел руками. Что ж, наверное, Глеб и прав. Но я бы не стал так уж волноваться из-за какой-то публикации. Не выйдет — и хрен с ней...

Зеленый зал Домжура был переполнен. Сразу три телекамеры были обращены в президиум, где рядом с дамой из пресс-центра сидели наш шеф и кинорежиссер Худокормов — они рассказывали о премьере телесериала по романам Обнорского. Усатый Худокормов, посмеиваясь, травил киношные байки. Пресс-конференция, похоже, заканчивалась.

— Леха, — подкатил я к Скрипке, стоявшему в дверях. — Как сделать, чтобы Обнорский остался здесь как можно дольше?

— Сейчас организуем! — уверенно заявил Скрипка и поманил к себе пальцем сидевшую неподалеку с диктофоном большеглазую девочку. Шептался он с ней минуты две. — Смотри, что сейчас будет! — подмигнул Скрипка.

— Итак, последний вопрос! — осмотрела зал ведущая.

С места робко поднялась большеглазая девочка.

— Недавно у нас в городе произошло еще одно заказное убийство — майора Сивоголовко, — пролепетала она. — Согласны ли вы с тем, что Петербург является криминальной столицей России?

Глухой ропот раздался в зале. Обнорский выдержал паузу, набрал воздуху и гневно начал:

— Давайте разберемся, кому это выгодно — приклеить к нашему городу такой ярлык...

— Все, — потер руки Скрипка. — Это минут на сорок, не меньше!

— Гениально! — восхитился я. — С меня пиво, пошли в буфет.

Заболтавшись со знакомым журналистом из «Нового Петербурга» и выпив по три пива, мы спустились из буфета часа через полтора. Дверь в зеленую гостиную была по-прежнему открыта, оттуда доносился возмущенный бас Обнорского:

— Обзывать наш город криминальной столицей — самая большая подлость со стороны москвичей. Где больше всего крутится денег? Где совершаются самые громкие политические убийства? Конечно, в Москве...

Зал был пуст, лишь большеглазая девочка с диктофоном, раскрыв рот, восторженно внимала каждому слову Обнорского. Андрей оборвал себя на полуслове и подошел к нам.

— Что-то я заболтался, — усмехнулся он и включил свой мобильник.

— Тебя Пафнутьева очень долго ждала, что-то хотела, — сообщил ему я.

— Значит, не судьба была нам встретиться, — сказал Обнорский, думая о чем-то своем.

— Андрей Викторович, можно я еще у вас спрошу, — подошла к нам, робко улыбаясь, большеглазая девочка с диктофоном.

— Завтра, солнце мое, завтра, — Обнорский устало погладил ее по головке.

— А тебе, Макс, за отличное расследование про «Шмакойл» надо будет выписать премию... И вообще, — Обнорский критически посмотрел на меня, — пора бы тебе подстричься!

— Идея хорошая! — воскликнул я. — Может, дашь баксов двадцать до зарплаты?

Теперь у меня появился повод вновь заявиться в парикмахерскую к Юльке.

ДЕЛО О «БЕЛОЙ СТРЕЛЕ»

Рассказывает Анна Соболина

Соболина Анна Владимировна, 25 лет, сотрудник архивно-аналитического отдела.

Замужем. Муж — начальник репортерского отдела Соболин В. А.

Исполнительна, неконфликтна, но малоинициативна. Перспективы служебного роста — минимальны.

В прошлом году у Соболиной был похищен сын — Соболин А. В. В результате проведенных оперативно-розыскных мероприятий ребенка удалось вернуть родителям. Косвенно причиной похищения стала интимная связь Соболина В. А. с сотрудницей городской прокуратуры.

...Соболина А. В. поддерживает внеслужебные контакты с замдиректора агентства Повзло Н.

Из служебной характеристики

1

Это Володя предложил.

Как-то утром, когда молчание стало невыносимым, Соболин решительно отодвинул от себя пустую чашку и сказал:

— Послушай, — Володя помедлил. — Может... Я тут подумал. Пока у нас с тобой не наладится. Может быть, стоит отправить Антошку куда-нибудь?

— Куда? — я вытерла последнюю тарелку, поставила в сушилку и повернулась к Соболину.

— Помнишь, твоя мама как-то говорила, что давно не была в Пустошках?

— Да,— я машинально достала из пачки сигарету, закурила.

— Если им с Антошкой вместе поехать? На месяц или два? — Володя поднял на меня глаза.

— Что такое «Пустошках»? — Антон стоял на пороге кухни, одна кроссовка уже обута, вторая — в руках. Он смотрел на нас — «предков» — с удивлением и любопытством.

— Пустошки,— машинально поправила я его. Хотя я уже давно не работала в школе, но все равно педагога из себя полностью изжить не удавалось.— Это деревня в Псковской области. Там сестра твоей бабушки живет.

— А-а-а,— Антон немного успокоился и ушлепал в прихожую.

Володя посмотрел на часы, заторопился, спросил уже из дверей кухни:

— Ты подумаешь?

— Хорошо.

Я слышала, как он что-то сказал сыну, Антошка ответил, потом хлопнула входная дверь квартиры. Ушел. Точнее — убежал. Это не изменилось: Володя, сколько я его знала, всегда торопился. На встречу, на работу, позвонить, встретить-проводить кого-то. Только домой он, похоже, не спешил никогда.

Разве только один раз, когда я уже вот-вот должна была родить, а наш одинокий и выпивающий время от времени сосед этажом выше забылся беспокойным сном и забыл выключить кран в ванной. Я пыталась дозвониться до аварийки, отчаялась и — позвонила Соболину в агентство. Он примчался домой через двадцать минут. Хотя, даже если очень торопиться, с работы до нашего дома добираться минут сорок, если не больше...

После истории с прокуроршей я уже сомневалась, что Володя захочет так быстро добраться до дома. Я вспомнила кассету с экспериментами супруга. Вспомнила, как мне было страшно за Антошку, когда его похитили...

— Мама, мы идем или нет? — сын переминался с ноги на ногу в дверях кухни.

— Минуту, — я потушила сигарету, поставила в раковину грязные чашки. — Надевай пока куртку.

— На молнии или пуговицах? — занудством Антошка был похож на отца.

— На молнии. — Я торопливо привела кухню в порядок, натянула туфли, плащ. — Пойдем?

— Ага.

Пока мы добирались до Антошкиного садика на Фонтанке, я успела обдумать предложение Соболина. Днем, когда он появился в агентстве, я отозвала его в сторону и сказала, что согласна. Мне показалось, что Володя просиял.

Вечером я позвонила родителям во Всеволожск. Мама была удивлена, минут пять говорила, что не может поехать. Мол, нужно помогать отцу на даче: после пятнадцати лет владения участком мои родители занялись-таки капитальным строительством. Я пообещала, что Володя будет приезжать на выходных. Мама еще минут пять посомневалась и согласилась.

Неделя прошла в суете и хлопотах. Соболин добыл билеты, я бегала по магазинам, покупая Антошке одежду и все самое необходимое.

* * *

Коля Повзло, замдиректора агентства, наблюдал за нашей с Соболиным суетой с иронией и легкой обидой.

Со всеми предотъездными хлопотами я смогла только раз приехать к Повзло домой. Мы встретились как тайные любовники в дешевых романах-мелодрамах: демонстративно распрощались друг с другом и коллегами в агентстве и вышли на улицу. Повзло сел в машину, а я вышла на Зодчего России и повернула к «ватрушке» — площади Ломоносова. Здесь я дождалась Повзло и села к нему в машину.

В самом начале нашего... романа мне казалось, что это лишь мимолетное увлечение и скоро все закончиться. Но в тот вечер, за ужином при свечах, поняла, что соскучилась по Коле, что мне его не хватает.

Похоже, он все это понял. Но сказать — ничего не сказал. Может, и к лучшему. Говорили мы только о чем-то легком и постороннем. О том, что не касается ни нас, ни агентства.

После ужина мы вышли на балкон — покурить. Воздух уже был по-летнему теплым. Небо, казалось, придвинулось совсем низко: еще немного, и коснешься ладонью звезд.

— Лето, — вздохнула я.

Коля коснулся моего плеча, поцеловал в висок. Я выронила сигарету и повернулась к нему.

— Скучал? — спросила я. Он не ответил, только жадно впился губами в мои губы.

...Часа через три он отвез меня домой. В машине, прежде чем выйти на улицу, я поцеловала его. Мне было немного страшно, что Соболин выглянет в окно, увидит машину Повзло и все поймет. И я хотела, чтобы он увидел машину Коли и все понял.

2

В эту хлопотно-суетливую неделю случилось еще одно маленькое происшествие. Но я не обратила на него внимания. Слишком была занята отъездом сына.

Как-то утром я обнаружила в электронной почте агентства письмо без адреса. Там вообще не было данных ни отправителя, ни получателя. Только текст, который я быстро просмотрела.

Послание было похоже на те отчеты, что заставлял писать своих подчиненных Спозаранник. Та же обстоятельность и строгая логика. И речь там шла о совсем недавнем событии: об автокатастрофе, в которой погиб некто Бритва, парень лет тридцати, который надзирал за пятью ларьками у метро «Ленинский проспект».

На это происшествие ездили Соболин и Витя Восьмеренко. На следующий день они в красках, перебивая друг друга, рассказывали подробности.

* * *

Вечером Бритва, как обычно, обошел «свои» ларьки — с последним, так сказать, дозором.

И заторопился к машине, где его уже ждала какая-то девица. По крайней мере, о ней упоминали почти все свидетели, с которыми на месте разговаривали Соболин и Володя Восьмеренко.

А через пятнадцать минут машина Бритвы угодила под колеса большого трейлера где-то в начала Таллиннского шоссе. В машине он был один, таинственная незнакомка, которую в тот вечер видели на «Ленинском проспекте», исчезла.

* * *

Я перечитала послание и решила, что в почту агентства залетел кусок из отчета кого-нибудь из расследователей. Положила файл отдельно, чтобы потом переговорить с Глебом Спозаранником.

Но забегалась и забыла.

Наверное, все было бы иначе, если б я в тот же день показала текст Спозараннику.

* * *

Неожиданно для самой себя я обнаружила, что стою на платформе Витебского вокзала. Что поезд «Санкт-Петербург—Великие Луки» постепенно набирает ход. Что мой сын — удивленный, радостный и заплаканный — смотрит на меня из окна вагона. Что сама я с трудом сдерживаю слезы: впервые с рождения Антошки мы с ним расставались так надолго.

Поезд быстро набрал ход и скрылся из виду. Я медленно повернулась и зашагала к выходу на улицу. Мне стало совсем одиноко и очень-очень грустно.

Уже на первом этаже вокзала я вспомнила, что когда-то, еще студенткой-второкурсницей, ходила в вокзальное кафе. В ту пору мы пили кофе, курили и увлечённо обсуждали, в какой бы идеальной школе хотели работать. Счастливое было время. Только закончилось оно быстро: в начале третьего курса мои подружки уже знали, что в школе работать не будут. Ну, если только нужда заставит.

Конечно, с той поры многое изменилось. Из мрачноватой забегаловки, которая единственная работала допоздна, кафе превратилось в довольно приличное заведение.

Я взяла кофе, села за дальний от входа столик и закурила.

Хотя моя начальница — Марина Борисовна — и сказала, что после вокзала я могу быть свободна, я знала, что поехать домой не смогу. Не выдержу тишины. Оставалось пойти на работу. Там, наверное, на какое-то время я смогу забыться.

3

Еще два послания.

Я обнаружила их в электронной почте агентства, как только запустила программу. Одно пришло накануне поздно вечером, второе — днем, когда я провожала маму и Антошку на Витебском вокзале. На обоих стояла ремарка: *«From WA3»*. Ни адреса отправителя, ни адреса получателя.

Я просмотрела тексты. Короткие — ровно на одну компьютерную страницу. Говорилось в них о двух убийствах, которые произошли в городе с интервалом в двенадцать—четырнадцать часов.

От агентства на первое — на Гражданский проспект — ездила Света Завгородняя. Вечером в подъезде одного из домов застрелили бригадира по кличке Волчонок. Детали Света рассказала как-то между делом, когда забежала ко мне в комнатушку перекурить.

* * *

Волчонок оставил машину у станции метро «Гражданский проспект» и не спеша направился в сторону

дома-«книжки». В руке он нес цветы и бутылку испан-
ского вина.

Он вошел в подъезд, вызвал лифт.

Последнее, что он сделал в жизни, — закурил си-
гарету.

В него выстрелили три раза: две пули попали в
спину, одна — в голову. Первая пуля бросила его впе-
ред, на двери лифта.

Волчонок выронил цветы и бутылку, медленно
осел. Его кровь смешалась с разлившимся вином.

В таком виде его и нашли жильцы дома минут
через тридцать.

* * *

Второе убийство случилось на следующий день
утром, в районе, который курировал Соболин: в
собственной машине расстреляли молодого бизнесмена, опять-таки имевшего не только фамилию,
но и кличку — Малыш. Володя узнал об убийстве,
когда по дороге в агентство зашел по делам к
знакомому оперу. На место Соболин выехал вместе с милиционерами. Вечером, уже дома, он все не
мог успокоиться и рвался рассказать, как было
дело.

* * *

Около девяти Малыш, как обычно, вышел из подъ-
езда своего дома-новостройки. Уже от дверей «снял»
с машины сигнализацию, отпер дверцу, кинул на пас-
сажирское сиденье кейс с бумагами. Снял и аккуратно
свернул плащ.

Сел в машину и включил зажигание.

Он не обратил внимания на помятую «копей-
ку», которая въехала в двор и повернула в его
сторону.

Малыш захлопнул дверцу, включил радио (он всегда
слушал за рулем «Мелодию»).

Его машина уже тронулась с места, когда из «ко-
пейки» начали стрелять. Автоматная очередь раз-
несла лобовое стекло, прошила дверцу со стороны

водителя. «Жигуленок» притормозил. Оттуда вы-
скочил парень в джинсах и спортивной куртке. Бы-
стро подошел к Малышу и выстрелил ему в голову
из пистолета. Мгновение спустя «копейка», взвиз-
гнув тормозами, сорвалась с места и выехала со
двора.

«Копейку» нашли через два часа во дворе в пяти
кварталах от дома Малыша.

* * *

В странных файлах подробностей было не в пример больше, чем смогли добыть Света и Володя.

Во-первых, по данным неизвестного (я окрестила
его Анонимом), несколько лет назад Волчонок и Малыш проходили по делу объединенной преступной
группы. Оба полгода «парились» в «Крестах», прежде
чем дело благополучно добралось до суда и не менее
благополучно там развалилось. Малыш, похоже, сделал правильные выводы и постарался уйти в «легаль-
ный» бизнес, занялся автоперевозками. Волчонок тоже набрался ума и подался в одну из группировок,
которая держала часть Калининского района. После
выхода из «Крестов» ни тот, ни другой не были за-
мечены в чем-либо порочащем.

Во-вторых, Аноним указал, из какого оружия стреляли в Малыша и Волчонка. Бизнесмена убили из
АКМ и ТТ, а в Волчонка стреляли из автоматического
«Кольта» образца 1911 года. Кто-то мне говорил, что
этот пистолет до сих пор находится на вооружении в
американской армии.

В-третьих, Аноним приводил список возможных
исполнителей. Только клички, никаких имен. Напротив каждого имени в скобках была проставлена (с
точностью до второго после запятой знака!!!) вероятность совершения убийства.

* * *

Я создала новую папку и спрятала все три файла
туда.

Потом отпила уже остывший кофе и закурила.

Первый мой порыв — показать файлы Спозараннику, Соболину или Повзло — прошел как-то сам собой. Он словно таял вместе с каждой новой затяжкой.

Конечно, я знала, что мне скажут «большое спасибо». Так всегда бывало. Но, пожалуй, впервые с того дня, когда Володя привел меня в агентство, я поняла, что могу сделать что-то сама.

Сама... Это слово звучало так волшебно.

Не надо спешить, — сказала я себе, — показать файлы я всегда успею. Но мне самой было интересно, что за всем этим стоит.

Пожалуй, я могла бы сказать, что мне хочется лично вложить свой кирпичик в «общий дом».

Это была любимая фраза Андрея Обнорского:

— Мы все строим общий дом.

Поначалу мне казалось, что Обнорский вкладывает в эту фразу нерастраченный комсомольский задор. Но, проработав в агентстве примерно полгода, я поняла, что он искренне верит в эти слова, хотя от частого употребления они стали немного банальными.

Что я могу сделать? Узнать, кто отправляет файлы и — главное — кому.

То есть выяснить, что значит «from WA3».

Я сходила в приемную и взяла большой англо-русский словарь. Вариантов было всего два: W. A. — West Africa и W. A. — width average.

Ни Западная Африка, ни средняя ширина явно не годились.

Сигарета обожгла мне пальцы. Я потушила ее в пепельнице и почти сразу машинально взяла новую. Прикурила.

Расшифровать аббревиатуру «WA3» я смогу после того, как узнаю, кто и кому отправляет файлы. И, попутно, как их занесло в почту нашего агентства.

* * *

Как-то весной, где-то в конце марта, Глеб Спозаранник получил по нашей электронной почте письмо с угрозами. В этом не было ничего удивительного: время от времени в агентство приходили грозные послания. Они предназначались либо всем, либо кому-то из журналистов. Чаще — Обнорскому, реже — кому-нибудь из репортеров.

Однако на этот раз письмо пришло по электронной почте. И к тому же содержало много подробностей из личной жизни Спозаранника: время, когда жена отводит дочек в детский сад, и дорогу, которой его сын ходит в школу.

Через два дня пришло новое послание, в котором неизвестный подробно описал, как можно открыть дверь в квартиру Спозаранника.

Обнорский решил, что дело серьезное. Коля Повзло разыскал своего давнишнего приятеля-компьютерщика Пашу. Его и попросили о помощи: найти неизвестного «писателя».

Работал Паша в моей комнате. Я наблюдала за тем, как и что он делает. И кое-что запомнила. Тогда я спросила у Паши:

— Так любого человека можно найти?

— Следы есть всегда. Нужно только знать, где искать. Смотри... — Паша вывел на экран текст последнего послания. — Здесь не указан адрес отправителя. В принципе, это несложно: в программе электронной почты нужно заблокировать несколько элементов. И все-таки следы остаются.

Паша вышел на сервер нашего провайдера, вскрыл какой-то служебный элемент:

— Здесь фиксируются адреса, с которых пришли сообщения. А дальше уже нетрудно. Только сохранить терпение, чтобы «размотать» все сайты, через которые проходило сообщение, прежде чем попасть к нам.

Тот весенний аноним оказался хитрым и увертливым, но Паша все-таки его разыскал. А уж потом довольно быстро наши расследователи установили, что анонимками баловался пятнадцатилетний сосед Спозаранника по подъезду, который почему-то решил, что Глеб Егорович обижает великого писателя

Обнорского. Подросток видел их вдвоем в какой-то телепередаче, где Глеб и Андрей жарко о чем-то спорили.

* * *

Теперь пришло время проверить, сумею ли я хотя бы частично повторить интеллектуальные подвиги компьютерщика Паши.

Я загадала: получится — пойду до конца, нет — расскажу все Спозараннику. Или Повзло. Или даже Обнорскому.

4

Следы двух посланий на сайте провайдера я нашла без затруднений. Посмотрела на адрес отправителя, он показался мне смутно знакомым.

Я заглянула в распечатку наших респондентов: так и есть. Пресс-служба городской налоговой полиции.

С сайтом провайдера налоговой полиции я провозилась долго. Уже была готова отступить, когда вдруг стало понятно, как два «мои» файла попали на почтовый ящик полиции.

Надо было идти дальше. Откуда же эти файлы пришли?

Еще через два часа, когда у меня болели глаза и ныла спина, я знала настоящий адрес отправителя. Но это мне практически ничего не дало. Набор букв латиницей.

Что скрывается за ними?

* * *

Утром я позвонила Паше. Его телефон был в записной книжке Соболина: Володя консультировался у него, когда вел собственные расследования по делам о детской порнографии в интернете.

— Паша, это Аня Соболина из «Золотой пули». Мне нужна твоя помощь. Нужно знать, кто пользуется одним электронным адресом.

— Хорошо, — вздохнул Паша, — давай адрес.

Я продиктовала ему адрес, объяснила, как его нашла. Паша пообещал зайти в агентство к вечеру.

5

Обычно к восьми вечера большинство репортеров уже уходили из агентства. Дольше других засиживался только Витя Восьмеренко.

Примерно в половине восьмого Соболин ушел вместе со Светой Завгородней. Оба выглядели как кладоискатели, которые вот-вот выкопают немереное сокровище. Пару месяцев назад я бы почувствовала болезненный укол ревности. Но в этот вечер я была слишком занята разгадкой аббревиатуры «WA».

На листке бумаги я выписывала все новые варианты, искала в англо-русском словаре подходящие термины. К половине девятого, когда в агентстве появился Паша, голова у меня гудела. Но ничего умнее «Вайоминга» или «warrior» я подобрать не смогла.

Я курила сигарету за сигаретой и пила уже девятую чашку кофе.

— Ну, как? — я вскочила ему навстречу, когда Паша появился в дверях.

— Порядок. Интересная была задачка. — Паша прикрыл за собой дверь, сел за компьютер, запустил программу электронной почты.

— Прежде всего, как получилось, что послания к вам попали? — Паша говорил и, одновременно набирал какие-то команды на клавиатуре. — На одном из серверов, через которые шли эти файлы, произошел сбой. Вот они и попали к вам вместе с другой почтой. А шли они вот на этот адрес, — он показал на экран, где высветилось:

wa3@whitearrow.com.

— Белая... — я мучительно пыталась вспомнить, что значит «arrow».

— Стрела. Белая стрела.

— А отправитель? — осторожно спросила я. — Ты знаешь, кто он?

— Нет. Только номер телефона, с которого он посылал сообщения. — Паша записал семь цифр на листочке.

— Спасибо.

— Не за что. Мне самому было интересно. Пока.

* * *

Я знала, что дальше делать.

Набрала домашний номер Зудинцева из отдела расследований, бывшего оперативника уголовного розыска.

— Георгий Михайлович, — попросила я, — вы не могли бы выяснить, кому принадлежит один номер телефона?

Зудинцев не стал задавать вопросов. Я продиктовала ему цифры. Он пообещал перезвонить в течение получаса.

Звонок раздался через двадцать минут:

— Записывайте, Анна Владимировна. Принадлежит этот телефончик Комарову Александру Петровичу. Двадцать восемь лет. Живет вместе с супругой. Детей нет. Адрес: проспект Стачек. Судя по номеру дома — где-то в сталинских кварталах...

6

Не густо, подумала я. Ну, и что я узнала: какой-то Комаров — и все.

Неожиданно мне вдруг стало страшно. Это был совершенно иррациональный страх. Как в детстве: идешь по темному коридору и внезапно тебе мерещится, что сзади кто-то есть.

Может, рассказать обо всем Повзло?

Похоже, Коля редко сомневался, как поступить правильно. Или, по крайней мере, хорошо скрывал свои сомнения. Пожалуй, только в постели он иногда позволял себе приподнять свою маску. За ней про-

глядывал человек с комплексами. Сильный и решительный на людях, Коля, как и многие занятые мужчины, нуждался в ласке и нежности. А уже утром он
снова был «на коне»...

Зазвонил телефон на моем столе. Я вздрогнула от
резкого перехода к действительности. Сняла трубку.
Это был Соболин.

— Я звонил домой, но там никто не ответил, —
сказал он.

— Что-то стряслось?

— Знаешь, тут ребята из Центрального РУВД на
операцию пригласили. Они притон один раскрыли.
Работа на всю ночь...

Я знала, что Володя врет. Что никакой операции
нет. А если даже есть, то он не будет всю ночь
болтаться в каком-то притоне, пока опера занимаются писаниной и опрашивают еще теплых задержанных.

Но ловить мужа на лжи я не собиралась.

Я знала, что сейчас, когда Соболин мне солгал, я
могу поехать к Повзло и впервые за последние недели
остаться у него на всю ночь.

— Не жди меня, — сказал Володя. — Увидимся
завтра утром.

— Конечно. Будь осторожен.

— Нет проблем. — Я почти увидела, как Соболин
облегченно вздохнул. — Увидимся утром.

На меня опять навалился страх — теперь вполне
понятный: а вдруг с Повзло ничего не получится?
Вдруг мне придется ехать домой в одиночестве? Перспектива была самая безрадостная: ужин, немного телевизора, сон. Утром будильник меня поднимет на
ноги в пустой квартире. Начнется новый безрадост-
ный день...

— Ты чего так поздно? — Повзло, уже в куртке,
остановился в дверях моего кабинета. Я посмотрела
на большие настенные часы: начало десятого. В редкие вечера я засиживалась так долго.

— Работы было много, — ответила я. Нашла в себе силы посмотреть Коле в глаза. — Поедем к тебе?

Повзло молчал почти минуту:

— А Соболин?

— Володя сегодня занят. Ему не до меня.

— Поехали.

Я торопливо засобиралась, выключила компьютер, дрожащими руками натянула плащ.

* * *

Уже далеко за полночь, когда мы — обессиленные — лежали рядом, я спросила Колю о «Белой стреле».

— Почему ты спрашиваешь? — Он приподнялся на локте, дотянулся до пачки сигарет на полу, рядом с кроватью. Коля раскурил две сигареты, протянул одну мне.

— В интернете наткнулась на название, — неопределенно ответила я. — Зацепило...

— Это легенда, — сказал Коля. Он тщательно подбирал слова и подбирал паузы по своему усмотрению. — Помнишь 1991? Месяц-другой после путча. Когда уже запретили КПСС, а Союз еще не развалился. Из КГБ уволилось много народу. Кто-то сейчас бизнесом занимается, кто-то в политику ушел.

Повзло потушил сигарету и достал из пачки новую, чиркнул зажигалкой.

— Обнорский только что пришел в «Молодежку». Как-то он услышал, что бывшие офицеры КГБ создали свою организацию. Нечто вроде клуба. И назвали ее «Белая стрела».

— Так и было? — спросила я.

— Может быть. Мы искали «Белую стрелу» несколько лет. Но не нашли. Хотя кто-то и говорил, что именно «Белая стрела» стоит за рядом громких убийств в стране. Не только в Питере. Мы собрали большую коллекцию слухов и мифов-версий, но дальше не пошли — да и некогда было этим заниматься. Правда, недавно я слышал, что Макс Ленский из «Газеты» что-то про эту стрелу копал. В общем, не забивай себе голову. — Коля губами легко коснулся моих губы, едва слышно прошептал мне в лицо: — «Белая стрела» — это легенда.

— Хорошо, — ответила я таким же шепотом.

* * *

Я проснулась, когда рассвет только-только заглянул в окно. Коля спал рядом, во сне его лицо становилось детским.

Осторожно, стараясь не разбудить Повзло, я выбралась из-под одеяла, накинула рубашку, которую Коля выдал мне вместо халата. Прошла на кухню, села у маленького стола, закурила. Я знала, что мне нужно делать.

7

Утром, уже с работы, я позвонила Максиму Ленскому.

— Привет, беспокоит Аня Соболина из «Золотой пули». Нас Володя познакомил на Рождественском балу прессы в Доме журналиста...

— Я помню.

На Рождество в Домжуре был сначала капустник, потом дартс, много пива и пьяных разговоров.

— Макс, мне нужна помощь. Но я не хотела бы говорить об этом по телефону. Мы можем встретиться?

— Можем, — сказал он удивленно. — В три часа в бистро на Малой Садовой подойдет?

— Вполне.

Ленский работал старшим репортером в отделе новостей «Газеты». По словам Соболина, Ленский не пропускал ни одной симпатичной женщины и постоянно искал приключений. Но, главное, имел выходы на спецслужбы.

В бистро Макс опоздал на пять минут.

— Хорошо выглядишь, — сказал он. — Как дела у Володи? — спросил Макс.

— Как всегда в бегах.

Я еще колебалась. Хотя за пятнадцать минут до встречи, когда я выходила из агентства, мне казалось, что все уже решено. Я приду в бистро и сразу попрошу помощи у Макса. Но когда он появился, моя решимость куда-то делась. Может быть, потому, что Макс пришел на встречу не в костюме, а в полинялых джинсах и свободном джемпере. Он словно помолодел лет на пять и выглядел скорее как студент, чем репортер солидного издания.

— Проблемы? — вдруг спросил Макс. Его лицо стало серьезным.

— Не то чтобы проблемы... — Я наконец решилась: — Говорят, ты что-то раскопал о «Белой стреле».

— Слухами земля полнится. Не верь, Аня, всему, что говорят.

— Я серьезно. Это очень важно.

— Важно? — переспросил Макс.

— Да.

— Почему?

Вопрос поставил меня в тупик.

— Просто у меня появилась — впервые появилась — возможность сделать кое-что самой. И для этого мне нужно знать о «Белой стреле» как можно больше.

— Аргумент, — пробормотал Макс.

Я рассказала ему, опуская подробности, о странных файлах, о том, как несколько часов пробивалась через ложные «ящики». Добавила кое-что из рассказа Коли Повзло.

— Почему ты занимаешься этим? — спросил Макс.

Макс снова заставил меня задуматься. Наверное, дня за три до нашей встречи я могла бы повторить слова Обнорского об общем доме, сказала бы, что хочу вложиться в это строительство. Но уже не была уверена в этом. Действительно — почему я хочу добраться до этой «Белой стрелы», зачем мне она?

— Я хочу сделать что-то сама, — ответила я Ленскому и себе. — Сейчас в агентстве я работаю кем-то вроде справочника на все случаи жизни. Помнишь, как в рассказе «Справочник Гименея». По-моему, его О. Генри написал. — Макс кивнул. — Я не самая плохая мать. Может быть, не лучшая жена для Соболина. Но я хочу знать, способна ли на что-то большее. Я смотрю на тебя, на Соболина, на Колю Повзло —

у вас настоящая работа, настоящая жизнь. Вы живёте. Я тоже хочу попробовать «жить».

— Странная это жизнь... — пробормотал Макс. — Журналисты же ничего реально не делают. Информация — это такая абстрактная штука. Кто-то совершает какие-то реальные действия, а мы их только описываем.

— Все не так, Макс, — решила поспорить я, испугавшись, что в итоге этого разговора Ленский мне ничего не расскажет. — Именно журналисты создают ту реальность, в которой живут люди. И никакой другой реальности, кроме той, о которой рассказали в новостях, нет.

Макс неопределенно пожал плечами: мол, может быть. Мой порыв иссяк, я спросила усталым голосом:

— Ты мне поможешь?

Макс обреченно кивнул:

— На самом деле о «Белой стреле» толком ничего не известно. Один знающий человек сказал мне, что такая организация действительно есть, но они, вопреки ходившим когда-то слухам, никого не убивают. Эта организация собирает информацию. Там работают бывшие офицеры КГБ. Разведка, контрразведка... Они предлагают свои услуги тем, кто может заплатить. Но особенно себя не афишируют. Есть и другая версия: «Белая стрела» — это что-то вроде закрытого клуба. Можно предположить, что бывшие сотрудники органов не теряют друг друга из виду. Собираются раз в месяц или в полгода. Выпивают, молодость чекистскую вспоминают.

— А Коля Повзло говорил мне, что эту «Белую стрелу» подозревали в организации нескольких громких убийств.

— Это все не доказано. Когда у нас происходит какое-нибудь очередное заказное убийство, если совершено оно профессионально и если убийц не находят, сразу появляется версия о том, что оно организовано спецслужбами — или бывшими сотрудниками спецслужб.

— Ты сам-то как думаешь?

— Я думаю, что убийств эта «Белая стрела», если она существует на самом деле, не совершает. Другое дело — аналитика. Представь: сидят где-то в Москве или, скажем, Урюпинске несколько человек и принимают данные со всей страны. Не спеша анализируют, делают прогнозы... Ну, работают примерно как ваше агентство.

— А может, у них есть штат наемников-профессионалов.

— Может, и есть. Но их никто никогда не видел...

* * *

Разговор с Ленским мало что мне дал. В общем, он не сказал ничего такого, о чем бы я уже не слышала от Повзло.

Вечером я села за компьютер, посмотрела на записанный адрес электронной почты Комарова. И вдруг торопливо, словно боялась, что сама себя могу остановить, отстучала короткое послание:

«Уважаемый Александр Петрович!

Ваша информация, безусловно, представляет интерес. Если не затруднит, не могли бы Вы сообщить дополнительные сведения?»

Послание я отослала с подставного «ящика».

И только после того, как текст ушел, я осознала, какую глупость совершила.

* * *

Ответ пришел через четверть часа. Комаров приглашал меня на один из чатов для прямого разговора. Он указал свое кодовое имя — Batman.

Да, сказала я себе, человек посылает серьезные отчеты об убийствах, а выбирает для виртуального диалога такое идиотское имя.

Нужный чат я разыскала без труда. Двое — Хоббит и Гном — уже заканчивали «разговор». Я набрала первые строки:

«Batman, я здесь. Русалка».

Когда мы только познакомились, Соболин меня так называл. Давно это было. И теперь уже никто меня так не зовет...

Комаров отозвался:

«*Кто вы?*»

«*Не так быстро*».

«*Как вы узнали обо мне?*»

«*Не так быстро*».

«*Чего вы хотите?*»

«*Личной встречи*».

«*Зачем?*»

«*Это в ваших интересах*».

«*Кто вы?*» — опять спросил Комаров.

Вот зануда, подумала я. Хотя нет: Комаров напуган. Он пытается узнать, как я на него вышла. Я решила его успокоить:

«*Я не причиню вам вреда. Мне нужно только поговорить*».

«*Как вы меня нашли?*»

«*Расскажу при встрече*».

«*Встречи не будет*».

«*Александр Петрович, я думаю, ваши файлы смогут заинтересовать кого-нибудь еще. Например...*»

«*Вы угрожаете?*»

«*Размышляю*».

«*Файлы ничего не доказывают*».

«*Они доказывают многое*».

Комаров сдаваться не хотел:

«*Мне нужно подумать*».

«*Думайте, — разрешила я. — Но недолго*».

8

Комаров отозвался на следующее утро.

Он назначил встречу на восемь вечера справа от входа в метро «Спортивная». Комаров коротко описал свою одежду.

* * *

День прошел в каком-то тумане. Даже огромное задание от Спозаранника не вызвало у меня никакой реакции: он просил подробную, с начала года, справку по самоубийствам студентов.

Я рассеянно его выслушала, машинально записывая по пунктам, что ему требуется.

Эта встреча с Комаровым. Уж очень она была похожа на сцену из плохого фильма про шпионов. Мне захотелось отменить встречу, рассказать все кому-нибудь — Обнорскому, Повзло, Соболину.

Не рассказала. Вышла на улицу, добрела до Катькиного садика, опустилась на скамейку. Рядом сидела парочка студентов. Он что-то страстно говорил ей, она слушала, чуть наморщив ясный лоб.

«Не верит, — машинально подумала я. — И правильно. Так ему и надо...»

Я решительно потушила сигарету и заторопилась в агентство: я отсутствовала почти сорок минут. Марина Борисовна этого не одобряла.

В четверть восьмого я вышла из агентства, на Невском села в маршрутку.

* * *

Я подошла к спуску в подземный переход, мгновение помедлила и заставила себя спуститься вниз. Повернула налево, ко входу в метро. Встала справа от прозрачных дверей. На моих часах было ровно восемь вечера.

Через двери проходили редкие пассажиры. В будни «Спортивная» была немноголюдна. Кто-то мне говорил, что во время матчей на «Петровском» ее вообще закрывают: от греха.

Я почувствовала, что кто-то тронул меня за руку, подняла глаза от гранитных плиток пола.

9

Александр Петрович Комаров не выглядел на свои двадцать восемь. Никакого костюма. Слаксы, рубашка, пестрый галстук и просторный пиджак. Комаров, вопреки моим ожиданиям, не выглядел ни испуганным, ни подавленным.

— Вы — Русалка? — спросил он. Его голос мне понравился.

— Да, — я чуть улыбнулась. — Привет, Batman.

— Пойдемте.

— Куда?

— Вы хотели поговорить?

— Да, но...

— Разговаривать в подземном переходе не совсем удобно, — голос Комарова стал язвительным.

Я не могла с ним не согласиться. Комаров взял меня под руку:

— Здесь недалеко есть неплохой бар.

С Большого проспекта мы свернули на какую-то боковую улицу и зашли в полутемный просторный зал. Комаров заказал пиво и чипсы. Сел напротив меня.

Я молчала. Вроде бы я добилась, чего хотела. И теперь не знала, что с этим счастьем делать. Комаров заговорил первым:

— Меня зовут Саша.

— Знаю.

— А вас?

— Анна.

— Как вы меня нашли?

— Всего я рассказать не смогу, — ответила я как можно тверже.

— По крайней мере, где я допустил ошибку? — из голоса Комарова пропала ирония. Он просил.

— Сбой в одном из почтовых ящиков. Копия послания попала ко мне.

— Итак, что вы хотите знать?

— Что такое «Белая стрела»?

Комаров молчал. Я уже приготовилась к тому, что он встанет и уйдет.

Но он заговорил. Сначала неуверенно, потом быстрее. Я слушала внимательно и не перебивала. В кармане моего плаща работал диктофон, я надеялась только, что звук «пропишется» хорошо, что пленки хватит на весь разговор.

Через сорок минут мы вышли из бара, Комаров зашагал в сторону «Петроградской», а я повернула к «Юбилейному».

10

Кассету с рассказом Комарова я стала слушать, как только вернулась домой. Не было слышно практически ничего. Надо было взять у Спозаранника его сверхчувствительный диктофон или прикреплять на одежду микрофон. Я расстроилась. Потом решила по памяти — пока не забыла — записать все, что рассказал Комаров.

* * *

Комаров начал свой рассказ «от яйца», как в романах Диккенса: родился я...

Детский сад. Школа, последние два года — в одном из первых в городе усиленных математических классов. Прямая дорога на экономический факультет университета. Но Саша пошел в Военмех. Первые четыре года — обычная жизнь. Перед началом восьмой сессии его пригласили для беседы двое мужчин. Осторожно порасспрашивали о житье-бытье, об интересах, о военной кафедре... Таких встреч было еще четыре. Всякий раз собеседники начинали издалека. Только на последней встрече один из них спросил:

— Вы бы хотели работать в Комитете?

Саша попросил время подумать. Потом все же согласился.

Когда учиться Саше оставалось всего несколько месяцев, случился путч. Его «знакомые» куда-то запропали.

Комаров защитил диплом, по распределению попал в «почтовый ящик». И тут о нем вспомнили. Он стал работать в ФАПСИ — в инженерно-техническом отделе.

Он работал в ФАПСИ уже четвертый год, получил звание старшего лейтенанта, когда его завербовали в

260

«Белую стрелу». К Комарову пришел немолодой мужчина — около шестидесяти, — представился как Виктор Палыч и показал компромат.

(На мой взгляд, компромат этот был и не компромат вовсе, а так — сплошная ерунда. А может быть, Комаров рассказал мне не всю правду.)

Итак, за полгода до встречи с отставным полковником случилась с Сашей одна история. Жена уехала к родителям. А он не утерпел, захотел экзотику попробовать. И пригласил к себе двух барышень. Чтобы они эту самую экзотику организовали. Но барышни оказались не простыми штучками: они Саше в шампанское сыпанули клофелину и квартиру обнесли. Это полбеды. Главное — удостоверение с собой прихватили.

Саша проспался, обнаружил пропажу и кинулся звонить приятелю в Федеральную службу охраны: помоги! по гроб жизни обязан буду!.. Удостоверение и барышень нашли к вечеру. С ними Саша разобрался сам. «По команде» или в милицию о казусе заявлять не стал.

Вот эту-то историю Саше и предъявили. Виктор Палыч объяснил, что может случиться, если о потерянном удостоверении узнают начальники Саши, а о барышнях — жена.

Саша сломался. Отставной полковник был удивлен, как быстро это случилось.

И завертелась двойная жизнь Саши Комарова: между ФАПСИ и «Белой стрелой». Правда, в организации многого не требовали, а деньги платили исправно. Раз в неделю или чаще Саша пересылал в «Белую стрелу» отчеты по громким — резонансным — делам и случаям, обзоры по кримобстановке в Питере.

Один из таких отчетов и попал в электронную почту агентства.

* * *

Прежде чем мы расстались, я потребовала — зачем, этого я себе объяснить сейчас уже не могла, —

чтобы Комаров организовал мне встречу с этим отставным полковником Виктором Палычем. Или с кем-нибудь еще.

Я задумалась: почему Комаров не удивился и не испугался этого требования? Похоже, он знал: этим наш разговор и должен был закончиться.

Он сказал, что позвонит дня через два, может — три. Я предупредила, что на четвертый день найду его сама или...

Оставалось только ждать.

11

— Внимание! Поезд «Санкт-Петербург—Москва» отправляется. Провожающих просим выйти из вагонов...

Меня никто не провожал.

Точно так же, как никто не знал, что я уехала в Москву. Марине Борисовне, Володе и Коле я сказала, что поеду к подруге под Новгород. Что хочу хоть раз — пока Антошка в Пустошках — отдохнуть без мужа и родственников. В агентстве мне поверили.

* * *

На исходе срока — вечером третьего дня — Комаров прислал сообщение. Он снова вызывал меня в тот чат, где мы разговаривали в первый раз.

«Завтра вы должны ехать в Москву. Поезд 23.50. На Ленинградском вокзале вас встретят».

«Как я узнаю, кто меня встречает?»

«Они сами к вам подойдут».

Он ушел из чата первым.

* * *

Моей соседкой по купе оказалась девушка-переводчица. Она вбежала в купе минуты за две до отправления поезда.

— Добрый вечер, — обворожительно улыбнулась.

Я посмотрела на попутчицу и почему-то вспомнила,

как Володя уходил из агентства со Светой Завгородней.

— Татьяна, — представилась девушка.

— Анна.

— Очень приятно. — Девушка раскрыла свою дорожную сумку, достала джинсы и футболку. — Вы не будете возражать, если я переоденусь?

— Мне выйти? — спросила я.

— Если вас не затруднит... Знаете, я очень стесняюсь.

— Нет проблем, — сказала я, достала из кармана куртки сигареты и отправилась в тамбур.

Когда я была маленькой, мне нравилось ездить на поездах. Это было настоящее путешествие, со своим особым ритмом — перестуком колес. В тамбуре, разглядывая тающие кольца дыма, я вспоминала наши с родителями поездки.

Все закончилось, когда я встретила Соболина. Я сама выбрала роль домохозяйки, которая больше похожа на суетливую курицу-наседку, чем на женщину.

История с Комаровым что-то изменила во мне. Хотя я не могла сказать, что именно.

Вдруг я очень захотела, чтобы Соболин был рядом, чтобы он крепко обнял меня, поцеловал. Именно Володя, а не Коля Повзло. Я потушила сигарету в консервной банке-пепельнице и вернулась в купе.

Татьяна, словно извиняясь за казус с переодеванием, пригласила меня распить бутылочку коньяка:

— Мне мой друг на дорожку дал. Сказал, что это принесет мне удачу.

Обычно я коньяк не пью, но тут согласилась.

Попутчица немного рассказала о себе. Оказалось, что мы закончили один и тот же вуз — пединститут Герцена. Только Татьяна училась на инязе. После института поработала учительницей в гимназии, но через год уволилась.

— Когда поступала, казалось, что учитель — мое призвание. Но за год я поняла, что либо дети меня возненавидят, либо я сама их ненавидеть начну.

Она стала переводчиком. Ее постоянно приглашали на сдельщину: в Москву, в Калининград, в Таллинн... Татьяна показала мне свой загранпаспорт, в котором пестрели разные визы.

Я больше молчала. Сказала только, что еду я в Москву к подруге. Что у меня есть муж и сын, которых я очень люблю.

* * *

Я не знаю, что меня разбудило. В купе было уже не темно — сумрачно. Татьяна спала, отвернувшись к стенке.

Желание закурить было настолько острым, что я поднялась с полки, торопливо, путаясь в рукавах и штанинах, натянула джинсы и футболку. Защелка на двери предательски громко щелкнула, когда я ее повернула.

Вышла в тамбур. Мне было страшно и одиноко. Хотелось плакать. Хотелось к маме, к Володе, к Коле. К кому-нибудь, кто скажет, что вся история — сон.

Впервые я поняла, что может статься... Может статься, я никогда не увижу Антошку.

12

Поезд, замедляя ход, втянулся в перепутья Ленинградского вокзала, уже катил к перрону. В коридоре слышались торопливые шаги пассажиров, готовящихся к выходу. Я натянула куртку, повернулась к Татьяне, которая уже переоделась в свой деловой костюм:

— Всего доброго.

— До свидания, — моя попутчица возилась с молнией на сумке.

Я уже взялась за ручку двери, когда чьи-то руки (*почему «чьи-то»? Кроме Татьяны, в купе никого не было*) схватили меня за плечи, лицо накрыла влажная тряпка, я выронила сумку, села прямо на пол и провалилась в темноту.

* * *

Я пришла в чувство уже в машине.

Кто-то уложил меня на медицинскую каталку, пристегнул руки и ноги ремнями. Вроде бы так возят буйных пациентов. Чтобы они сами себе не навредили. Голова гудела.

Я открыла глаза. Немного повернула голову: занавески закрывали стекла машины.

— Здравствуйте, Анна, — услышала я мужской голос. Но увидеть его смогла, только когда машина остановилась, меня отстегнули от каталки и помогли выбраться на улицу. Немолодой мужчина в светлом костюме поддержал меня за руку. Наверное, это и есть бывший полковник?

— Виктор Палыч?

— Вы чрезвычайно догадливы. Для...

— ...домохозяйки? — закончила я за него.

— Для женщины.

Машина — настоящая «скорая» — стояла перед подъездом пятиэтажного длинного дома. Метрах в ста от здания виднелся забор.

— Где я?

— Там, куда так хотели попасть. — Голос Виктора Палыча приобрел некоторую напыщенность. — Добро пожаловать в «Белую стрелу».

— Это вам я должна сказать «спасибо»?

— Зачем? — улыбнулся Виктор Палыч. — Зачем обижать Сашу Комарова? Он хорошо поработал.

— Значит, его история — ложь?

— Не вся.

— Так он действовал по вашим указаниям?

— Конечно.

— А три дня — это он с вами советовался?

— Это мы вас проверяли.

— Проверили?

— Проверили.

— А зачем это похищение? Я ведь и так к вам ехала. Добровольно. Сама...

— Чтобы продемонстрировать вам, что мы серьезная организация. Решительная — если надо, конечно. Что нам нельзя угрожать. Что правила игры устанавливаем мы.

* * *

Мы вошли в двери, рядом с которыми я заметила табличку — *ОАО «Стрела»*.

Почему-то мне не было страшно. Было любопытно.

Лифт остановился на четвертом этаже: на электронном табло над дверью высветилась цифра. От лифта мы повернули направо, зашагали по длинному коридору. Двери были закрыты. Кроме одной. Я заглянула. Простая мебель, компьютер. Ничего необычного.

Наконец мы вошли в просторный зал. Вдоль стен стояли стеллажи с компакт-дисками, в центре штук десять компьютеров...

— И это все? — неожиданно для самой себя спросила я.

— Что «все»? — не понял Виктор Палыч.

— Это и есть «Белая стрела»?

— Здесь хранится информация.

— Зачем? — задала я идиотский вопрос.

— Информация — это власть.

— Это банально.

— Это правда.

— Вы знаете, что рассказывают о «Белой стреле»?

— Пусть рассказывают. На самом деле мы, возможно, единственная реальная разумная сила в нашей стране.

— А кто определил разумность?

— Мы сами. Кто же еще? — Виктор Палыч казался обиженным.

Мы помолчали.

— Что еще вы хотите знать о «Белой стреле»? — спросил Виктор Палыч.

Я задумалась и поняла, что азарт пропал. Я ничего не хочу знать об этой «Стреле». Я хочу домой.

Наконец я решилась спросить:

— Что дальше? Вы меня убьете?

— Зачем? — удивился Виктор Палыч.

— Я слишком много знаю.

— Мы уже поняли, что вы ничего не знаете.

— Я слишком много видела.

— Вы видели офис акционерного общества «Стрела», одной из специализаций которого является обработка и анализ информации.

— Значит, вы меня не боитесь?

— Мы вас будем контролировать. Кроме того, вы же любите своего сына?

Я кивнула.

— Вы же хотите, чтобы он вернулся из Пустошек живым и здоровым?..

13

Полтора месяца спустя я встречала на Витебском вокзале поезд из Великих Лук: мама и Антошка возвращались из Пустошек.

Я никому не рассказала о том, куда ездила. Впрочем, меня никто и не спрашивал.

* * *

Ночь я провела у Повзло.

Это была наша последняя ночь. Я так решила, но сказать ему не смогла.

Коля разбудил меня в шесть. Пока я принимала душ, он приготовил кофе и бутерброды. Полчаса спустя мы уже спустились вниз, к машине.

Перед входом на Витебский вокзал Повзло остановил машину.

— Ты пойдешь со мной? — вдруг, неожиданно для самой себя, спросила я.

— Нет.

Я вышла из машины.

Витебский вокзал всегда напоминал мне джентльмена-викторианца, который с тоской смотрит на неузнаваемый уже мир. Модный костюм перестал быть модным, манишка посерела, а сюртук протерся на локтях, трость потемнела...

Я поднялась на платформу. До прихода поезда оставалось десять минут. Я опять вспомнила...

* * *

...Я возвращалась из Москвы, от Виктора Палыча, на дневном проезде, в сидячем вагоне.

Вопросов в голове было много. Ответов — мало. Зачем Комаров пошел со мной на контакт? Испугался, что кто-то перехватывает его сообщения. Зачем меня вызвали в Москву, когда поняли, что я ничего толком не знаю? Хотели, чтобы я прекратила возню вокруг «Белой стрелы». Почему не убили? Потому что я не опасна.

Но ведь я узнала довольно много. Может быть, мне, как только выйду из поезда на Московском вокзале, пойти в прокуратуру, в ФСБ, в милицию? Нет, не пойду — меня, наверное, выслушают, но ничего делать не будут: собирать информацию в нашей стране не преступление...

И все-таки почему меня отпустили?

* * *

— Внимание! К платформе номер четыре, правая сторона, прибывает поезд «Великие Луки—Санкт-Петербург»...

Я вышла на середину платформы, чтобы Антошка меня сразу увидел.

— Мама! — Антошка мчался ко мне по платформе. Я подхватила его на руки. Как он потяжелел и подрос.

— Привет, сынок.

— Знаешь, мы с бабушкой...

О своих летних похождениях — рыбалка, раки, грибы, ягоды, поездка в Псков, поездка в Печоры — Антошка рассказывал всю дорогу до дома. Перескакивал с одного на другое, сбивался, хватал меня за руку.

Мама поехала с нами: она хотела отдохнуть с дороги, прежде чем возвращаться во Всеволожск.

* * *

На работу я добралась к полудню.

Заглянула в репортерский отдел.

— Что нового?

Витя Шаховской оторвался от компьютера:

— Сегодня утром в собственной квартире убили инженера из ФАПСИ. Комаров его звали.

На меня накатила слабость, я услышала свой голос — далекий и чужой:

— Почему?

— Ограбление. Комаров получил три пули в голову.

За что убили Комарова? Почему отпустили меня?

Я включила компьютер. Пока он запускался, закурила. Руки дрожали. Заглянула в электронную почту.

Первое послание было адресовано лично мне.

«Встреча сегодня, в 20.00. Метро „Спортивная". Справа от входа».

Я знала, что пойду на эту встречу.

ДЕЛО
ОБ ОБИЖЕННЫХ ЖУРНАЛИСТАХ

Рассказывает Владимир Соболин

Соболин Владимир Альбертович, 26 лет, русский. В прошлом — профессиональный актер. После окончания Ярославского театрального училища работал в театрах Казани, Майкопа, Норильска и Петербурга.

В агентстве возглавляет репортерский отдел.

Мобилен, инициативен, имеет хорошие контакты с сотрудниками правоохранительных органов.

Женат. Имеет сына. Жена — Соболина А. В. — также работает в агентстве. После того, как стало известно, что Соболин состоял в интимной связи со следователем прокуратуры города Л. Смирновой (по версии Соболина этот роман облегчал ему контакт с источником), отношения между супругами остаются напряженными, что негативно сказывается на их деятельности в агентстве...

(Из служебной характеристики)

— Чтобы завести автомобиль без ключа, угонщику достаточно такой Т-образной рукоятки. Вгоняешь ее со всего размаха в замок зажигания, пробиваешь до контактов, поворачиваешь, контакты замыкаются... Все — можно ехать, — рассказывал я.

— Значит, от угонщиков защититься нельзя?

— Нельзя — если уж захотят угнать ваш автомобиль, — непременно угонят. Но можно максимально усложнить им задачу — если выяснится, что на угон придется потратить слишком много времени, они, скорее всего, могут и не рискнуть.

— Все, снято. Только, Володя, огромная просьба, ты уж на моей машине не показывай. Примета дурная. — Бородатый оператор «Информ-ТВ» снял с плеча камеру. — Ну, ладно, смотри себя сегодня в 23.15.

Э-э-э, нет, в 23.15 я буду заниматься кое-чем гораздо более захватывающим, чем просмотр себя по телевизору.

Я вылез из-за руля его «четверки» с фирменным знаком передачи на борту — интервью для вечернего обозрения городской прессы было готово. Пускай телезритель знает обо всех премудростях угона — этому была посвящена моя статья в последнем номере ежемесячника «Явки с повинной», который выпускало наше агентство.

Надо было приниматься за работу. Я поскакал вверх по лестнице доисторического здания, второй этаж которого занимала «Золотая пуля». В дверях столкнулся с главным нашим журналистом по мат. части — Алексеем Скрипкой.

— Телевизионщики были? — обеспокоенно спросил Скрипка — с появлением у агентства своей газеты на его накачанные борцовские плечи легла еще одна забота — продвигать наше издание везде, где можно и нельзя, именно Скрипка и сосватал меня рассказать ребятам с петербургского телевидения об автомобильных угонах.

— Все — тип-топ, — успокоил его я.

— Был у меня один приятель — профессионал большого эфира, — начал рассказывать одну из своих бесчисленных историй Скрипка, — так он в эфир не мог выйти, не выпив за полчаса до этого литр пива. Причем исключительно «Балтики». И исключительно номер четыре. Давление в мочевом пузыре придавало ему блеск в глазах и ощущение ритма эфира. Правда, сразу после команды «Стоп» он как бешеный несся в сортир.

Произнеся это, Скрипка потопал вниз по лестнице, бросив мне в спину требование постирать фирменную майку с логотипом «Золотой пули» на груди и надписью на спине по кругу мишени «Не стреляйте, я журналист, пишу как умею...».

Было 18.15 — время валить с работы. Репортерская банда еще была на месте... Частично. Восьмеренко, как всегда, невзирая на строгий запрет начальства всех мастей, гонял на стареньком «пентиуме» в виртуальный футбол. Клавиатура только жалобно скрипела под мощными ударами его рук, с губ великого футболиста срывались изысканные, но непечатные филологические обороты. Витя Шаховской сидел на телефоне. Валя Горностаева засовывала блокнот в свою сумочку, намереваясь покинуть наш информационный рай.

— Володя, я могу идти?

— Конечно, — разрешил я.

Все агентство знало, что у них со Скрипкой роман, и сейчас он ждет ее на улице Росси за рулем своей побитой «шестерки» цвета мурена. Могли бы и не строить из себя конспираторов.

Света Завгородняя в эту пятницу на рабочем месте так и не появилась. Утром она позвонила и убитым голосом заявила, что страшно болит голова и придти она не сможет, но постарается обзвонить источников из дома. Ну-ну, главное, чтобы потом не пришлось всем агентским кагалом вытаскивать ее из «мерседеса» какого-нибудь бритоголового братка — знаем мы ее головные боли.

— Кто сегодня дежурный? — задал я риторический вопрос.

— Я, — ответил Шах, оторвавшись на минуту от трубки.

— Витя, я сваливаю. Если что срочное — сбрасывайте на пейджер.

В коридоре я встретил начальницу архивно-аналитического отдела Агееву с двумя огромными папками в руках.

— Уже уходишь, Володечка? Счастливый, а нам опять до полночи пахать — очередной заказ для шведов делать. Анечке привет передавай...

— И рад бы, да не могу. Она с Антошкой — на даче, а мне придется в городе париться — главу

«Криминального Питера — третье тысячелетие» сдавать надо.

— Завидую я тебе, Володя. Ты писучий, а нам старухам...

Агеева кокетничала — для своих лет она выглядит просто изумительно, а уж романы крутит — Светке Завгородней на зависть. К тому же, скорее всего, она знала, что я лукавил, говоря о причинах своей непоездки на выходные к семье.

До семи вечера оставалась еще уйма времени. Как раз, чтобы, не торопясь, пешком пройти половину Невского проспекта и занять свободный столик в «Идеальной чашке» — не стоит опаздывать на свидание, если уж сам его назначил...

* * *

Разбитое можно склеить. Вот только целым оно уже не будет. Конечно, я виноват больше: все эти прокурорши, дочери олигархов и «выдающиеся художницы» — все эти мои интрижки нашу с Анютой жизнь не укрепляли, даже если до поры до времени она ни о чем и не догадывалась...

Но и моя благоверная хороша — сама в разгул не хуже меня ударилась. И с кем? С Повзло... Я вот, например, на работе и помыслить не мог интрижку себе завести, хотя и было на кого обратить внимание: Валя Горностаева, Нонна Железняк, Света Завгородняя (эта, впрочем, особый случай), в конце концов, кто-нибудь из многочисленных стажерок, которые у нас в «Золотой пуле» паслись табунами.

Несколько месяцев назад я был уверен, что наш брак с Анютой пришел к окончательному финалу. Взаимные упреки, слезы, крики... Мне надоело спать на гостевом кресле-кровати, к тому же я прекрасно видел, как смотрели друг на друга Повзло с Анютой даже на работе.

— Давай поживем какое-то время отдельно, — предложил я супруге, и она согласилась.

Легко сказать — на работе-то все время рядом, друг у друга на глазах. Я старался как можно меньше времени проводить в конторе: мотался по источникам, стирал ноги, а информацию сбрасывал выпускающему редактору по телефону. Стоило мне появиться в агентстве, Анюта забивалась в свой информационно-аналитический отдел и даже покурить в коридор не выходила. Зато с работы они уходили вместе с Повзло почти в открытую (как, наверное, ликовала Агеева — роман-то у них с ее подачи начался).

Я кочевал по друзьям и подругам. В сумке всегда был НЗ — необходимый запас: мыло, зубная щетка, паста, расческа, полотенце, чистое белье: кто знает, где доведется встретить ночь. Недели через две кочевок с одного конца города на другой я понял, что лучше все-таки ночевать в конторе: диван в нашем отделе имелся, туалет, вода, чайник... Что еще для жизни надо? Компьютер, чтобы тексты писать — вот он, да и не один. Теперь к часам к шести-семи вечера после беготни по городу в поисках достойных освещения сюжетов я спешил в контору и располагался на ночевку.

Кто знает, сколько бы длилось мое кочевье, если бы не Обнорский и Завгородняя.

В тот вечер мы столкнулись с нею в дверях. Светка окинула меня сострадательным взглядом и неожиданно поинтересовалась:

— Володечка, ты мне не составишь компанию поужинать сегодня вечером?

Отчего нет? Не работай Завгородняя в моем отделе, я бы сам охотно положил на нее глаз. В тот день на ней под роскошной чернобуркой (поди, подарок очередного бритоголового воздыхателя на «мерседесе» или БМВ) было нечто воздушное в черно-красных тонах, сквозь которое соблазнительно просвечивали ее впечатлительные формы. Платье ее скорее открывало, чем прикрывало.

— Конечно, Светик, только сумку в агентстве оставлю...

Ужинали мы неподалеку — в недавно открытом на Малой Садовой подвальчике: трактир «Маша и

274

Медведь» называется. Там, посреди зала, действительно медведь (чучело, разумеется) в полный рост с берестяным коробом за плечами, а оттуда кукла Маша высовывается с пирожком в руке. Да и вся остальная обстановка в фольклорном духе: тяжелые деревянные лавки, огромные столы, бармен в косоворотке, официантки в домотканых сарафанах — лепота, одним словом, а уж кухня — вкусно и недорого.

Светка ела немного, налегала на вино. Мы довольно быстро приговорили первую бутылку, затем вторую... В голове зашумело, окружающее подернулось теплой вязкой пеленой.

— Володя, может водки закажем?.. — Завгородняя тоже поплыла от выпитого.

— Не люблю мешать, да и тебе не советую, Светик. — Я, если честно, терялся в догадках, чего это Завгородняя меня ужинать потащила — обычно она других кавалеров предпочитала.

Мы болтали о том о сем, но Светлана, все время старалась увести беседу к теме моей «несчастной семейной жизни» и моих реальных и предполагаемых измен Анюте. Я как-то вяло говорил, что сам виноват. Часам к десяти вечера все было съедено и выпито, и мы вышли на свежий воздух. Светку слегка покачивало, и она вцепилась в мой локоть. Мы дошли почти до входа в метро, когда она умоляющим голосом попросила довести ее до агентства:

— Надо носик попудрить — боюсь, до дома не дотяну...

Что ж, носик так носик. Наша парочка довольно скорым шагом добралась до конторы. Минут пять мы жали на кнопку звонка, прежде чем наш дежурный «пинкертон» Григорий впустил нас внутрь.

— Поздновато, вы, братцы, — он окинул нас ехидным взглядом.

Стоило свернуть нам за угол и оказаться вне досягаемости чужих взглядов, как Завгородняя неожиданно крепко обвила меня руками и горячо зашептала в самое ухо, несколько сбиваясь с мысли:

— Вовка, ты такой несчастный последнее время... Я же вижу, как тебе приходится... Я уже давно на тебя смотрю, я тебя специально решила подпоить и... — мою очаровательную коллегу понесло, и она все крепче прижималась ко мне.

Бывает же в жизни этакое. Я, если честно, и не сопротивлялся — да разве устоишь против такого девичьего напора? Одной рукой крепко обнимая Завгороднюю, я второй нашарил ключи от двери нашего отдела. Горячечно целуясь, мы ввалились в комнату. Шуба слетела со Светкиных плеч под ноги, я, путаясь в рукавах, срывал с себя зимнюю куртку. До дивана было совсем недалеко. Светка выгнула руки за спину, в ее платье что-то треснуло. Затем она рванула на мне рубашку — горохом посыпались пуговицы по паркету...

— Это еще что за блядство?! — рявкнуло в дверях. Вспыхнул свет.

Такого женского крика я еще не слышал. Благо он вибрировал в стенах агентства недолго. Светка обмякла в моих руках и сползла на пол. Я, чувствуя, как волосы встают дыбом, а уши прижимаются к черепу, обернулся и сам чуть не завопил.

В дверях стоял... стояло... кожаная куртка плотно обтягивала крепко сбитый торс, массивный золотой «болт» с зеленым камнем на среднем пальце правой руки, изящные очки, столь неподходящие к смутно знакомому лицу на обритой наголо голове. Господи, да это же — Обнорский.

— Андрей? — я оторопело смотрел на неузнаваемого шефа. — Что происходит?

— Это я спрашиваю, что происходит? — Обнорский не намерен был снижать взятого тона. — Устроили из агентства... дом свиданий. Вон отсюда оба, немедленно!

Я помог Завгородней, уже пришедшей в себя, но все еще смотревшей на шефа с оттенком безумия во взгляде, подняться на ноги. Светка спряталась за мной и завозилась, приводя в порядок разруху в своем костюме.

Мы оделись и понуро поплелись к дверям.

— Соболин! — окликнул меня шеф. — Постой. Не хватало только, чтобы вы вместе куда-нибудь завалились... А вы, Светлана Аристарховна, — вон из конторы! Завтра на работу к десяти, нет, к девяти утра. А сейчас — вон!

Съежившаяся Светка пулей выскочила за дверь.

— А ты!.. — Шеф смотрел на меня с нескрываемым презрением (при всей неприятности ситуации я не мог удержаться от ухмылки, так потешно он выглядел с обритой головой). — Ладно завтра поговорим, донжуан хренов.

В ту ночь я остался в конторе. Несмотря на все пережитое, спалось сладко: крепко и без сновидений.

В 8.25 стальная дверь нашего кабинета отворилась — уборщица Лида начала свою ежеутреннюю работу по приведению имиджа нашего агентства в достойный вид.

А в 9.15 (необычно рано для себя) директор «Золотой пули» г-н Обнорский пригласил начальника репортерского отдела г-на Соболина к себе в кабинет и имел с ним беседу воспитательного характера. За ночь на обритой наголо голове шефа волос не прибавилось. Беседа наша носила характер монолога: говорил исключительно Обнорский, я понуро молчал, кивал, сопел и активно изображал полнейшее раскаяние в собственном свинстве.

— В общем так, — подвел итог шеф, — пора вам с Анной заканчивать эту «санту-барбару» — вам с Повзло не хватало еще только дуэль на «золотых перьях» учинить. Не наладите семейную жизнь обратно — выгоню всех троих. Плакать буду, а выгоню. Понял?

— Понял...

— Тогда пошел вон.

«Длинное ухо» в конторе донесло потом, что подобные беседы имели место и с моей благоверной, и с Повзло.

Мы с Анютой напряглись и попробовали начать все сначала... Ну, если и не начать, то, по крайней мере, сделать вид. Какое-то время это удавалось. Пока я не встретил Марину Ясинскую.

Воспоминаний хватило на дорогу от агентства до «Идеальной чашки».

* * *

Воздух в заведении состоял из смеси кофейных ароматов, табачного дыма и женского парфюма. Часы над барной стойкой отсчитывали сорок третью минуту моего ожидания, вторая чашка «Черного леса» (кофе, ром, ваниль, стружка шоколада, взбитые сливки) давно показывала донышко. Третью я заказывать не хотел — боялся, что кофе из ушей польется.

Пропустить Маришку я не мог — по привычке выбрал место подальше от входа, но так, чтобы хорошо видеть всех входящих и выходящих.

Ну, что с этими женщинами делать? С глупыми — скучно. С умными — тяжело.

Из всех загадок цивилизации для меня самая удивительная — женская пунктуальность. Вернее, ее полное отсутствие. Все представительницы прекрасного пола, которых я на своем веку поведал немало, имели одну общую привычку: опаздывать на назначенные встречи.

Я вынул из кармана табак, трубку и все необходимые для их использования принадлежности. Прием сработал — через каких-то пару затяжек в дверях показалась она, Марина Ясинская, двадцати трех лет, глаза серые, рыжая копна волос до плеч, на носу конопушки, которые она стремилась извести на нет разнообразными косметическими средствами, факультет журналистики — не помню, четвертый или пятый курс, статьи о новостях поп- и рок-музыки в «Телескопе».

В этот раз что-то во внешности моей милой было не так — по лицу размазан грим, светлая футболка перепачкана. А что с прической? Вместо гривы какие-то обдерганные сосульки...

— Мариша... — Я кинулся навстречу, стараясь не опрокинуть кофеманов с их столиками.

Вблизи Марина выглядела совсем неважно: щека расцарапана, на лбу синяк, волосы обкромсаны беспорядочными клоками.

Уткнувшись мне в плечо, Мариша зарыдала. О приятном времяпрепровождении можно было забыть.

Я поймал машину, втиснул нервно всхлипывающую Марину на сиденье, сел следом, назвал адрес. Вез я ее туда, куда и собирался везти изначально, назначая свидание — на квартиру к Ваське Политову, своему бывшему сослуживцу по одному из питерских театров.

Вот и приехали. Типовой «корабль» на Гражданке. Четвертый этаж, мы на месте — однокомнатная Васькина квартира с крохотной кухней. Хозяин, оставив мне ключи, на пару дней отъехал на гастроли в Волхов, радовать детишек «Котом в сапогах». Возле кровати цветы, в холодильнике — шампанское, фрукты. Все это я завез загодя, предвкушая наши послекофейные развлечения. Не до них.

Мою спутницу колотила крупная дрожь. Успокоить женскую истерику — примерно то же самое, что голыми руками тормозить паровоз. Тут-то шампанское и сгодилось — хлопнула пробка, и я силой влил в Марину несколько глотков. Поперхнулась, закашлялась, но лекарство подействовало. Я усадил ее на стул на кухне и принялся втолковывать, как маленькой:

— Котенок, ты можешь ничего не рассказывать, даже не отвечать, просто кивай... Сейчас я тебя отведу в душ. Хорошо?

Кивок.

— Мне придется тебя раздеть...

Замерла... Кивнула. Вот и ладушки.

Я включил в ванной свет и осмотрелся — ничего, сойдет, сейчас не до высот эстетики. Сполоснул ванну, пустил горячую воду. Вернулся на кухню, где, привалившись к холодильнику, сидела Марина.

Я перенес ее в ванну. Осторожно стащил с девушки перемазанные грязью джинсы и футболку, затем трусики — лифчик юная леди не носила принципиально, но сейчас мне было не до эротических фантазий. От кучки одежды на полу почему-то несло помойкой.

Марина сама забралась в ванну. Я присел на эмалированный бортик и стал аккуратно смывать с нее грязь, слезы и размазанную косметику...

Потом закутал девушку в огромное махровое полотенце, уложил ее на диван, сверху накинул плед с тиграми. Вскоре поспел чай...

Марина вроде бы окончательно успокоилась. Я сел рядом на краешек дивана, обхватил ее ладонь своими руками.

— Котенок, теперь, если можешь, расскажи, что с тобой случилось?

* * *

Пару недель назад на улицах появились афиши, извещавшие, что в городе пройдут «эксклюзивные четырехдневные гастроли» легендарных рок-звезд с Британских островов «Боди Джи». Радовать слушателей они собирались в двух престижных ночных клубах на Невском проспекте: «Лаки чен» и «Голден боллс».

И «Счастливого китайца» и «Золотые шары» — именно так переводились на русский названия этих заведений — «держали» колоритные и небезызвестные в самых различных кругах братья — Станислав и Виктор Карпенко. Клубы были не из дешевых Я, к примеру, ни в том, ни в другом ни разу не был. Хотя, говорят, там было на что посмотреть: концерты звезд, раскрученные ди-джеи в качестве ведущих дискотек, полуобнаженные официантки, стриптиз, «марки» ЛСД, коксовые «дорожки» и золотая молодежь с малопонятными источниками дохода...

Билеты на «Боди Джи» стоили дорого — самые дешевые шли по полсотни долларов, самые дорогие — для VIP-ов тянули под тысячу «зеленых». Удивительно, но билеты смели за несколько дней. Ажиотаж подогревало и то, что выступлений должно было быть всего лишь четыре — по два в каждом из заведений.

Перед началом первого выступления заезжих звезд в «Лаки чене» собрали десятка два журналистов из «музыкальной» тусовки. Осветить, так сказать, предстоящие звездные выступления в нужном ключе. В этих двух десятках оказалась и Марина.

Несмотря на почти что ангельскую внешность, Марина была неплохим журналистом и — главное — хорошо разбиралась в мире рок-музыки. У нее возникли сомнения в том, что в клубах братьев Карпенко будут выступать настоящие «Боди Джи» (музыканты этой группы вообще гастролировали очень редко, а если и давали концерты, то не в ночных клубах). Поговорив с парой продюсерских фирм, занимавшихся организацией гастролей иностранных исполнителей, и сделав звонок в Великобританию, Марина пришла к выводу, что в Петербург приехали не сами «Боди Джи», а их двойники.

Марина поделилась своим открытием с несколькими коллегами. В итоге на следующий после пресс-конференции день братья Карпенко с удивлением обнаружили в ворохе восторженных публикаций о предстоящих гастролях несколько заметок, в которых с той или иной степенью уверенности говорилось, что выступления «Боди Джи» в петербургских ночных клубах — не более чем мошенничество и афера.

Таких «гнусных поклепов» на братьев Карпенко оказалось четыре (включая и Маринину статью в «Телескоке»). Братья сочли себя оскорбленными, к тому же часть поклонников «Боди Джи» уже требовали вернуть обратно деньги за билеты (были и такие, кто пытался «забить» братьям «стрелку», чтобы разобраться «по понятиям» и получить «ответку за базар»).

В общем, вышел скандал. Гастроли пришлось отменить. А тщательно лелеемый братьями образ коммерсантов новой формации дал трещину.

На следующие сутки после выхода статей Карпенко решили разобраться с журналистами. С Мариной особо не церемонились. На подходе к редакции «Телескока» путь ей преградили два мордоворота, посадили в вишневую «девятку». Правда, эта операция не обошлась без сюрпризов: одному из амбалов Марина ногтями расцарапала ухо, второму отодрала лацкан его пиджака «от Версаче» (видимо, «Версаче» был поддельным). Мордовороты тоже не церемонились: один из них заехал журналистке в ухо.

Машина доставила Марину во двор «Лаки чена», и через несколько минут она предстала перед хозяевами клуба.

Как я уже говорил, в последние несколько лет оба Карпенко: и старший Виктор, и младший Станислав — тщательно работали над своим образом «интеллигентных петербургских коммерсантов новой волны, не чуждых политике, здоровому либерализму, исконной петербургской культуре». Они действительно старались, чтобы память об их делах в период «первоначального накопления капитала» стерлась как можно скорее. И во многом это им удавалось.

Наверное, со стороны это выглядело потешно: благоухающие изысканным парфюмом господа в стильных, дорогих костюмах орали и брызгали слюной, как подзаборные «синяки», промышляющие сбором пустых бутылок. Но Марине было не до смеха. «Сучка» и «соска вшивая» были самыми ласковыми эпитетами, которыми ее наградили. Претензии Карпенко сводились к тому, что из-за «пустозвонства» Марины и ее «недотраханных дружков» братья попали на крупные бабки («Тебе, соска вшивая, такие деньги и не снились...»).

— Мы вас, щелкоперов, на счетчик поставим! Вы нам по гроб жизни за свои писульку башли отстегивать будете!

Руганью дело не ограничилось. Младший Карпенко схватил Марину за шею и долго тряс. Затем отпустил несколько оплеух (браслет его часов и оставил царапину на Марининой щеке).

— Квартира у тебя есть? Не будет у тебя квартиры, — кричали Марине. — На помойку отправишься к бомжам... — Эта идея неожиданно вдохновила братьев, — Сейчас и видок тебе сделаем, для помойки в самый раз!

Пока охранники братьев держали Марину, Станислав вооружившись ножницами, защелкал ими по кудрям журналистки.

Наконец он посчитал работу законченной, и охранники получили от своих хозяев указание отправить «говнючку» на помойку.

Выполнили амбалы приказание буквально. Марину выволокли на задний двор «Лаки чена», откинули крышку помоечного бака и сунули девушку внутрь. Да сверху еще и крышкой закрыли...

К концу рассказа Маришку совсем сморило. Она отключилась.

* * *

Интересно, подумал я, только Марина попала под горячую руку Карпенко или еще кто-нибудь из наших коллег «понюхал помойки»? Впрочем, всем этим у меня будет время заняться утром. Сейчас меня ждали более насущные дела: стирка измазанных брюк и футболки Марины...

Утром Марина выглядела неважно. Но все равно очаровательно.

— Я всю ночь думал, — сказал я, — на твоем месте я бы пошел в РУБОП и написал на обоих Карпенко заявление.

— Нет. Я боюсь!

Тогда я попытался выяснить, с кем еще из ее коллег братья могли провести воспитательные мероприятия, но она наотрез отказалась говорить со мной на эту тему.

Еще чуть-чуть, и истерики было бы не избежать. Я не стал настаивать. В конце концов, и сам могу все выяснить.

Маринина одежда уже высохла.

— Одевайся, я отвезу тебя домой... Все будет хорошо, — попытался успокоить ее я.

Мы расстались возле дверей ее квартиры на Петроградской. Я пообещал позвонить ей вечером.

— Посиди некоторое время дома, на работе не появляйся, — попросил Марину я напоследок. — Ты же можешь заболеть на пару дней?

* * *

Теперь предстояло заняться кое-какими изысканиями. Я отправился в контору. Была суббота. Но многие коллеги появлялись в агентстве и по выходным: кто поработать, а кто и отдохнуть. Восьмеренко, например, обычно общался с кем-то по казенному интернету. А Спозаранник опять кого-то допрашивал с пристрастием в своем кабинете с решетками на окне — из-за двери слышались приглушенные мужские рыдания.

Мне повезло. Агеева оказалась в агентстве. Ее, как всегда, загрузил срочным заказом Обнорский.

— Марина Борисовна, вы не дадите мне посмотреть, что у нас есть на обоих Карпенко? Очень надо. Все, что есть, включая свежий скандал с «Боди Джи».

Агеева посопротивлялась для вида, но затем смирилась и выдала мне толстую папку распечаток и газетных вырезок. Раскурив трубку, я зашелестел бумагами.

Минут через двадцать передо мной лежал список тех журналистов, кого могли пригласить для вправления мозгов к братьям Карпенко. Он был невелик. Кроме Марины Ясинской в нем оказались Алик Заборин из «МК в Питере», Витя Кожевников из питерской «Комсомолки» и Толик Мартов из «Смены». На выходных я имел шанс разыскать только Заборина, домашних координат других у меня не было.

Потом я стал изучать досье на братьев Карпенко. Оно было толстым.

Разница в возрасте у братьев была десять лет. Карпенко владели сетью кафе, ресторанов, ночных клубов, казино и дискотек. Им принадлежало несколько журналов и газет (в основном бульварных). Кроме того, Карпенко были акционерами нескольких крупных компаний, занимающихся фармацевтикой, нефтебизнесом и грузовыми перевозками. Оба брата в разное время становились депутатами городского парламента, а старший даже просидел один срок в Госдуме, но последние выборы проиграл.

Ходили слухи и о нелегальном бизнесе братьев. Известно было, что оба они входили в ближний круг одного из крупнейших городских авторитетов Михаила Ломакина (он же — Лом). Против братьев дважды возбуждались уголовные дела: за мошенничество и хищение. Они даже провели некоторое время за решеткой, но затем дело благополучно развалилось. Правда, в РУБОПе интерес к Карпенко не потеряли и только и ждали, когда они на чем-нибудь проколются. Но даже РУБОПу подступиться к влиятельным братьям было трудно.

Видимо, чувствуя свою безнаказанность, рассуждал я, Карпенко и обнаглели — история с Мариной тому подтверждение.

Изучив бумаги, я понял, что «гарнира», как любит говорить шеф, у меня уже более чем достаточно, а вот «мяса» в этой истории следовало добавить (рассказ Маришки требовалось дополнить еще чьими-нибудь показаниями).

Записная книжка у меня в жутком беспорядке. Я раза три перелистал ее от корки до корки, прежде чем отыскал домашний телефон Алика Заборина. Позвонил. На том конце ответили после девятого гудка — мужской голос.

— Привет, Алик, Соболин беспокоит. Не забыл еще такого?

Мы обменялись еще парой ничего не значащих фраз, прежде чем я решил взять быка за рога и предложил Заборину пересечься со мной где-нибудь в центре.

— Да нет, ты знаешь, я тут последние дни все больше дома сижу (Опа! Вот оно!..), — ответил Заборин. — А что за интерес у тебя ко мне?

— Хочу побеседовать о последствиях одной твоей публикации. Про гастроли «Боди Джи»...

— Уже знаешь? — голос моего собеседника поскучнел. — Черт с тобой, приезжай. Только пива купи. И рыбки захвати...

Он продиктовал адрес. Ехать предстояло на юго-запад.

Через час тридцать пять минут я звонил в дверь квартиры Заборина на третьем этаже девятиэтажного дома на Маршала Жукова. Когда он открыл мне дверь, я присвистнул. Видок у него был еще тот. На месте левого глаза фиолетовая с отливом опухоль.

— Ну, чего вылупился? Битого журналиста не видал? Не стой столбом, Соболин, входи. Любуйся последствиями столкновения неподкупной журналистики с кровавой мафией.

Заборин посторонился, пропуская меня в квар-тиру.

— На лицо смотреть неприятно, но болит меньше. Хуже всего — ребра, дышать тяжело... — Заборин отобрал у меня бутылки с пивом. — Да не сиди пнем, сгоняй на кухню, там возле мойки бокалы какие-то есть.

Стаканы оказались не первой свежести, но я их сполоснул под краном...

— Ну, Алик, — перешел я к делу, когда две бутылки пива практически опустели, — я так понимаю, у тебя есть к братьям Карпенко небольшой счет. Думаю, мы в состоянии его предъявить к оплате.

— Вы там у Обнорского своего всей конторой крышей поехали?

— У меня к братьям есть свой счет, — сказал я и рассказал ему все (или почти все) про историю с Мариной Ясинской.

Заборин вздохнул, поморщился от слишком глубокого вздоха и тоже рассказал мне все, что посчитал нужным.

Заборина не отлавливали по дороге в редакцию. Ему просто позвонили по телефону. Позвонил знакомый — «коллега по журналистскому цеху» — и пригласил попить пивка в «Лаки чен».

Но бедному Алику даже пива попить не дали. Едва он вошел в клуб, как к нему подошли два амбала и попросили пройти к руководству клуба. Заборин не сопротивлялся — все равно бесполезно.

Оказавшись перед Карпенками, Заборин на свою беду начал хорохориться. Тогда братья приказали своим мордоворотам оттащить его куда-нибудь, где никто не услышит, и поработать над ним. Охранники приказание исполнили, увели Заборина в небольшой спортзал, скрывавшийся, как выяснилось, в глубинах «Лаки чена», и минут сорок отрабатывали на нем приемы восточных единоборств, используя Алика в качестве говорящей макивары.

До дома он еле добрался — мало того что все тело болело, так еще и в машину никто сажать не хотел. К тому же бумажник его остался в клубе.

— Ты представь, Соболин, там же не только деньги были, там моя кредитная карточка была — нам из Москвы на нее зарплату перечисляют.

Я не представил. У меня у самого никогда никаких кредитных карточек не было.

— Что делать собираешься? — поинтересовался я.

Заборин пожал плечами:

— Прижать бы как-нибудь негодяев... Да только что с ними сделаешь?..

— Можно в РУБОП пойти, ими там давно занимаются.

— Думаешь, поможет? С их-то связями и депутатской неприкосновенностью?

— Старший-то мимо неприкосновенности пролетел на последних выборах, как веник над Парижем...

— Ты всерьез дурак или прикидываешься? — Алик замахал на меня руками.

Пришла моя очередь пожимать плечами.

Я поинтересовался, как отыскать двух оставшихся журналистов, нехорошо написавших о Карпенко.

Заборин не знал — посоветовал звонить в понедельник в редакции.

* * *

Субботний день катился к вечеру. Я нашел ближайшую телефонную будку и позвонил Марине.

— Я соскучился... Не говори ничего, скоро приеду.

Желтые розы я купил у входа на «Ленинский проспект» — у «Петроградской» вышло бы раза в полтора дороже. А неподалеку от ее дома заскочил в кондитерскую и купил несколько пирожных. Выглядела Ясинская уже получше, но все равно неважно. Я понял, что эту ночь мы вряд ли проведем вместе. Кофе мы тем не менее выпили и пирожные съели.

— Не бойся, котенок, — я чмокнул ее в лоб, уходя, — мы их еще прищучим. Я позвоню тебе завтра.

Делать до наступления ночи было совершенно нечего. Пешком я прошел по Каменноостровскому проспекту. Оставил позади Австрийскую площадь (мне она всегда напоминала площадь Звезды из «Трех толстяков»). В бывшей столовой, где когда-то я пил маленький двойной за двадцать шесть копеек в перерывах между съемками «Афганского излома», теперь находился китайский ресторан. На пляже перед Петропавловкой уселся прямо на песок, выбрав местечко почище. Пришло настроение раскурить трубку. Достал ее из кармана жилетки и стал набивать табаком.

До двадцати пяти лет я не курил и нос воротил от табака. А потом Света Завгородняя подарила мне на день рождения трубку и пачку табака. Этакий отдарок — за год до этого я привез нашей супермодели по ее собственному заказу из Стокгольма длинный мундштук для папирос. Подарили — надо пользоваться. После первой в жизни выкуренной трубки минут на десять я поплыл. А потом ничего, привык, даже стал находить удовольствие в процессе курения.

Я и забыл, когда последний раз сидел вот так, просто глазея на окружающее, позволяя мыслям течь, как заблагорассудится, перескакивая с предмета на предмет. Когда буду богатым — куплю себе островок в шхерах рядом со Стокгольмом, буду сидеть, курить трубку, глядеть на волны и проплывающие мимо пароходы...

* * *

Спал я крепко и допоздна. Высыпался с запасом на всю следующую неделю. Хотя ни разу мне этого запаса даже до среды не хватало. В воскресенье я тоже не поехал к Анюте и Антошке на дачу — скинул жене сообщение на пейджер, что замучили до головной боли неотложные дела.

Насчет головной боли это я, конечно, приврал. Но дел у меня и вправду было немало. Для того чтобы выяснить координаты Кожевникова, пришлось опять отправиться на работу и залезть в одну хитрую компьютерную базу. Я — не хакер, но некоторые кнопки на компьютере нажимать умею. Из всех данных Виктора Кожевникова, журналиста «Комсомолки», я знал лишь имя, фамилию и примерный возраст: двадцать семь — тридцать лет — не густо, но под эти характеристики подошли только двое из всех обнаруженных мной Кожевниковых. Я выписал их адреса и домашние телефоны и засел за телефон. По первому никто не отвечал. Я стал пытать удачу второй раз. И она мне улыбнулась. Трубку на том конце подняла женщина.

— Добрый день, простите, ради Бога, могу ли я поговорить с журналистом «Комсомолки» Виктором Кожевниковым?

— А кто вы?

Я объяснил, что я коллега — журналист Владимир Соболин из «Золотой пули». Это оказалось лучшей рекомендацией.

— Той самой знаменитой «Золотой пули»?

— Да, да, той самой. И тот самый знаменитый Владимир Соболин. Так могу я поговорить с Виктором?

Трубку передали Кожевникову. Я начал все сначала:

— Это Владимир Соболин из Агентства журналистских расследований Андрея Обнорского.

— Чем обязан?

— Мне бы хотелось обсудить это при личной встрече. Если хотите, я подойду завтра к вам в редакцию.

— Я вряд ли там появлюсь в ближайшие пару недель. Я — на больничном. Очень плохо себя чувствую.

Все-таки мне удалось уломать Кожевникова, что я могу зайти к нему домой сегодня же вечером. Из вежливости я записал его адрес, хотя он уже был у меня записан.

Виктор Кожевников жил на Васильевском острове — на тринадцатом этаже в двухуровневой квартире неподалеку от гостиницы «Прибалтийская».

Я минуты три жал на кнопку звонка, прежде чем за дверью раздалось хоть какое-то шевеление.

— Кто там? — с опаской спросил женский голос.

— Это Соболин из «Золотой пули».

— А документ у вас есть какой-нибудь?

Я поднес к глазку редакционное удостоверение. Наконец щелкнул замок, и меня впустили внутрь...

Кожевников сидел в кресле в гостиной, уложив на пуфик загипсованную ногу. Обе кисти у него тоже были забинтованы. А вот с лицом у него, в отличие от Марины и Алика, все было в порядке.

— Что вы хотели обсудить со мной, — спросил меня Кожевников.

— Это касается ваших травм.

— Я упал на тренировке по мини-футболу и повредил связки на ноге.

— Это падение удивительно совпало с выходом вашей статьи о проделках с двойниками «Боди Джи» и последующей встречей с братьями Карпенко.

Кожевников молчал. Я решил надавить:

— Виктор, вы не первый, с кем я беседую об этой истории. Карпенко встречались и с другими журналистами. Они тоже вышли после этих встреч не в лучшей своей форме.

— Володя, вам лучше во все это не соваться. Расчлененки, убийства, мелкие чиновники-взяточники, блудливые адвокаты — занимайтесь лучше этим.

— Похоже, вас эта история здорово подкосила. — Я допил чай и отставил чашку на поднос.

Я слышал, что после некоторых публикаций у Кожевникова бывали проблемы и раньше. Один раз после статьи об одном воротиле шоу-бизнеса известный питерский бард, любитель серых волков и певец лиговской шпаны, прилюдно обозвал Виктора «писучей ублюдочной мразью», но тогда Кожевников в ответ только посмеялся. А теперь в его глазах был страх...

Но тут Кожевникова прорвало. Почти на одном дыхании он выложил мне: как люди братьев вломились к нему в квартиру, как сами Карпенко измывались над ним в своем кабинете, как ему топтали каблуками пальцы («чтобы эта сука шелудивая больше никогда авторучку в руки взять не смогла!»), как его спустили с лестницы, в результате чего у него оказалась сломана нога...

Я даже почувствовал раскаяние, что заставил его рассказывать все это, но что сделано, то сделано.

Когда он выговорился, я намекнул, что уж ему-то сам Бог велел обращаться в РУБОП, но Кожевников только замахал на меня руками.

— Я на тот свет еще не собираюсь. Да и вам не советую. И вообще, забудьте, что я вам тут наговорил...

* * *

Утром в понедельник настроение у меня было препаскудное. Во-первых, впереди целых пять рабочих дней: сидеть на телефоне, метаться по городу, добывать информацию и отписывать ее для нашей сводки новостей с десяти утра до позднего вечера — дело довольно утомительное, а когда еще и пять дней подряд, так вообще — труба.

Во-вторых, в понедельник у нас «летучка» в кабинете шефа, и это тоже не добавляет безмятежности настроения. Правда, существенных проколов наш репортерский отдел за истекшую неделю не допустил, напротив даже, мы с Валечкой Горностаевой показали чудеса трудового героизма и энтузиазма, отписав за пять рабочих дней по три с половиной десятка информаций каждый. Но кто его знает, что Обнорскому в голову придет, он ведь к любому пустяку прицепиться может (например, к Восьмеренко, который вместо того, чтобы писать о пожарах, предпочитал дуться с компьютером в футбол).

В-третьих, я совершенно не представлял, где мне ловить Мартова, который был просто необходим для завершающих мазков в описании истории прохвостов Карпенко.

Мне повезло: Обнорский в очередной раз отправился в Швецию к своему закадычному приятелю Ларсу Тингсону. А в его отсутствие «летучка» прошла быстро и без чтения нотаций кому ни попадя.

После «летучки» я часов до двух вместе со своими репортерами активно вспахивал криминальную почву Петербурга в поисках новостей. Понедельник тяжелый день и потому, что за два выходных дня криминальных событий успевает накопиться великое множество. Наше счастье, что в основном они имеют под собой пьяно-бытовые причины, так что мы оставляем их за бортом нашего профессионального интереса. Но все-таки кое-что приключилось: на овощебазе в Купчине в воскресенье из-за неисправности проводки сгорели дотла в одном из боксов три легковушки — в боксе, как выяснилось, располагался подпольный «отстойник» для угнанных автомобилей, где их либо разбирали на запчасти, либо перебивали номера и продавали новым владельцам целиком по поддельным документам. В ночь с воскресенья на понедельник кто-то швырнул небольшую «адскую машинку» в продуктовый магазин на проспекте Просвещения. Поначалу решили, что это криминальные разборки с конкурентами, но уже через пару часов оказалось, что взрыв — детские шалости. В остальном понедельник проходил на удивление спокойно: ни заказных убийств, ни крупных разбоев, ни краж антиквариата.

Когда стало посвободнее, я позвонил в РУБОП знакомому оперу Вадику Резакову — может быть, он знает, кто у них там занимается братьями Карпенко. Вадик как раз работал в отделе, который разрабатывал криминальных авторитетов.

С Резаковым я познакомился случайно: года три тому назад написал статью по материалам одного уголовного дела, где среди прочего подробно расписал, как к негодяям-бандитам внедрялись опера РУБОПа. На следующий день после выхода статьи Вадик позвонил мне в редакцию и долго орал в трубку, что таким журналистам, как я, надо оборвать уши и обрезать язык, чтобы не раскрывали впредь секреты оперативно-розыскной работы, а потом велел явиться к себе на Чайковского, 30.

Все оказалось не так страшно. Уши мне отрывать не стали, а язык я все-таки обжег — черным кофе, которым меня напоил Резаков. В мягкой и доступной форме мне раз и навсегда объяснили, что можно писать об оперативных разработках, а что все-таки не стоит. Расстались мы хорошими знакомыми. С тех пор периодически созванивались и встречались. Вадик иногда рассказывал что-нибудь интересное. Например, некоторые подробности из биографии Обнорского Андрея Викторовича, которые сам шеф вспоминать не очень-то любил.

До Вадика я дозвонился около трех дня. Мне повезло. Тему Карпенко в РУБОПе разрабатывал именно он. Мой рассказ он выслушал не без интереса. И предложил подъехать к нему часам к пяти.

* * *

До пяти мне нужно было попытаться отыскать Толика Мартова — последнюю жертву братьев Карпенко.

Я решил, что легче всего это сделать в буфете Лениздата, в здании которого располагались редакции несколько газет, в том числе и «Смены». В «Смене» регулярно тискал свои опусы Мартов, и, по моим агентурным данным, сегодня там должны были давать зарплату за конец прошлого года.

Я уже был в дверях, когда меня нагнал телефонный звонок.

— Соболин! — заорал мне в спину Восьмеренко, снявший трубку. — Тебя!

Пришлось вернуться. Оказалось, на счастье. Звонил Михаил Витальевич — начальник одного из отделов милиции Кировского РУВД.

— Володя, у нас тут в воскресенье поутру на Красненьком кладбище вашего коллегу откопали. Некоего Анатолия Мартова. Не слыхали?

— В каком смысле откопали? — севшим голосом спросил я, по спине пополз ледяной ручеек пота.

— Да его там какие-то придурки по шею в землю врыли, а утром сторож обнаружил. Идет себе старичок по аллейке между могилками и вдруг какие-то звуки слышит. Подходит, а там из земли одна голова торчит. Старик едва кони не откинул от такого зрелища. А потом оклемался, нам позвонил да откапывать его стал.

— А как этого Мартова занесло на кладбище?

— Сам он что-то темнит. Говорит, мол, с приятелями поспорил, что проведет ночь на кладбище. А те, чтобы он их не обманул, решили его закопать, а на следующее утро откопать. А сторож, мол, раньше них успел.

— И вы верите?

— Может, и поверил бы, если бы на теле этого Мартова не обнаружились многочисленные синяки и ссадины. Похоже, что закопали его все же не приятели. Только он ведь заявления никакого не подал, а без его заявления мы возбудить ничего не можем.

— А Мартов сейчас у вас?

— Да нет, мы с него объяснение взяли и еще вчера домой отпустили.

— Адрес его и телефон можете дать?

— Сейчас, погоди, мне справку принесут.

Через пару минут он уже диктовал мне адрес и телефон Анатолия Мартова.

Не вешая трубку, я нажал на аппарате рычажок отбоя и снова стал набирать номер — теперь уже квартиры Мартова.

— А Толика нет, — ответили мне, — он в редакцию уехал за деньгами. И вряд ли вернется в ближайшие дни — сказал, что на неделю уезжает в командировку. В Москву, кажется, — ответила мне какая-то тетка, судя по всему, мамаша Толика.

Вот оно, что называется, в масть попасть. Теперь, главное его в Лениздате поймать. Я потерял еще около минуты на звонок в криминальный отдел «Смены». Попал я на редактора отдела Васю Боборыкина.

— Василий Алексеевич, родной, это Соболин звонит. Умоляю, Мартов у вас появится, задержи его. Он мне позарез нужен.

— Да он здесь уже, в очереди за деньгами стоит.

— Не дай ему уйти, я через две минуты подбегу.

Бежать было недалеко. Я еще успел залететь в магазинчик на первом этаже Лениздата и купить там бутылку водки — для Мартова лучшей приманки не было. А вот и сам Толик, порывающийся вырваться из объятий Боборыкина, который всеми правдами и неправдами пытался его удержать. Надо было срочно действовать.

— Вася, Толя! Какая встреча! — Я ринулся к ним навстречу, держа бутылку высоко над головой, словно переходящий приз. — У меня радость — книжка вышла. Проставляюсь!

Конечно, это была ложь. Но нужен же был какой-то предлог, чтобы взять Мартова в свои руки. Толику, конечно, очень хотелось побыстрее смыться — это по глазам его видно было. Но соблазн выпить на шару все же перевесил. Наша троица поднялась в кабинет Боборыкина. Когда-то в этом самом кабинете начинал свой журналистский путь под псевдонимом Серегина наш незабвенный Андрей Викторович Обнорский. Как память о тех временах, в кабинете криминального отдела сохранялся откидной лежак тюремного типа, на котором не раз коротал в свое время ночи Обнорский, огромный сейф, крашенный суриком, и металлическая входная дверь с вечно заедающим замком и хитрым ключом.

Мы расположились за столом. Боборыкин смахнул с него бумаги, вытащил из сейфа три стакана и целлофановый пакетик с бутербродами и огурцами (завтрак, собранный заботливой супругой). Опрокинули по первой. Я нес какой-то бред о несуществующей книге, а сам все подливал и подливал Мартову, чтобы он дошел до нужной кондиции. Толик, и правда, вскоре поплыл и вполне созрел для дальнейшего. Да и бутылку мы уже приговорили.

Что ж, каштаны надо таскать из огня, пока они горячие.

— Спасибо, Вася, по гроб жизни тебе обязан. — Я подхватил под руку Мартова и повел его на улицу.

— А куда это мы? — Толик пытался проявить остатки здравого смысла, но я не дал ему этого сделать.

— Мартов, друг! — На самом деле я был не настолько пьян, как стремился это показать. — Ну его к черту, этого зануду Боборыкина. Ты один можешь понять томящуюся душу криминального репортера. Поедем, я угощаю.

— Куда поедем-то?

В ответ я только неопределенно махнул рукой. Машину мы поймали довольно быстро. Я впихнул Толика на заднее сиденье, сам сел рядом с водителем.

— На Чайковского, пожалуйста, между Литейным и проспектом Чернышевского.

Толик очень удивился, что мы вошли не в кафе, а в резные двери особняка, где раньше размещался райком КПСС, а теперь сидели борцы с организованной преступностью. Но сил сопротивляться у него не было. Я набрал по внутреннему телефону номер Резакова.

— Вадик, это Соболин. Я внизу. Со мной ценный груз. В смысле гость.

Мне очень помогло опьянение Мартова. Будь он трезв, давно бы сбежал. А так он покорно позволил нам с Резаковым провести его в кабинет Вадика.

— Вот тебе живой укор тому, что оба твоих фигуранта (я имел в виду братьев Карпенко) до сих пор на воле гуляют. Посмотри, что они с человеком сделали... — я кивнул на обмякшую на стуле фигуру Мартова.

— Напоили, что ли, его?

— Нет, напоил его я, чтобы до тебя в целости довести. А они его на Красненьком кладбище закопали.

— Хотели бы они его закопать, он бы с нами здесь не сидел сейчас, — Резаков смотрел на меня с недоверием.

— Не веришь, позвони территориалам, которые его вчера откопали, — я протянул рубоповцу пачку распечатанных страниц со своим отчетом по всей этой истории, — здесь про остальных рассказано. Так что материалов даже не на одно уголовное дело хватит.

Вадик скептически взглянул на мое произведение, затем перевел взгляд на Мартова.

— Ну, терпила, рассказывай, как все было...

Толик поначалу уперся. Мол, действительно, забился на спор с приятелями, что проведет ночь на кладбище. Ну, а они его, чтобы не убежал...

— Толя, хватит ваньку валять, — я тронул его за плечо, — этих твоих приятелей, поди, братьями Карпенко зовут...

Это замечание его добило. Да, на кладбище его закопали братки, работающие в службе безопасности у Карпенко. А сделали они это по прямому указанию самих братьев после того, как те приватно побеседовали с Толиком у себя в «Лаки чене».

Рассказывал Толик подробно. Наконец фонтан красноречия у Мартова иссяк:

— Хочу в Москву податься на несколько недель, пересидеть там, пока все не уляжется...

— А вот этого не советую, — сказал Резаков.

— Вы меня, что ли, от этих отморозков защитите? — окрысился Мартов. — Что ж вы их до сих пор за решетку не отправили.

— Дай срок, отправим, — осадил его Резаков. — Ты лучше скажи: следователю на протокол все, что здесь рассказал, повторить сможешь?

Мартов сморщился.

— Да не трясись ты, сможем мы тебя от них спрятать, пока все не закончится, — убеждал его Вадик.

— А оружие мне дадут? Для самообороны... — глаза у Мартова загорелись.

— Дадут... Догонят и еще дадут.

В общем, Мартов согласился на сотрудничество. Резаков куда-то позвонил и поручил Мартова заботам подошедшего оперативника. Тот увел Толика в соседний кабинет. Мы остались с Резаковым вдвоем. Пока я докуривал свою трубку, Вадик листал мой отчет. Наконец он отложил последнюю страницу в сторону.

— Что скажешь? — поинтересовался я.

Дело против братьев могло выгореть. Благо, старший не так давно потерял вместе с креслом депутата Государственной думы свою депутатскую неприкосновенность. А у младшего, Станислава, депутата местного Законодательного собрания, неприкосновенность не распространялась на дела, не связанные с его депутатской деятельностью.

— Боюсь только, что показаний одного этого клоуна может быть недостаточно. Были бы показания остальных — следствию не отвертеться, дело бы пришлось возбуждать. Сможешь сделать так, чтобы они подтвердили здесь то, что тебе рассказали?

— Попробую.

— Добро, держи меня в курсе. Если меня нет на месте, звони на трубу. — Вадик продиктовал мне номер своего мобильника.

На этом мы и расстались. Было уже около семи вечера. Но я решил вернуться на работу и позвонить Кожевникову, Заборину и Маришке.

* * *

Во дворе конторы Восьмеренко копался в своей «Победе». Стоило тратить четыре сотни долларов, чтобы поставить эту рухлядь, как «Аврору», на вечный прикол. Но Восьмеренко не терял надежд реанимировать свой допотопный агрегат и по вечерам пытался вдохнуть жизнь в эти железяки.

В отделе было пусто: ни Шаховского, ни Горностаевой — мы подвиги совершаем исключительно в рабочее время, а после шести вечера... ищи ветра в поле.

Я оседлал телефон.

— Алло, добрый вечер, можно Виктора Кожевникова? Это Володя Соболин... Как нет? Куда уехал? Надолго?..

Вот это номер. Кожевников спешно слинял из города. Струсил. Так слинял, что даже сломанная нога не помешала.

298

Одним свидетелем меньше. Что ж, счет сравнялся: один — один. Но игра в самом разгаре, мы еще посмотрим, за кем останется последний удар.

Заборин оказался дома. Он же и взял трубку.

— Привет, болящий! О нашем разговоре не забыл?

Мое предложение приехать в РУБОП у Алика энтузиазма не вызвало.

— Я уж лучше дома посижу...

Ладно. Не хочет Магомет к горе идти? Мы — не гордые, мы не горы, мы к нему сами отправимся. Резакова я поймал на трубе.

— Вадик, есть шанс встретиться со вторым терпилой, но нужно подъехать к нему на юго-запад.

Я объяснил, где живет Заборин. Рубоповец досадливо присвистнул.

— Ты, Володя, совсем рехнулся — на ночь глядя к черту на кулички тащиться... Ладно, ты где сейчас?

— В конторе.

— Через пятнадцать минут выходи на Зодчего Росси, я буду на машине. Подхватим тебя.

Через четверть часа на вымершую в этот вечерний час улицу Зодчего Росси со свистом тормозов вылетел похожий на отлакированный средний танк «шевроле блейзер». Иномарка остановилась рядом.

— Влезай давай, — Вадик высунулся с переднего пассажирского сидения и махнул мне рукой, он кивнул на водителя: — Знакомься, Антон Лагутин из нашей конторы.

— А кучеряво вы, борцы с оргпреступностью, живете!.. — Я поерзал на мягком заднем сиденьи роскошного авто, устраиваясь поудобнее. — Откуда дровишки?

— Из лесу, вестимо, — откликнулся Резаков. — Да ты не думай, он арестован нами у одного чучела «комаровского», а служебный транспорт — в разгоне. Не на своих же двоих до твоего Заборина добираться.

Сказать, что Заборин не пришел в восторг от нашего визита, значит ничего не сказать. Но деваться ему было некуда: рубоповцы обработали его быстро и профессионально. Через полчаса беседы Алик согласился дать официальные показания на братьев Карпенко.

— Счет: два—один, — заметил я, когда мы покинули квартиру Заборина.

— Что? — встрепенулся было Резаков.

— Да это я о своем, о девичьем...

— Признавайся, есть еще что-нибудь по теме в твоем загашнике?

— Может быть, и есть, только для начала мне надо сделать один звонок.

Я огляделся в поисках ближайшего телефона. Ага, вот он. Трубку сняла Маришка.

— Ты одна? Могу я тебя увидеть?

— Можешь... если хочешь...

Духу сказать Маришке, что приеду не один, у меня не хватило. В машине я как мог обрисовал Резакову всю пикантность ситуации. Тот свистнул, узнав, что у меня в деле свой корыстный интерес.

— Я уж думал, ты в филантропы записался...

— Ты только Обнорского во все детали не посвящай, я очень прошу.

* * *

Дверь открылась на четвертый звонок. Синяков и царапин на лице у Марины заметно не было, но глаза у нее были совсем больные. Она кинулась было мне навстречу, но, увидев моих спутников, отступила в глубь прихожей.

— Кто с тобой?

— Я обещал тебя защитить? — Она кивнула в ответ. — Это ребята из РУБОПа, мои хорошие знакомые: Вадим Резаков, Антон Лагутин. Они как раз занимаются обоими Карпенко. Сможешь им рассказать то же, что и мне?

— Зачем? Я забыть хочу этот кошмар и не могу, а ты опять предлагаешь душу травить?!

Я не ангел. И в жизни своей делал немало такого, чего потом стыдился. Вот только женщин я никогда не бил. Наверное, и Карпенко с их «быками» — не абсолютное зло. Охотно верю, что даже в нашей Северной Пальмире есть люди значительно и опаснее, и злобнее этих индивидов. Но безнаказанность еще ни к чему хорошему не приводила. Они считают, что преподали «зарвавшимся писакам» урок? Урок в ответ не помешает и им самим.

Все это я постарался объяснить Маришке. Красноречие не подвело. Вчетвером мы разместились на огромной кухне квартиры Ясинских. Марина рассказывала, опера задавали вопросы.

— Марина, а вы могли бы написать заявление нам? Обо всем, что там произошло, в «Лаки чене»? — спросил Резаков.

Она отчаянно замотала головой.

— Я боюсь... нет, ради Бога, нет. Мне некуда уезжать. А они меня достанут!.. — ее передернуло от ужаса.

— Послушай, котенок, — я посмотрел прямо в ее зареванные глаза, — и Мартов, и Заборин натерпелись никак не меньше твоего, но ведь написали в РУБОП.

— Это их беда! Если бы я знала наверняка, что завтра Карпенко отправятся за решетку...

Ситуация была патовая. Два заявления, конечно, хорошо, но, зная связи братьев Карпенко в некоторых верхах города, можно было предположить, что этого может и не хватить для возбуждения уголовного дела, а уж тем более для ареста Карпенко. Даже если РУБОП сработает четко и задержит обоих: дня через три закончится 122-я (по 122-й статье уголовно-процессуального кодекса можно задержать на трое суток до предъявления обвинения), и они опять пойдут гулять на волю. Чтобы их засадить как следует, аргументы должны быть не просто железными, а стальными или даже титановыми.

— Что скажешь, Вадик? Есть шанс, что этих деятелей точно упакуют за решетку?

— Как в прокуратуре карта ляжет, — он неопределенно пожал плечами. — Володя, ты же понимаешь, тут уже политика мешается.

— Какая, на хрен, политика — журналистов мутузить!

Тут меня словно током ударило:

— Вадик! А ведь уголовное дело можно возбудить и по факту газетной публикации!

Мы тут же составили план действий. Я пишу статью, основываясь на собранных материалах, публикую ее и поднимаю шум в СМИ. Резаков по своим каналам со статьей и собственноручными показаниями потерпевших старается нажать на прокуратуру, чтобы возбудили дело, а братьев Карпенко отправили в «Кресты».

— Сколько тебе времени надо, чтобы написать? — спросил он.

— Завтра вечером она будет готова. — Я прикинул сроки выхода нашей «Явки с повинной». — Либо в эту пятницу в нашей собственной газете, либо в следующий понедельник в «Новой».

— На следующий день после публикации Карпенко будут за решеткой. Как минимум, на трое суток, — но большой уверенности в голосе Резакова я не услышал.

Заявление Марина написала. Я не решился оставить ее одну дома. Выпроводив Резакова с Лагутиным, я остался утешать Маришку. Утешал полночи, да так, что утром едва не проспал на работу — на написание статьи оставалось часов пять.

* * *

В контору я влетел, как ошпаренный. Личный состав репортерского отдела был на месте, исключая Восьмеренко, который, по словам остальных, «только что был здесь, но куда-то испарился». Впрочем, к этим его исчезновениям я привык, только одного не мог понять, как ему так удается растворяться в окружающей обстановке без остатка. Ведь, действительно, и стул за его компьютером еще не успел остыть, а самого нет, словно и не было никогда на этом свете.

— Витя, оставляю тебя за старшего! — Шаховскому в плане организации в нашем отделе я доверял больше, чем кому бы то ни было еще, — если уж он с братками тамбовскими несколько лет справлялся, то и с этой гопой управиться несколько часов сможет. — Я выполняю ответственное спецзадание... в стенах нашего агентства. Если что экстренное, я — у расследователей. Мне нужно несколько часов плотно поработать. Ясно?

Шаховской заверил, что будет бдеть. Девушки: Горностаева с Завгородней (Света наконец-то соизволила объявиться на работе) — согласно закивали головами. Будем надеяться, что сегодня нас минуют взрывы в казино, убийства депутатов и падения самолетов. С остальным мой отдел мог прекрасно справиться и без меня.

Теперь предстоял еще один сложный и щекотливый момент. Необходимо было обработать Колю Повзло, чтобы несуществующий пока материал стал либо в «Новую» газету, либо в «Явку с повинной».

С Колей я в последние несколько месяцев старался пересекаться как можно реже и только по крайней необходимости. Сейчас необходимость была наикрайнейшей.

Тук-тук... Я отстучал дробь по двери кабинета соперника в сердце моей законной супруги и правой руки нашего великого шефа.

— Николай Степанович, вы на месте? — не дожидаясь положительного ответа, я шагнул через порог.

Повзло был в кабинете.

— Николай Степанович, не откажите в милости пристроить статейку о бесчинствах двух небезызвестных вам граждан.

— Кого еще? — Коля сделал стойку, словно спаниель при виде низко летящей утки.

— Братанов Карпенко. — Я в красках пересказал Повзло историю с воспитанием четырех журналистов. — Только надо напечатать это все в ближайшие дни. Сможем?

Повзло задумался, прикидывая что-то про себя, а потом уверенно махнул рукой.

— Думаю, да. Давай текст, я его посмотрю.

— Он будет у тебя через три-четыре часа.

В срок я уложился. Через три с половиной часа семь страниц стандартного машинописного текста лежали на столе перед Повзло. Николая все более или менее в тексте устроило, кроме названия. В оригинале мой опус назывался: «Закопаем журналиста!..», но в Повзло взыграли редакторские жилки, и он переименовал текст в «Криминальный дуэт». Я не стал к этому цепляться.

Повзло пообещал, что статья встанет в пятничный номер «Явки с повинной». Ради этого он готов передвинуть на следующий номер один из эпохальных текстов Спозаранника о коррупции в руководстве детского садика в Калининском районе.

Теперь оставалось поставить в известность о сроке и месте публикации Резакова. Что я и сделал. Можно было умывать руки — мавр свое отработал. Пусть теперь суетятся РУБОП и прокуратура. В любом случае за ближайшие два дня до выхода газеты в этом деле вряд ли что сдвинется, если только обоих Карпенко не грохнут злобные киллеры. Но тогда я только скажу им спасибо, независимо от того, по каким причинам им пришло в голову всадить в головы Виктора и Станислава по девять граммов свинца...

Насчет киллеров я погорячился. Жизни братьев-негодяев до пятницы ничто не угрожало. В остальном я оказался прав — ничего сверхъестественного не приключилось. Даже в нашей репортерской работе образовался некоторый подозрительный застой. Писать было не о чем. Мы обрывали телефоны в поисках новостей, но все, что происходило, было как-то мало достойно нашего внимания. В безумной голове Восьмеренко родилась поражающая своей новизной идея: раздобыть канистру с бензином и поджечь Апраксин Двор.

— А почему именно Апраксин? — вяло поинтересовался Шаховской.

— Так ходить далеко не надо, — ответил Восьмеренко.

— Тогда уж надо Суворовское училище поджигать, — лениво заметила Завгородняя, — у нас на него как раз окна выходят...

— Дураки вы все! — подвела итог дискуссии Горностаева.

* * *

В пятницу я явился в контору, как обычно, около десяти утра. Вахтер, он же охранник, Григорий сидел на своем посту, уткнувшись в еще пахнущий типографской краской номер «Явки с повинной».

— Привезли уже? — поинтересовался я.

— Угу...

Я взял верхний номер из распечатанной пачки и двинулся в сторону нашего кабинета, разворачивая газету на ходу и марая пальцы в краске. Вот он, целый разворот. Даже с фотографиями обоих Карпенко. Молодец Повзло — удачно получилось.

Первым делом я набрал номер трубы Резакова.

— Привет, Вадик. Видел?

— В метро прочитал. Здорово сработано.

— Дело за вами.

Резаков велел звонить ближе к вечеру: возбуждение уголовного дела — не такая быстрая процедура, как иногда кажется.

Весь день я не находил себе места. Чтобы хоть как-то унять охвативший меня зуд, попытался с головой уйти в работу. Но, как на грех, пятница выдалась тихой. И все же ощущение, что как раз к вечеру случится что-нибудь из ряда вон выходящее, меня не покидало. Пятница — роковой для нашего репортерского отдела день. В последнее время в Питере пошла мода учинять всяческие безобразия именно в пятницу под вечер: то склад артиллерийский взорвется, то депутата или «авторитета» какого грохнут (я, впрочем, в последнее время перестал делать большие различия между этими двумя категориями активного народонаселения), то фанаты зенитовские полгорода разнесут в порыве своих фанатских чувств. Но пока все было тихо.

Часа в четыре в наш кабинет просунулась взлохмаченная голова Родиона Каширина. Он обвел нас слегка ошалевшим взглядом и задержал его на мне.

— Соболин, пошли пиво пить в Катькин сад!..

— А пошли, Родион, — может хоть пиво меня успокоит? — Орлы, я вернусь минут через двадцать. Шеф будет спрашивать: я — на почте... получаю заказное из Штатов.

Орлы-репортеры понимающие переглянулись и заверили, что сделают все, как я сказал.

Мы с Родионом расположились за столиком летнего кафе у самой ограды Екатерининского сада. Из еды в кафе были только чипсы, зато пиво было самое разнообразное. Каширин заказал «Балтику» седьмой номер, а я решил попробовать «Толстяка».

Родион по своей старой оперской привычке рыскал незаметно по сторонам глазами. Хотя, думаю, он все больше на красоток в мини-юбках глазел.

— Володя, ты только не дергайся, — неожиданно тихо, но внятно сказал он, — сдается мне, за нами хвост.

— В смысле?

— Только башкой своей глупой не верти по сторонам. Три человека: один возле машины у ограды Аничкова дворца — БМВ темно-синяя; второй возле стойки стоит, пиво берет; третий в самом Катькином садике ошивается — делает вид, что за шахматистами наблюдает. Они нас от самого агентства вели. Эта БМВ напротив нашей арки стояла.

Причин не доверять профессиональному глазу Каширина у меня не было. Как-никак человек опером в уголовном розыске отработал: правда, всего год и в приполярном Диксоне (за кем он там следил, за медведями белыми, что ли?), но все-таки.

— Ты номера можешь срисовать?

— Уже. Придем в контору, попробуем пробить. Давай немного пройдемся, проверимся. Ты только сам не крутись, я отслежу.

Мы, не торопясь, допили пиво и пофланировали в сторону Невского. Пересекли его, завернули в Елисеевский (надо же было как-то оправдать наши передвижения), а затем повернули обратно, в сторону улицы Зодчего Росси.

— Ну? — нетерпеливо спросил я, когда мы поднялись на наш второй этаж.

— Подковы гну! За нами хвост, железно. Я пошел номер пробивать.

Родион скрылся за дверью кабинета расследователей и начал взывать к Зудинцеву, умоляя того отвлечься от общения с Завгородней в буфете и заняться пробивкой номеров БМВ.

За время моего недолгого отсутствия мне позвонили трое: Заборин, Резаков и неизвестный мужчина со слащаво вежливым голоском.

— Чего он хотел? — спросил я у Восьмеренко, который беседовал с ним, пока меня не было.

— Спрашивал, в городе ли ты, когда тебя можно застать. Интересовался твоими координатами, в том числе и домашним телефоном...

— Я надеюсь, ты не сказал?

— А что тут такого? Секретные сведения, что ли? — удивился Восьмеренко.

Я аж зубами скрипнул с досады — ну кто его просил кому ни попадя мой домашний телефон выдавать? Досчитав до двадцати, чтобы не обложить его матом — все же в кабинете были девушки — я попросил этого инвалида ума налить мне кофе, а сам стал звонить. Первым я дозвонился до Заборина.

— Старик, то, что я в жопе — это фигня, я в ней давно — еще со своей встречи с Карпенко, но, похоже, что и ты теперь влетел. — Алик говорил со мной зло и ехидно. — Ты лучше сразу больничный возьми. Авансом, так сказать. После того как Карпенко с тобой побеседуют, ты и до поликлиники уже можешь не дойти.

— Алик, да им сейчас не до бесед с нами будет — они, поди, уже со следователем прокуратуры беседу ведут.

— Четверть часа назад они беседовали со мной. Слава Богу, что только по телефону. Но я намерен лечь на дно. И тебе советую, если еще не поздно.

Он повесил трубку. Вот оно — пятница, вечер. Похоже, что именно у меня будут неприятности в самое ближайшее время. Я несколько раз набирал номер служебного кабинета Резакова на Чайковского, но трубку никто не брал. Пришлось звонить ему на мобильник.

— Вадик, что с Карпенками? — задал я вопрос в лоб.

Резаков замялся с ответом, что вообще-то ему было не свойственно.

— Херня, Володя. Следователь уперся — не хочет дело возбуждать. Это, говорит, еще разбираться надо, проверку проводить. Они, мол, люди уважаемые. А если журналисты просто сговорились честных политиков и коммерсантов опорочить? Им, мол, заплатить за эту кампанию травли могли... Володя, ты это... будь поосторожнее..

Поосторожнее!

И тут мне под руку подвернулся Восьмеренко с кружкой кофе. В следующую секунду я метнул ее в стену. Брызнули во все стороны осколки, грязное коричневое пятно поползло вниз по обоям, повинуясь закону всемирного тяготения.

— Вовка, ты что? — Восьмеренко был бледен, и пальцы его тряслись.

Все удивленно уставились на меня. Трубку телефона я все еще держал в руках.

— Вадим, я перезвоню позже...

Хотелось выть. И крушить все вокруг.

— Володя, да что с тобой? — Горностаева подбежала, стала доставать из сумки какие-то таблетки.

— Извините, ребята...— я старался говорить медленно и спокойно, — я... я потом как-нибудь все объясню. Простите, но мне нужно ненадолго выйти...

К счастью, Агеева в своем крохотном кабинете была одна (и как они там всем своим архивно-аналитическим отделом умещаются?). Я попросил у нее убежища. Мне нужно было полчаса, чтобы прийти в себя.

— Володя, что случилось? На вас прямо лица нет?

— На мне, Марина Борисовна, скоро и головы не будет!..

Агеева притащила кофе, выставила на стол из заначки бутылку с прозрачной жидкостью и надписью не по-русски.

— Не обессудьте, Володечка, коньяк весь вышел. А это ракия турецкая. Но эффект тот же.

Ракия пахла анисом и еще какой-то сладковатой гадостью. В кофе я ее лить не стал, а опрокинул в себя одну за одной три рюмки. У первой вкуса не почувствовал — просто обожгло горло. Вторая оказалась крепкой и сладкой, как лекарство от кашля. Удержался, не выплюнул. Третью рюмку выпил, словно мстя собственному организму.

Потом я допил кофе, поблагодарил Агееву за участие и на все еще слабых ногах пошел к Каширину.

— Ну, что, Родион, чья тачка?

— Похоже, что «братаны» нас выпасали. Машина оформлена на «чернобыльца». Он ее якобы ввез в Россию пару лет назад, по льготным таможенным платежам. А вот нарушали на ней в последнее время двое «отморозков» — официально-то они, конечно, частными охранниками оформлены, но, по нашим данным, плотно работали на братьев Карпенко.

Я снял трубку телефона и набрал номер Марины. Не отвечали минуты две. Неожиданно на том конце провода кто-то снял трубку. Незнакомый мужской голос.

— Кого вам?

— Ясинскую Марину можно?

— Нельзя. Она в плохом состоянии.

— А вы кто?

— Врач «скорой». У нее была попытка суицида. Нет, приезжать сюда не надо — мы ее в больницу везем. Завтра можно будет подъехать, в справочной узнать.

— А куда?

— Куда, куда... на Пряжку.

Доигрались, твою-то мать!.. Почему же мы, уроды такие, всегда забываем, что за нашими игрищами живые люди, а не картонные фигурки. Нам не дано предугадать, как слово наше отзовется. Фигня это все — еще как дано. Только не лениться надо, а думать.

Ярость прошла. Теперь я чувствовал такую слабость, что ноги не держали.

— Вовка, да тебя же трясет! — Каширин заглядывал мне в глаза.

Только тут я понял, что меня колбасит. Дрожало все, что только могло дрожать. Зудинцев метнулся куда-то из кабинета, затем снова появился уже передо мной, силой влил мне в рот из кружки какую-то горькую гадость. Зелье подействовало. Трясло меня уже меньше, да и кавардак в голове несколько унялся.

— Спасибо, мужики, — сказал я.

— Может, расскажешь, в чем дело? — поинтересовался Зудинцев.

— Не, Георгий Михайлович, сам напортачил, сам и разберусь.

Каширин робко намекнул, что, может быть, сказать о хвосте Обнорскому. Этого еще только не хватало. Тогда план, который уже начал обрастать у меня в голове некоторыми очертаниями, придется похоронить. Нет, действовать надо было прямо сейчас, без промедления.

Надо двигать домой, все спокойно обдумать и начать действовать. Ха! Письменных заявлений обиженных журналистов, видите ли, недостаточно для возбуждения дела... Им что, труп журналиста нужен в кабинете Карпенко? Ну, так будет им труп...

— Я, мужики, пожалуй, пойду домой. Спасибо, что откачали в трудную минуту.

«Черт! — вспомнил я. — Там же хвост! А если они меня прямо на выходе сцапают?» На свой счет я не обольщался. Мне и с одним-то «братком» сложно было бы тягаться на равных, а с тремя...

Усилиями Зудинцева и Каширина их кабинет напоминал нечто среднее между кабинетом оперуполномоченных в РУВД и небольшим музеем: стены были обклеены зловещими фотографиями с мест происшествий, в одном углу было прикреплено переходящее красное знамя «За успехи в раскрытии преступлений», в другом — черный флаг с черепом и скрещенными костями, который каждое утро торжественно поднимали, а ежевечерне — спускали с соблюдением соответствующих церемоний.

— Слушайте, мужики, а какие-нибудь средства личной самообороны у вас имеются в коллекции?

Средства нашлись. От изделия ПР-1 (палка резиновая) я отказался — обращаться с ним не умею. Газовую систему «Удар» тоже отверг — не было уверенности, что и с нею я совладаю, хотя отзывы о ней слышал хвалебные. А вот деревянная рогатка... В сочетании с металлическими шариками от подшипников она могла стать грозным оружием, если, конечно, вспомню юность в поволжском городке. Я осмотрел индивидуальное бесшумное ручное устройство натяжно-ударного действия, проверил резинку и остался доволен. Каширин отсыпал мне в ладонь горсть шариков трехсантиметрового диаметра. Я сунул оружие в карман и вышел на улицу.

* * *

БМВ карпенковских «братков» стояла через улицу — напротив выхода из нашей подворотни. Они дали мне выйти на Зодчего Росси. Едва я повернул к Александринскому театру, как из салона БМВ выбрались два молодца и направились в мою сторону. Третий сидел за рулем.

Я вытащил рогатку. Щелкнула резинка. Один амбал споткнулся и сложился пополам — металлический шарик угодил ему в солнечное сплетение. Второй не понял, в чем дело, прибавил ходу. Я выстрелил по нему — промахнулся. Щелкнул рогаткой еще раз. Снаряд попал в ногу. Наверное, в коленную чашечку, потому что второй мой преследователь рухнул на асфальт, закричав от боли. БМВ уже разворачивалась в мою сторону. Оставшиеся три шарика я выпустил ей по стеклам. Лобовое пошло трещинами...

Потом я побежал. Последний раз я так бежал в армии на пятикилометровом кроссе в полной выкладке. Тогда я чуть не умер. В этот раз я тоже остался жив.

Я вылетел на набережную Фонтанки, повернул направо и, задыхаясь, влетел на вахту общежития Большого драматического театра.

— Вам кого, молодой человек? — благообразная бабулька строго заступила мне дорогу.

— Я — к Яну Шапнику. Он у себя?

Ян был на месте. Когда-то мы вместе учились в театральном училище в Ярославле, правда, на разных курсах, но друг друга знали. После третьего курса Шапа, как его обычно звали в училище, перевелся в Питер. А после окончания ЛГИТМиКа попал в БДТ.

Я проскочил на второй этаж. Мне казалось, что я слышал сзади топот моих преследователей. Но, возможно, это мне только мерещилось.

Вот и Ян Шапник. Увидел меня, узнал, удивился:

— Какими судьбами, Соболин?

— Нужна твоя помощь: поспорил с коллегами, что смогу так перевоплотиться, что они меня ни в жизнь не узнают. Не одолжишь паричок, грим и еще кое-что, желательно из дамского гардероба...

У Шапника нашлось все: и грим, и седой косматый парик, и потрепанный, давно уже потерявший свой природный цвет женский плащ, и стоптанные башмачки типа «здравствуй, старость». Была даже суковатая палка.

Загвоздка была в одном — мою густую черную бороду было не закрасить никаким гримом.

— У тебя станок бритвенный есть? — Я разглядывал растительность на собственной физиономии в зеркало — жаль расставаться с тем, что отращивал с таким старанием последние три года.

— Есть. Вот только горячую воду отключили. Но мы сейчас в кастрюльке согреем.

— Ножницы тащи.

Ножницами я обкромсал бороду максимально коротко. Затем пустил в ход бритву — «первое лезвие бреет чисто, второе — еще чище... двадцать четвертое полирует кость». Минут через семь на меня из зеркала смотрела до бесстыдства голая, давно позабытая физиономия.

Я раскрыл коробку грима и приступил к процессу преображения. С помощью гуммиарабика обзавелся крючковатым носом. Затем наложил общий тон. За основу я выбрал серо-желто-зеленый цвет (вспомнилась старуха, которую как-то наблюдал на Васильевском острове — у нее был как раз такой, почти мертвецкий цвет лица). Затушевал свои густые брови, так что теперь они представлялись клочковатыми седыми кустиками, оттенил щеки и глаза так, чтобы они запали поглубже, изменил яркость и форму губ, провел в нужных местах старушечьи морщины. С помощью заколок-невидимок укрепил на голове кудлатый парик. Наконец все было готово — пожилая испитая бомжовка глядела на меня из зеркала.

— Ты что, так в джинсах и пойдешь? — ехидно поинтересовался Шапник, внимательно следивший за моим преображение.

Н-да, даже у самых гениальных актеров бывают проколы. Но и тут запасливый Ян пришел на помощь — протянул мне дамские колготки. Не лайкровые, плотностью пятнадцать или сорок дэн, а хлопчатобумажные, плотные, с рисунком в затейливый рубчик — такие лет тридцать назад носила моя бабушка. Джинсы я все-таки снимать не стал. Колготки попытался натянуть поверх. Получилось. Переобулся в старческие ботики, надел плащ, постаравшись поглубже спрятать кисти в рукава, почти по глаза повязал косынку, выпустив из-под нее несколько лохматых седых прядей. На спине у меня вырос горб, одно плечо громоздилось выше другого. Опершись на клюку, прошаркал в угол, подцепил пустой пакет с ручками. Прокашлялся.

— Ш-та, милок, бабушке на хлебушек бутылочек пустых не дашь?

— Не ожидал такого перевоплощения...— похвалил меня Ян.— Возьми — у меня тут пара бутылок завалялась.

Я воспользовался его предложением и сунул бутылки в пакет...

* * *

Мои преследователи действительно топтались неподалеку от входа в БДТ. Но старуха не привлекла их внимания. Я свернул в Апраксин Двор — лучшего места, чтобы затеряться в Питере, нет. Главное было не расслабляться, чтобы не выдать себя неожиданным для старухи движением или слишком резвой реакцией. Шаркая и высматривая по дороге пустые бутылки, я добрался до агентства. Был уже седьмой час вечера. Улица Зодчего Росси была пустынна — многочисленные обычно автомобили к этому времени разъехались, а потому две припаркованные неподалеку от входа в нашу подворотню машины невольно обращали на себя внимание. Очень похоже, что и эти пасут меня. Я поразился желанию господ Карпенко дать мне личную аудиенцию. Впрочем, можно и предоставить им такую возможность. Только игра будет идти по моим правилам!

Ближайший телефон-автомат был на Садовой. Все так же неторопливо я свернул на площадь Островского, затем в переулок Крылова. Даже постовые у расположенных там двух отделов милиции не обратили на меня особого внимания. Из автомата позвонил Резакову на трубу.

— Вадик, это я, Соболин. Ты еще хочешь засадить Карпенко за решетку?

— Да, но...

— Они все еще у себя, в «Лаки чене»?

— По моим данным, да.

— За сколько ты с группой захвата сможешь туда добраться?

— Полчаса, минимум.

— Скажи, для этого твоего следователя будет достаточным поводом для возбуждения дела и ареста факт расправы с журналистом?

— Что ты задумал?..

— Значит, полчаса? Смотри не опоздай, а то расправа кончится плохо... Для журналиста.

Если Резаков со своими рубоповцами успеет вовремя, все срастется. Если нет...

Времени у меня оставалось только-только, чтобы добраться до «Лаки чена», пробраться внутрь и раззадорить господ Карпенко.

В образе старой нищенки я проник во двор респектабельного ночного клуба. Задворки, впрочем, оказались не столь блестящи, как фасад. Вот и та помойка, в которую засовывали Маришку. За бачками я и избавился от старушечьего образа. Колготки, плащ, косынку и парик сунул в пакет. Ботики снимать не стал — мои туфли остались у Шапника.

С гримом возникли проблемы: я измазал носовой платок, но до конца оттереть краску так и не смог. Я глянул на свое отражение в оконном стекле — похож на трубочиста, вылезшего из дымохода. Да и волосы после парика стояли дыбом. Припрятав пакет с Янкиным барахлом, я направился к служебному входу клуба. До предполагаемого приезда рубоповцев оставалось десять минут. Уложиться бы...

— Вы к кому, молодой человек? — Охранник на входе заступил мне дорогу.

— К Виктору и Станиславу Карпенко.

— Вам назначено?

— Полагаю, они мечтают меня видеть. Я — Владимир Соболин, журналист.

Охранник недоверчиво взглянул на мою растрепанную шевелюру и перемазанное лицо, но снял трубку и набрал номер. Назвав мою фамилию и выслушав ответ, он переменился в лице.

— Велено пропустить. Я провожу... — Он схватил меня за локоть и повел по коридорам «Лаки чена».

— Сюда, — мы остановились перед обитой мягкой кожей дверью.

Он остался снаружи, а я вошел внутрь, с трудом унимая дрожь. Офис как офис: несколько мягких кресел, журнальный столик с чашками и кофеваркой, бар, рабочий стол с компьютером. Оба брата были здесь — не знал бы, что они с моими коллегами натворили, никогда бы не подумал, что они на такое способны: дядьки как дядьки. Средних лет, с залысинами, в очках, щечки пухлые, костюмы дорогие...

Если они и не ожидали моего визита, то не очень-то это показывали. Один — кажется, Виктор — курил сигарету. Рассматривал меня внимательно.

— Ну, здравствуй, сучонок! — произнес наконец один из них. — Что, струхнул? Нагадил, а потом и сам обгадился? Памперсы-то захватил?

— Вах, баюс, баюс, баюс... — отчаянный страх можно было прикрыть лишь нарочитым хамством. — У вас у самих-то, господа хорошие, памперсы имеются?

Станислав полиловел от ярости, рванулся ко мне и вцепился в воротник жилетки. Хрясь. Удар кулака пришелся точно в нос. Кровь закапала на жилетку, футболку...

— Сука! — Станислав оттолкнулся от меня и стал брезгливо вытирать запачканную кровью ладонь носовым платком.

Надо было вести сцену к финалу, тем более что, по моим расчетам, рубоповцы должны были появиться с минуты на минуту. Я издал сдавленный жалобный сип, согнулся в три погибели, схватился за сердце. Рожу при этом я скорчил максимально страдальческую.

— Станислав, что с этим придурком?

— Сердце! Воды... — я захрипел и скорчился еще больше.

— Дай ему воды, а то еще загнется, не приведи Господи...

Станислав плеснул из графина воды в высокий стеклянный бокал. На донышко. Жадина! Протянул стакан мне.

Я сделал глоток. Пора! Я грохнул со всего маху бокалом по углу стола. Разлетелись осколки, но донышко с торчащими острыми краями уцелело.

Братья растерянно попятились от меня. Они всерьез опасались, что я могу кинуться на них.

— Что, испугались? — я усмехнулся.

Оттянул ворот футболки и располосовал ее «розочкой» почти до пупа. Теперь будет больно: вонзил стекло себе в грудь. Неглубоко, я же не сумасшедший. Прочертил кровавую полосу поперек. Затем еще одну ниже. Кровь потекла по груди. Все поплыло. Я еще видел, как Станислава вывернуло от зрелища прямо на кожаное кресло. Из коридора донесся топот. Пора. Я отбросил остаток стакана под ноги Станиславу — на ней кроме моих отпечатков пальцев были и его — пусть теперь докажет, что это не он меня так разрисовал.

Я начал сползать на пол.

Дверь распахнулась, в кабинет ворвались здоровенные лбы в камуфляже — собровцы, следом Резаков с Лагутиным.

— Лежать, суки! РУБОП! — И сплошной мат: в РУБОПе ребята работают резкие, да к тому же на Карпенко у них накопилось.

И тут я потерял наконец сознание. Не люблю вечер пятницы, обязательно какая-нибудь гадость случается...

* * *

Лежать на спине, глядя, как по беленому потолку скачут солнечные зайчики, может быть, и забавно, если делать это полчаса, максимум — час. Когда в таком положении, да еще с саднящими и горящими под плотными повязками порезами, проводишь вторые сутки — хочется волком от тоски выть.

Нет, скучать мне не давали: после того как меня, слегка подштопанного и по самые уши напичканного обезболивающими, Резаков отвез домой, у меня перебывало пол-агентства. Первым заявился Шаховской. Да не один, а с доктором. Тот еще раз осмотрел мои телесные повреждения, оставил кучу склянок со снадобьями и мазями, полтора десятка упаковок разноцветных таблеток. Витька оставался у меня до утра субботы — никогда не предполагал в нем таланта замечательной сиделки. Утром нагрянули, сменив его, Зудинцев с Кашириным, притащили яблок и винограда. После них впорхнула Завгородняя, вся в облаке полупрозрачных нарядов и дорогих духов, чмокнула меня в лоб и оставила после себя плитку горького шоколада. Спозаранник долго выспрашивал меня о подробностях обстановки офиса братьев Карпенко, а потом, загадочно подмигнув, извлек из дипломата полуторалитровую пластиковую бутылку из-под «Пепси».

— Это «Негру де Перукар» — лучшее молдавское вино. Сама королева Елизавета его в Молдове покупает для своего стола. Здесь такого не купишь. Пей на здоровье.

Я не отпустил Глеба, пока мы не приговорили половину бутыли.

Остальное мы допили с Валей Горностаевой и Лешей Скрипкой.

— Знаешь, Володя, у меня был один приятель, — рассказывал одну из своих бесконечных историй Алексей, — так он, чтобы привлечь внимание любимой девушки, подговорил своих приятелей разыграть сцену нападения на нее. Они все сделали очень натурально: обступили ее у порога дома, стали цинично приставать. И тут он появляется. Раз, раз — всех раскидал. В общем, все было разыграно как по нотам. А тут, как назло, наряд милиции — всех в кутузку и упекли. Долго потом доказывали, что это была шутка...

Под вечер своим визитом почтил Обнорский. Он долго разглядывал меня, угрюмо молчал. А потом сказал все, что думает обо мне, моих умственных способностях, дурацком характере, нарушении всех возможных норм дисциплины и субординации...

Я молчал и глядел в потолок.

— Ты меня не слушаешь!..

— Не знай я некоторых деталей твоей собственной биографии, Андрей Викторович, подписался бы под каждым твоим словом. А если ты считаешь, что мне не место в агентстве, готов подписать заявление об уходе.

Он рот разинул от такой наглости. Помолчал.

— Н-да, Володя, нам тебя будет не хватать... Две недели, — он положил на кровать конверт, — считай себя с понедельника в отпуске. Будет лучше, если вы втроем, с Анютой и сыном, проведете его подальше от Питера. Считай, что здесь твои отпускные.

В конверте была внушительная сумма.

Жена с сыном приехали под самый вечер.

— Солнце мое, — сказал я Анюте, — мне так не хватало тебя эти две недели. Собирайся. Едем в Прагу...

ДЕЛО О ДВУХ УХАЖЕРАХ

Рассказывает Светлана Завгородняя

До прихода в Агентство журналистских расследований пять лет работала фотомоделью и манекенщицей. Сверхкоммуникабельна, обладает бесценными возможностями для добывания оперативной информации. Натура творческая, поэтому часто увлеченность Светланы той или иной темой сказывается на ее дисциплине...

(Из служебной характеристики)

Да, одета я сегодня была действительно не для пресс-конференции в Главке... Так-то вроде все очень в порядке: беленькая блузочка, темненькая юбочка, — но при ближайшем рассмотрении меня коллеги и сотрудники Главка почему-то начинают терять нить беседы, путать фамилии, звания и статьи Уголовного кодекса. Дело в том, что мой любимый не признает на мне никаких колготок (только чулки!) и никакого нижнего белья, особенно бюстгальтера. И сегодня у меня не было выбора, сегодня днем Аркаша прилетал из длительной заграничной командировки.

Четыре месяца без любимого; темная тоскливая питерская зима в одиночестве, холодная постель, ожидание звонка. Ночью мне снились его нежные руки, запах его одеколона. Я то считала дни до его приезда, то снимала со стены календарь, чтобы не видеть тоскливой череды бесконечных цифр. Впервые в жизни я понимала, что отсутствие этого человека — это отсутствие жизненно важной части меня самой.

Сочувствующие взгляды подруг и вздохи мамы: «Поехала бы ты куда-нибудь, что ли?» Впрочем, Пенелопа из меня вышла никудышная. Когда в конце января — в феврале я уже полезла на стены, подруга моя Василиса, великий психолог, сказала мне:

— Ну, мать, надо как-то сублимировать...

Очевидно, она имела в виду что-то другое, но в тот же день я взяла в оборот Соболина.

С Соболиным у меня давно была какая-то неясность. Вообще, это не мой тип. Внешне, да и внутренне. И потом, я привыкла к близким отношениям с мужчинами, как бы это помягче сказать... другого социального слоя. И мои страшно милые, нежно любимые коллеги к этому слою не принадлежали и принадлежать не могли никогда. Собственно, это не мешало мне их любить, но вот о серьезных отношениях думать было просто смешно: мне вовсе не хотелось разделить судьбу Анюты Соболиной с ее сумками, стирками, мужниными изменами, работой до ночи, красными от усталости глазами.

Но, с другой стороны, в Володьке (как и, в разной степени, — во всех наших ребятах) есть что-то такое, что не давало мне пройти мимо, а может быть, и уйти из агентства. Этим-то не могут похвастаться мои вполне успешные ухажеры: это простота и ясность жизненных позиций. И какая-то странная для меня радость жизни в самом центре ее мерзостей: сам процесс жизни, работа, проблемы, запарки доставляют им неописуемое удовольствие «так жить».

А если учесть, что Володька как бывший актер (или бывшим актером быть невозможно, как бывшим кэгэбэшником?) себя подать умеет, я смотрела на него с самого начала моей работы с восхищением. Я просто не могла пропустить такого мужчину в своей жизни! Правда, что с ним делать в жизни, я тоже не знала...

Ну, если в плане жизненных позиций и высоких идей у нас все в порядке, то по части личной жизни у наших сотрудников — полный провал. Все агентство полгода с интересом наблюдало, как чета Соболиных и Коля Повзло хороводами по агентству ходят. Гуляет Коля по агентству и на каждом углу во всеуслышание объявляет, что надо-де ему кое-что в интернете посмотреть и, видимо, придется ему Анну Соболину попросить. Вот и все агентство в курсе: пошел Повзло к Соболиной по важному делу. «Иди, Коленька, конечно, спроси у Анюты», — скажет добрая Агеева и встанет под Анькиной дверью с сигаретой наперевес, чтобы никто не помешал их совместной работе. А тут по коридору летит Соболин и кричит, например: «Где Повзло, к нему с телевидения приехали!» Марина Борисовна плечами пожимает, и все остальные, как дураки, тоже пожимают плечами, потому что все (и Соболин в том числе) знают, где Повзло, но сказать стесняются. И тут открывается дверь и выходит Повзло. Взъерошенный, глаза обалдевшие. «К тебе приехали». — «Спасибо, Володя». — «Анют, обедать будешь?» — «Спасибо, Вова, я не хочу есть». Смотреть на все это было смешно и грустно.

Володька был уставший, одинокий... как я. И я почувствовала, что просто не могу, как хочу быть с ним. Весь рабочий день я смотрела на него из-за компьютера и думала, как это устроить, а вечером, когда уже почти никого не было, пригласила его поужинать. Ну, не предлагать же ему сразу разделить со мной диван в офисе?

Ужинали мы недалеко от работы, в трактире, говорили о всяких глупостях попросту, как-то легко пили, как-то незаметно стали хихикать над глупыми анекдотами, а потом печалиться о нескладной личной жизни, но время шло, и я понимала: сейчас расплатимся, встанем, Соболин проводит меня до метро по-дружески и... и все. И тогда я заявила, что хочу водки.

Потом мы шли действительно к метро, было темно и очень скользко, поэтому я висела на Володе. Метро приближалось неминуемо. И тут я сказала, что мне очень надо в агентство. Очень-очень. И мы побрели к агентству. Ну, если Соболин не догадывался — зачем, то я сильно преувеличивала умственные способности моих коллег.

Меня понесло уже в коридоре. Было темно, только где-то синим светом горел экран телевизора. Я схватила его, прижалась к нему, пытаясь сквозь мою шубу и его куртку зажечь его, забормотала что-то, что должно было хоть как-то смягчить мой сексуальный напор. Володя ответил так, как отвечают мужчины, — он сжал меня до хруста и задышал как марафонец. Мы ввалились в темный, пустой репортерский отдел, — Соболин уже целовал меня, коля бородой и срывая шубу нам под ноги. Меня трясло, стоять мы уже не могли и неминуемо клонились к дивану. Такого со мной не было никогда. Я знала, что такого со мной больше никогда и ни с кем не случится. Гори все ясным огнем! Вот сейчас...

Я даже не поняла, что случилось. Вспыхнул свет, в дверном проеме появился и заорал страшным голосом некто бритый в кожаной куртке, и Соболин разжал руки. Я с воплем ухнула вниз, на распластанную шубу, и почему-то подумала, что сейчас будут стрелять. Кажется, я недолго была в обмороке. «Обнорский?» — пронеслось у меня в голове, когда я услышала голоса. Я почему то подумала, что очень хорошо, что Соболин не успел снять джинсы...

— Это что еще за дом свиданий! Пошла вон!!! — заорал действительно Андрей Викторович.

Я отреагировала не сразу, потому что не сразу смогла отождествить знакомый зычный голос и то, что явилось перед моими глазами: лысый бандит в очках с золотой оправой и с неуловимо знакомыми чертами лица. Господи, и молнию на платье заело, надо же было ее так рвануть в порыве страсти!

— Завгородняя, завтра на работу к девяти! — заорал Обнорский.

Я выскочила из кабинета, волоча за собой бедную шубку и пытаясь одернуть платье, обвившееся винтом вокруг тела. А Соболин остался в кабинете.

Не знаю, что шеф там ему сказал, но в течение следующих нескольких дней Обнорский провел воспитательные беседы со всеми участниками этой запутанной семейно-служебной драмы: с Володькой, Анной и Повзло. Только меня шеф проигнорировал: на следующий день только окинул меня мрачным взглядом и сказал что-то невнятно про ноги и мозги.

Вот так я чуть не изменила любимому со своим непосредственным начальником, можно сказать — на рабочем месте.

Так вот сегодня, в день пресс-конференции в Главке на тему «Итоги работы участковых инспекторов за первый квартал текущего года», Аркаша наконец прилетал из Канады. Конечно, коллеги мои (особенно женского пола) отнеслись с пониманием к этому моменту, но отменить поход на пресс-конференцию с неизбежным написанием отчета по оной в ленту новостей никто не мог. Соболин и не подумал дать мне отгул. Но я летела в Большой дом как на крыльях, и ничто не могло бы испортить мне настроение в этот пасмурный день конца февраля. Ни тягостная конференция, ни бравые доклады об увеличении числа намордников (интересно, на ком?) и уменьшении числа лиц БОМЖиЗ (интересно, куда они делись?), ни статистика, которая напрочь опровергала вышесказанное, ни обстоятельная лекция о беспризорниках.

Я механически чиркала в блокнотике ручкой, не к месту улыбалась и представляла себе, что будет через несколько часов в аэропорту... а потом у Аркаши дома... а потом в каком-нибудь ресторане, а потом снова в Аркашиной спальне при свете свечей и тихих звуках саксофона. Уф... Нет, надо собраться. Где тут пресс-релиз? Ага, отлично, в нем все ясно и понятно.

Только одно на всем свете могло мне испортить настроение. Это встреча с Тимуром Тимуровичем Иратовым. Я прогнала эту мысль от себя, но когда после окончания конференции я, в окружении восхищенных сотрудников ГУВД и СМИ, стала спускаться по лестнице, — он уже был там. Он стоял на площадке ниже этажом, и дружная компания коллег несла меня прямо к нему в руки. Я чуть не споткнулась, повернула было назад, но сзади подпирала группа курсантов, и мне пришлось спуститься прямо к галантно протянутой руке Тимур Тимурыча.

— Здравствуйте, Светочка. Что-то давно вы ко мне не заглядывали, — ласково сказал он, слегка пожимая мою руку. Глаза его, холодные, серые, смотрели прямо в вырез моей блузки. Бесстрастно и цепко.

Это началось около полугода назад. Мы познакомились на фуршете в честь очередного профессионального милицейского праздника в ГУВД. Иратов, начальник одного из убойных отделов, был галантен и блистал остроумием. Иметь такой источник — мечта любого криминального репортера, и я с удовольствием позволила Тимур Тимурычу считать наши отношения «дружбой». Что и сказать, информацию я от него получала качественную, горяченькую, с пылу с жару. Иногда даже Соболин руками разводил, а Обнорский несколько раз мрачно заметил, что «за удовольствия надо платить». Прозорливому нашему шефу я тогда не поверила, но где-то через пару месяцев нашего сотрудничества Тимурыч стал все чаще и настойчивее предлагать познакомиться поближе и приглашать то на дачу, то «к друзьям». Приглашения были так настойчивы и откровенны, что вызывали и негодование, и страх. От моих отказов в его глазах появлялось это страшное выражение холодной злобы и насмешки, словно он видел меня насквозь, и читал мой страх, смешанный с брезгливостью, и знал свою власть надо мной.

Примерно в это же время до меня стали доходить слухи о том, что Иратов пользуется в ГУВД властью почти фантастической и многих в Главке держит в страхе. В выборе средств достижения своих целей он не церемонится, жесток, всегда спокоен и ироничен, корректен и неуловим... Серый кардинал. Сильные связи, и не только в Питере. Страшный человек. Я стала реже бывать у него: начались телефонные звонки, «случайные встречи», даже визиты в агентство. Потом Иратов «наказал» меня, не рассказав об одном шумном убийстве, и мне пришлось искать другие источники.

Источники молчали, как партизаны на допросе. Во всем ведомстве я могла теперь получать информацию только от Иратова. Это была ловушка. И я попала в нее.

— Вы прелестно выглядите сегодня, — сказал Иратов, не отводя взгляда от моей груди. Я чувствовала, как краснею. Мне было противно и страшно.

— Спасибо, — сказала я, — сегодня приезжает мой жених. — Я старалась говорить твердо и даже с вызовом.

— Жених? — усмехнулся Тимур Тимурыч, переводя взгляд мне в глаза. «Жаба, мерзкая жаба», — подумала я, пытаясь сохранить самообладание. Но Тимурыч неожиданно улыбнулся обаятельно и открыто, немного по-мальчишески, радостно:

— Светочка, я вас поздравляю! Значит, вы торопитесь? Как жаль! А я-то, старик, надеялся вас порадовать. Знаете, буквально сегодня утром доложили — героиновое убийство, крупная партия.

Я буквально подпрыгнула на месте. Такой случай бывает раз в полгода: отличный материал, с хорошими перспективами, из первых рук... Но я колебалась. Посмотрела на часы. Все мои коллеги уже ушли, я стояла на лестнице одна с Иратовым.

— Надолго не задержу, Светочка. Пойдемте ко мне в кабинет, успеете к жениху.

Он мягко, но цепко, по-кошачьи, взял меня под локоть, и мы пошли обратно, вверх по лестнице. Всю дорогу до кабинета он говорил мне о всяких малозначительных происшествиях по городу и не отпускал ни на секунду моей руки.

— Садитесь, Светочка. — Иратов усадил меня в кресло напротив себя, из рабочего стола извлек фляжку с коньяком и две серебряные стопочки.

— Очень хороший, дагестанский, привезли неделю назад наши ребятки. Пейте, Светочка.

— Благодарю, Тимур Тимурович. Я все-таки на работе. Так что же случилось?

— Да, как жаль, что такая красивая девушка все время думает о работе. — Иратов поднял стопку, пристально на меня глядя, и, увидев, что я не последовала его примеру, резко поставил ее на стол. — Давайте поговорим о вас.

— Обо мне? — Я встала и накинула сумку на плечо. — Вы извините, Тимур Тимурович, если у вас ничего нет про убийство, я лучше побегу.

— Сядьте! — Звучало как приказ. Меня словно ударили под коленки, и я рухнула обратно в кресло, с ужасом глядя на побелевшего Иратова. — Сегодня утром гражданка Улаева М. Д., уроженка Таджикистана, 1965 года рождения, вошла в ванную однокомнатной квартиры, которую их семья снимала по адресу улица Никитиных, дом 15, и обнаружила своего мужа, Улаева Т. Г., 1960 года рождения, лежащим в ванне, с многочисленными ножевыми ранениями грудной клетки, перерезанной шеей, без признаков жизни. Сотрудниками органов милиции в квартире обнаружен мешок с тремя килограммами героина. Предполагается, что убийство Улаева произошло на почве раздела сфер влияния в оптовой наркоторговле. Вы довольны?

— Ух, спасибо, Тимур Тимурович, — пробурчала я, дописывая в блокнот последние слова. Материал и впрямь был отличным.

— Ну, теперь мы можем поговорить о вас?

— Тимур Тимурович, мне надо бежать. Я опаздываю.

— Значит, наше свидание опять откладывается?

Я глубоко вздохнула, набираясь мужества, и ответила:

— Отменяется, Тимур Тимурович.

Тимурыч улыбнулся одними губами: морщинки вокруг глаз были веселые, смешливые, а сами глаза остались непроницаемы.

— А вы не пожалеете об этом, Светочка? — Он продолжал улыбаться, только не надо было смотреть ему в глаза, только не смотреть ему в глаза...

— Всего доброго, Тимур Тимурович.

Я выскочила из его кабинета пулей, почти побежала по коридору, пронеслась по лестнице, схватила пальто и отдышалась только на улице. Господи, какая гадость. Ладно, хоть материал стоящий. Интересно, было ли что-нибудь в том дагестанском коньяке? Запросто могло быть.

В агентстве я кинулась к компьютеру, чтобы отписать пресс-конференцию и рассказ Тимурыча.

— Что-то сегодня Завгородняя скромна не по годам! — сказал Шаховской, подходя сзади ко мне. Я колотила по клавишам в надежде нагнать хоть пару драгоценных минут. Самолет уже должен был заходить на посадку. Шаховской подошел и затих.

— Светлана, что за матримониальные слухи расползаются по агентству? — спросил Соболин, подходя с другой стороны, и тоже замолк. Я обернулась. Шах безмолвно пялился на вырез блузки. Соболин напряженно смотрел на экран компьютера.

— Откуда это? — спросил он, почесывая в бороде. Всем мил Соболин, но привычки у него...

— Иратов сегодня рассказал, — ответила я, застегивая верхнюю пуговку блузки. Шах с облегчением вздохнул и отправился курить. Соболин все еще смотрел на текст.

— На прошлой неделе это было, Валентина отписала. Нам ребята из наркоотдела слили. И не 60-го года рождения, а 61-го, — сказал он поучительно. — Ходила бы на работу — знала бы.

Иратов, сукин сын! Поймал на тухлую, прошлой недели информацию! И Соболин хорош, только и знает, как на меня докладные строчить, Гамлет хренов! Мстит, что ли, за несостоявшуюся любовь? Я выкинула информашку про Улаева, быстро подкрасилась перед зеркалом и, надевая пальто на ходу, выскочила из агентства.

— Счастливая! — крикнула мне вдогонку Марина Борисовна в коридоре. Ну, хоть кто-то меня понимает в этом доме!

Я действительно была счастлива. Я забыла все неприятности, я купалась в лучах Аркашиной любви. Вернулось забытое ощущение постоянного пьянящего праздника, когда весь мир, со всеми его удивительными штуками, принадлежал нам двоим. Мы то ехали играть в казино, то неслись за город кататься по заливу на «Буранах», то ели палочками суши в японском ресторане. Мы разговаривали и разговаривали, и мне никогда не было так интересно с ним, как после этой разлуки, и нам не хватало времени любить друг друга и разговаривать друг с другом... Мы утром разбегались каждый по своим делам, я ехала на работу сонная, счастливая, усталая.

— Зайчишка, давай поедем в теплую далекую страну на пару недель. На Кипр или в Испанию, — как тебе?

— У-у-у! Аркашенька, поедем, поедем. Знаешь, как я зиму ненавижу?

— Отлично, вот я тут свои дела немного поделаю, отпразднуем мой день рождения и поедем.

Я поцеловала его красивую холеную ладонь, он пощекотал меня бородкой (я вдруг мимолетно вспомнила Володю, и мне стало неприятно). Вспомнила Соболина, потом работу, потом Тимурыча... Аркаша, словно прочитав мои мысли, вдруг сказал:

— Зайчишка, а тебе обязательно работать в этой шарашкиной конторе имени Обнорского?

— Да нет...

— Ты ведь не по идейным соображениям там во всей этой мерзости копаешься?

— Нет. Конечно, нет. — Аркаша смотрел на меня нежно и перебирал мои волосы. — А что тебе подарить на день рождения?

— Себя.

Этот день рождения Аркадий решил отпраздновать на даче, в первое воскресенье марта. Собственно, дачей это можно было назвать лишь условно. В сосновом лесу, на самом берегу Финского залива, стоял за капитальным забором трехэтажный особняк красного кирпича с подземным гаражом, сауной, солярием и бассейном. Гости собирались в гостиной на первом этаже, — в огромном камине горел огонь, на стенах висели шкуры, и сидели на деревянных притолоках тетерева со стеклянными глазами.

В новом алом платье с открытой спиной мне было тепло, а атласные алые же туфли я сняла, чтобы насладиться теплым длинноворсовым ковром под ногами. Платье и туфли мне привез Аркаша, и изящный браслет, который сверкал на моей руке, и колье, и серьги. Он хотел, чтобы на его дне рождения я была неотразима. Кто бы сомневался!

Правда, сравнивать было практически не с кем. Гости подъезжали к воротам, охрана открывала, и Аркашины друзья входили в дом. Это были мужчины всех возрастов и видов: от откровенных бандитов до людей вполне интеллигентного вида. С одним из бандитов приехала сестра Аркаши — лет тридцати пяти, невысокая, со спортивной крепкой фигурой. С ней приехал сын, племянник Аркаши, о котором он заботился как о собственном чаде. Катя чмокнула брата, поздоровалась со мной и удалилась наверх.

А среди гостей я не без удивления узнавала героев как светской, так и криминальной хроник. Было несколько явных «южан», которых Аркаша представлял мне: «Тофик... Рафик... Рустам Улаев...»

— Улаев? — переспросила я любимого очень тихо.— Знакомая фамилия. Что-то из оперативной ленты. Три килограмма героина и труп в ванной. Информация Иратова.

— Да, а что?

— Да нет, ничего.

Рустам был красивым высоким парнем лет тридцати, с очень смуглым лицом. Такой темной коже золото очень идет. И Рустам это знал. Золота на нем было ровно столько, сколько может себе позволить мужчина. Очень сладкий, похожий на женский, парфюм. Идеальный дорогой костюм. Идеальный галстук. Он улыбнулся белоснежной улыбкой, похлопал по плечу Аркадия, вручая сверток, пошел к камину, к землякам.

— Это твой друг? — спросила я, пока не подошли другие гости.

— Нет, просто работали вместе. А почему ты спрашиваешь?

— Фамилия знакомая.

— У них половина республики — Улаевы. — Без особого почтения сказал Аркаша.

К нам шли новые друзья и партнеры по бизнесу.

— Откуда ты слышала фамилию — Улаев? — спросил Аркаша, когда мы снова ненадолго оказались вне плотного кольца гостей. Мне не хотелось отвечать, особенно после того разговора про «шарашкину контору имени Обнорского».

— Не помню. Где-то слышала.

Мне показалось, что Аркаша хочет еще что-то сказать или спросить, но тут вошел высокий темноволосый мужчина с волевым лицом, за ним в зале появился гориллообразный парень и забегал глазами по сторонам. Оглянувшись, темноволосый жестом велел ему удалиться и, раскинув руки для объятий, направился к Аркаше.

— Аркашка, старик, здорово! Мадам... — он галантно приник к моей руке, — представишь королеве?

— Светочка, это Вадим, мой партнер по бизнесу. — Аркаша без энтузиазма представил меня: — Это Светлана.

— Светлана! Вы — божественны! — заявил Вадим. — Аркаша, друг, мой тебе подарок. — И он сунул в руки имениннику не коробку и не сверток, а папку.

— Береги такое сокровище... — сказал он походя, направляясь с приветственным жестом к другим гостям. Мне-то не привыкать к таким пассажам, а вот Аркаша, похоже, был не готов. Впрочем, все гости так или иначе стремились мне продемонстрировать свое восхищение. Ох, тяжело быть красивой женщиной!

Повинуясь широкому жесту хозяина (да, была в Аркаше барственная и вальяжная манера, которая заставляла мужчин слушать его, а женщин — умирать от любви), народ устремился в столовую, отделанную также с особым шиком в стиле шале, где на столах сверкал хрусталь и призывно источали ароматы изысканные закуски. Расселись, загомонили, заговорили про Аркашу. Гости напивались стремительно и вели себя все более раскованно. Зазвучала музыка — блатняк вперемежку с Булановой и Апиной, гости желали танцевать. Вечер стремительно катился к полуночи.

Однако я заметила, что не все гости были одинаково пьяны: некоторые небольшими группами поднимались по винтовой лестнице на второй (или третий?) этаж и возвращались через некоторое время, захватывая «сверху» обрывки деловых разговоров. А кто-то уже парился в сауне, и среди костюмов и смокингов появились вдруг банные простыни. Аркаша был в ударе: он шутил, кружился по столовой, обнимая меня, и пил.

— Котик... Мне бы домой, — осторожно потрепала я его по плечу. Завтра, как ни крути, был понедельник, и надо было появиться на работе в полном порядке. Мне бы хотелось провести ночь с Аркашей в этом прекрасном доме среди сосен, посидеть в сауне, поплескаться в бассейне...

— Зайчишка, через час я сам отвезу тебя домой. — Аркаша поцеловал меня и потянулся к бокалу. За его спиной стоял Вадим.

— Мне жаль, мадам, чертовски жаль, приятель, но я отбываю.

Едва он покинул столовую, Аркаша буркнул: «Скатертью дорога», и снова потянулся к вину. Через полчаса положение стало критическим. Аркаша, конечно, был не безобразно пьян, но не в состоянии везти меня домой и категорически отказывался от предложений гостей «подкинуть» меня до города. Наконец появилась Катя.

— Аркаша, дай ключи от машины. Пусть Володя отвезет Толика домой на твоей машине, я останусь. — Володя, Катин шофер, телохранитель, друг и бог знает кто еще, протянул руку за блестящим маленьким ключиком.

— Вот-вот, и отвези Светочку домой. Держи. Мне еще тут поговорить кое с кем надо. В сауне. Давай, зайчишка, поезжай.

Аркаша проводил меня до машины, усадил в свой серебристый «мерседес.

— Зайчишка, не забывай, у тебя есть я и мобильный телефон. Я жду звоночка. Пока, любимая. Володя, отвечаешь головой за обоих, и аккуратнее, у меня на тормозе люфт небольшой есть. Все. — Он захлопнул за мной дверцу, Володя сел за руль, Толик, — рядом со мной на заднем сиденье, и мы тронулись. Ворота бесшумно открылись, Аркаша махнул рукой нам вслед, за тонированными окнами смутно замелькали сосны, и я прикрыла глаза. В голове мягко шумело, хотелось спать... Плавный ход машины убаюкивал, пахло елочкой-ароматизатором. Сквозь прикрытые ресницы я видела, как Толян, не отрываясь, смотрит в разрез моего платья. Да, Аркаша-то обрадовался, что я с племянничком поеду, а не с мужиками! Вот смеху-то будет, если этот полезет...

Я не помню, сколько мы проехали, когда вдруг машина резко затормозила. Нас замотало по салону, машину крутило на мокрой дороге, Володя крикнул: «Держитесь, вашу мать!» Толик навалился на меня всем телом, и машина встала.

— Что случилось? — сдавленным голосом спросила я. Несмотря на ужас момента, Толик не торопился слезть с меня и тяжело сопел мне в лицо.

— Да вот мудаки какие-то... встали...

Мы стояли почти поперек дороги. Прямо нам в лицо светили фары.

— Сейчас, разберусь, — сказал Володя, с трудом отстегивая ремень и вылезая из «мерса».

Сбросив раскрасневшегося тинэйджера, я прилипла к окну, пытаясь разглядеть за тонированными стеклами и в кромешной темноте. В свете встречных фар я увидела, как к Володе с обеих обочин подскочили дюжие ребята, Володя резко согнулся в три погибели, его с двух сторон подхватили под белы руки и поволокли к другой машине. Вот это да! Свет фар стал менее ярким (переключили на ближний свет), и я увидела, что от машины к нам приближается человек. В руке его ясно был виден пистолет, а вот лица его было не видно, — он был в вязаной маске.

— Надо это — кнопки, — срывающимся на детский фальцет голосом сказал Толик. Мы заблокировали двери и сжались на сиденье, ровно посерединке. Мужчина постучал дулом в стекло. Я приоткрыла окно на полпальца и спросила:

— Что это значит, вы кто? — Несмотря на мои старания говорить сердито и грозно, получилось истерично.

— Ничего страшного. Мы вашего друга хотим немного покатать, не возражаете?

— Возражаю! — пискнула я малоубедительно.

— Из машины не выходите, глупостей не делайте, — сказал на прощанье «мистер Икс» и удалился. Тронулась от обочины машина, увозя Володю с неизвестными, и стало темно. Но все-таки я разглядела на обочине еще две припаркованые иномарки. В них ярко вспыхивали сигаретные огоньки, в каждой было по два курильщика. Итого — минимум четыре дюжих мужика, наверняка вооруженные, на беззащитную девушку и подростка.

— Что теперь делать? — почему-то шепотом спросил Толик.

— Сиди. — Я сползла почти под сиденье и нашарила в темноте сумочку. В ней был спасительный телефон. Я привычно набрала Аркашин номер. — Сейчас я позвоню дяде Аркаше, и все будет хорошо.

Но видимо, в сауну дядя Аркаша ходит без мобильника. Ну же, ну же! Нет. Телефон вообще отключен. О, черт! Обнорскому! Чудо!

— А-але!

— Андрей... Андрей Викторович, это Завгородняя! Я в машине сижу! Нас люди в масках остановили, с пистолетами! Где? Я не знаю где!!! Из Репино! По какому шоссе? Не знаю, темно очень, Андрей Викторыч... Машина? Какая машина? А, «мерседес», шестисотый, серебристый, я тут с мальчиком. Да нет же, нет, с маленьким! Ну, не маленьким, ну... Номер? Чей номер? Я не знаю номера... А что мне делать? Они водителя увезли. Не знаю куда, на машине. Не знаю на какой! — Тут я судорожно сжала рукой крошечную коробочку телефона (руки тряслись), что-то пискнуло, и Обнорский пропал.

— Ну что? — спросил Толик, даже простивший мне «маленького мальчика».

— Все в порядке, — соврала я, — ждем подмоги.

А что, если проскользнуть на переднее сиденье, ключ-то остался в замке зажигания? Только я вряд ли смогу управиться с «мерсом». Аркаша меня учил прошлым летом, но у меня, видно, таланта такого нет. Нет, лучше не рисковать.

До Обнорского я больше не дозвонилась, у него было занято. Аркаша был «вне зоны обслуживания». Было начало третьего. Я начала замерзать в бальном платье и легком пальтишке, как вдруг на шоссе появились огни. Машина остановилась, как и раньше, метрах в десяти от «мерседеса», захлопали двери, и в свете фар появился Володя. Рядом с ним, держа руку на его плече, шел здоровый парень в маске.

— Просим прощения, — сказал он, усаживая Володю в машину. — Ошибочка вышла. Счастливого пути. — Он хлопнул по крыше ладонью и хмыкнул в маску.

Пока наш водитель приходил в себя, давясь ругательствами и пытаясь непослушными руками повернуть ключ зажигания, машины с обочины стремительно сорвались с места, развернулась и та, что стояла посреди дороги.

— Володя, что случилось?

— Да отвезли в лес тут недалеко, говорят, мол, разбираться будем, потом какой-то прибегает бритый, говорит: «Это не он, мудаки (это он им говорит), отпускайте». Посмотрели документы, извинились, привезли обратно.

До города мы доехали в гробовой тишине. Я была в таком шоке, что даже не смогла объяснить маме, что случилось. Я стояла в прихожей, трясясь, а мама раздевала меня, поила таблетками и наконец повела в комнату, уговаривая: «Спать, спать, спать...»

Утром меня разбудил звонок телефона. Я с трудом оторвала чугунную голову от манящей пуховой подушки и подняла трубку.

— Завгородняя, ты?!!! — раздался в трубке вопль Соболина.

— А сколько времени? — спросила я, пытаясь сфокусировать взгляд на будильнике. Голова раскалывалась. Циферблат расплывался.

— Какое время! Ты знаешь, что уже весь город тебя ищет!!! Я все морги обзвонил! Расследователи на машине все пригородные шоссе объездили, Обнорский всех ментов на уши поставил, а ты спишь!!!

— Ой, Володечка, не кричи, пожалуйста, у меня голова...

— Не будет у тебя головы! Чтобы через час была в агентстве, тебе Обнорский ее сам откручивать будет!

Тут я вспомнила обстоятельства этой ночи и ужаснулась. Конечно, я же не отзвонилась никому, придя домой, а мама имеет обыкновение выключать на ночь телефон. Да, ничего доброго меня на работе не ожидало.

Оказалось — после моего сумбурного звонка, имевшего место в половине второго ночи, Обнорский поднял по тревоге все агентство. Когда он не смог связаться со мной по мобильнику (а я в полном беспамятстве нажала какую-то не ту кнопку), все его знакомые из всех силовых структур были брошены на поиски серебристого «шестисотого» и меня в нем. Зудинцев с Повзло на двух машинах колесили по всем проселкам в районе Репина, а Зураб и Модестов прочесывали прибрежную полосу в поисках моего коченеющего тельца. К утру был готов обширный план, который, слава Богу, не был претворен в жизнь.

Обнорский орал так, что у меня в голове еще долго перекатывалось матерное эхо. Едкий Повзло вставлял убийственные реплики. Основную их мысль можно было выразить следующим образом: «Свои личные проблемы со своими мужиками — решай сама». Какие «мои мужики»? Да никто из них не посмел бы меня и пальцем тронуть! Конечно, дикая ситуация, но я-то тут при чем? Да, со звонком как-то неудобно получилось. Коллеги в отделе встретили меня гробовым молчанием. Неделя начиналась просто отлично.

Но, как оказалось, это было только начало.

В середине недели я вновь встретилась с Тимур Тимурычем. Уж какой бес занес его в мой «подшефный» отдел милиции — не знаю, но он выскочил как черт из табакерки, прямо перед моим носом. Помня нашу встречу на пресс-конференции, я попыталась отделаться нейтральным приветствием, но он подхватил меня под локоток и с отеческой журьбой в голосе вдруг сказал:

— Ай-яй-яй, Светлана Аристарховна, можно ли такой симпатичной девушке по ночам с незнакомыми мужчинами в машине кататься, да еще в таком глухом месте, как Приморское шоссе? Сами же в сводочках пишите «обнаружено тело...». Опять же — растление несовершеннолетних, да еще и племянника любимого жениха — ай-яй-яй!

Я оторопела. Откуда было ему знать об этом? Даже если Обнорский поднял весь город в ночь на понедельник, с Иратовым у него не те отношения, чтобы тот знал подробности. И больше — откуда Иратов узнал про то, что Толян — племянник Аркаше? Я Обнорскому ничего не говорила, да и потом — про Толика знали только моя мама да подруга Василиса, которой я рассказала всю историю без купюр. Видимо, в глазах моих был ужас. Иратов улыбнулся одними тонкими губами.

— Берегите себя, Светочка, берегите. Кстати, как мама себя чувствует, получше?

Второй удар. Маме вчера вечером было плохо с сердцем, мы даже вызвали «неотложку». Но уж этого Тимур Тимурович никак не мог знать.

— Ну, будьте здоровы, Светочка. А приглашение остается в силе, жду вас, Светочка. — И Тимур Тимурыч быстро зашагал от меня по коридору.

Так. Откуда он мог знать о подробностях ночного происшествия? Ниоткуда, если только... О, Господи, если только... Я посмотрела ему вслед. Он мог выследить меня с Аркашей. Он мог ревновать меня к нему (я же сама сказала Тимурычу намедни, что приехал мой жених) и выследить нас. Запросто, если учесть, что для человека в его должности нет почти ничего невозможного. Значит, почти наверняка ночной инцидент был срежиссирован им. Но он был уверен, что за рулем машины сидит Аркаша. Он не мог знать, что его заменил водитель сестры. Аркашу хотели поучить, припугнуть, а то и вообще «ликвидировать». Иратов — страшный человек.

Так, а мама? Может быть, просто совпадение? Может быть, я ему как-нибудь раньше говорила о том, что она нездорова (увы, с мамочкой это бывает не так уж редко)? Допустим.

Я решила ничего не говорить коллегам и тем более не обсуждать эту тему с Аркашей. Он и так перепугался за меня страшно, кричал, что никогда не простит себе, что не оставил меня до утра, что оставил телефон в гостиной... Бедный, он так переживал, что взял с меня слово больше никогда и никуда не ездить без него. С каким удовольствием я дала ему это слово!

Любой сотрудник агентства, попав в такой переплет, оказывается перед выбором: рассказать все коллегам сразу и положиться на их профессионализм или, на свой страх и риск, начинать собственное журналистское расследование. Надо сказать, большинство предпочитает второе. Из амбиций, конечно, добротных журналистских и личных амбиций. Однако мои прошлогодние приключения в «Черной Пустыни» надолго отбили у меня охоту к расследованиям. Хлопотно и небезопасно.

Но и идти к коллегам мне тоже не хотелось: после моего понедельничного позора дорогие сотрудники смотрели на меня волками, а начальство меня и вовсе игнорировало. Марина Борисовна с Горностаевой и даже Анна Соболина говорили со мной как с тяжелобольной, старательно подбирая слова и с плохо скрываемыми соболезнующими интонациями в голосе. Скрипка несколько раз заходил в репортерский отдел и порывался рассказать поучительную историю о девушке, севшей в машину к незнакомому мужчине. Почему-то, когда Скрипка доходил до того момента, когда девушку начинают душить ее собственными чулками, я выскакивала из кабинета, и Алексей Львович этому немало удивлялся. Трудно было довериться кому-либо в такой обстановке.

Поэтому я не сделала ничего: ни начала собственного расследования, ни обратилась к коллегам. Через неделю мы с Аркашей должны были быть в Испании.

Утром в субботу меня разбудил застенчивый и невыразительный звонок в дверь. На лестнице стоял наш верхний сосед, Юраша — тихий и незлобивый молодой алкоголик. Когда-то Юраша учился в моей школе, лет на пять старше меня, а мама его работала в нашей столовой. Потом мама заболела и истаяла на наших глазах, а Юраша с сиротского горя стал пьянствовать. Иногда по утрам в выходные он обходил соседей и спрашивал, что починить, поправить за малые деньги, чтобы хватило на бутылку и закуску. Мы охотно оставляли мелкий ремонт домашнего хозяйства «на Юрашу».

Вот и теперь Юраша смотрел на меня ясными и чуть смущенными глазами. Видимо — нужда, пришел просить в долг. Но сосед чуть помялся и заявил:

— У вас... У вас там... крокодилы. — Для пущей убедительности он пальцами показал размер. Пальцы предательски дрожали.

Да-а, крокодилы были невелики — чуть побольше таракана, но все же... Бедный Юраша. Вот она — белая горячка. Крокодилы!

Видимо, парень все прочитал в моих глазах, зарделся как маков цвет и даже стал заикаться.

— Да посмотрите... Там, в щитке... — и он показал рукой в направлении нашего общего телефонного щитка.

Что-то похолодало у меня под ложечкой. Я вышла за ним, в тапочках и халатике, Юраша распахнул створки обычно запертого железного ящичка, и я увидела крокодилов. Едва ли вид живого зеленого крокодила на моей лестничной площадке произвел бы на меня такое впечатление. Среди разноцветных телефонных проводочков тускло посверкивали маленькие металлические зажимы. Провода от них тянулись к небольшой, размером с мой пейджер, коробочке. Вот те раз!

Видеть — не видела, но зато много раз слышала о том, что это может значить.

И давно ли эти зверьки висели на моем телефоне? Не больше недели, если Юраша и в прошлые выходные проводил инспекцию в поиске работы. Как раз ту неделю, что прошла с моего злополучного визита в Репино. Соседи поговаривали, что Юрка, по доброте душевной, сам иногда рвал какие-нибудь проводки или ломал двери на лестницу, чтобы потом ненавязчиво и искренне предложить свои услуги. Но уж до такого парень вряд ли додумался бы.

Значит, «растление несовершеннолетних»?

Значит, «как здоровье у моей мамы»?!

— Юра, ты их трогал? — спросила я тихо.

— Да ну... на что мне...

— Точно не трогал?

Юраша замотал головой. Щиток я закрыла, натянув на руку рукав халата, и, велев Юре стоять на страже вещественных доказательств, побежала к соседке вниз — звонить.

Пусть знает шеф, что это не мои личные проблемы. Это же «прослушка»! Господи, чего я только не наговорила за эту неделю по телефону — страшно представить, просто камасутра какая-то... И с Аркашей по часу мурлыкала, да и рабочие моменты нашего отдела подруге Ваське живописала, и от Соболина нагоняи получала... А еще... — ой, нет, об

340

этом даже думать не могу, просто порнография какая-то.

Ни до Обнорского, ни до Соболина я так и не дозвонилась. Юраша, весь бледный от сознания ответственности своей миссии и волнения, все еще стоял под щитком. Я отпустила его с Богом, вручив десятку в качестве вознаграждения, наспех собралась и, уходя, опломбировала щиток шерстяной ниткой и куском пластилина. Прижала пластилин испанской песетой, завалявшейся в кошельке.

Так. В выходные в агентстве всегда кто-нибудь есть. Да тем более — скоро выход очередной «Явки с повинной», должно быть людно, и уж кто-нибудь из начальников или расследователей должен быть обязательно.

Я выбежала из дому, в голове у меня мешались отрывки моих телефонных бесед и речь для дорогих сотрудников, поэтому я и не сразу заметила, как во дворе из-под покосившегося грибочка в песочнице появился мужик. Я только подумала, что опять алкаши... Однако, пока я пропускала машины на переходе, он снова попался мне на глаза: стриженный «ежиком», лицо такое невыразительное, в длинном сером плаще, руки в карманах. И когда на автобусной остановке он стал пристально изучать расписание — я вдруг вспомнила. Вчера, в Гостином Дворе. Он же стоял за мной в кассу, а потом в метро ехал в соседнем вагоне, у двери между вагонами! Он же следит за мной! Я почувствовала, что теряю почву под ногами, как перед капитальным обмороком. Я стояла, тупо глядя, как уезжает мой автобус, и вцепившись обеими руками в сумочку, словно меня грабить собрались.

Все срасталось. Про маму, конечно, стало известно из вызова «неотложки», про племянника Аркашиного я рассказывала по телефону Василисе. И за всем этим стоял незабвенный Тимурыч. Подонок. Грязный похотливый козлина. Меня затрясло наконец; да так, что я чуть не уронила сумку, перчатки прямо в лужу под ногами. Озноб страха побежал по спине, меня передернуло, словно от холодного ветра, хотя погода уже ласкала весенним солнцем. Надо было что-то делать. Я отвернулась от мужика в плаще, сжала дрожащие кулаки, чтобы успокоиться.

Вообще, глупо было бы колесить по городу и бегать по проходным дворам, пытаясь уйти от слежки. Как я поняла из многочисленных бесед с серьезными людьми — от профессионалов непрофессионалу оторваться почти невозможно, к тому же совершенно не нужно показывать, что ты слежку заметила. И я резко подняла руку прямо перед самой проезжающей мимо машиной. Даже тормоза пискнули. Слава Богу... В машине приторно пахло елочкой-ароматизатором, так, что меня замутило.

— У вас можно курить?

— Да, курите. — Водитель выдернул пепельницу из передней панели.

Минуты три я доставала сигареты и зажигалку, потом ковырялась в полупустой пачке — пальцы не слушались, потом укрощала скользкую зажигалку. Водитель покосился на меня недоверчиво. Может, наркоманка? Да нет, милый, просто у меня дома крокодилы... Ой, если я сейчас рассмеюсь, то он меня повезет совсем в другое место и миссию Тимурыча можно считать выполненной. Через полчаса я вышла на Зодчего Росси.

— Мой телефон прослушивается и за мной следят! — выдохнула я с порога, буквально влетая в наш отдел. Все подняли головы от клавиатур, оторвались от чашек.

— Это паранойя, — спокойно прокомментировал Соболин и затрещал по клавиатуре.

И тут я разрыдалась. Тут-то они и забегали. Не понимаю я, отчего женские слезы так действуют на мужиков? Нос картошкой, глаза красные, тушь течет, помада размазана, а им словно только этого и надо! Соболин побежал за водой, Восьмеренко стал усаживать на диванчик, мгновенно забросив свой виртуальный футбол. Примчалась Анна Соболина (уже с каким-то пузырьком) и словно из ниоткуда материализовалась бутылка превосходного коньяку. Доплакалась я аж до икоты, попутно пытаясь объяснить коллегам — какие они сволочи (в основном жестами) и что я пережила с утра (междометиями). Правда, они ничего не поняли, чем меня еще больше расстроили. Пришлось отпихнуть рюмку коньяку и расплескать валерьянку по полу, впрочем — такие тонкие намеки у нас не понимают.

И вот когда я наконец собрала почти всех, кто был в агентстве в этот неурочный час, вокруг себя, на пороге появился Глеб Егорович Спозаранник и сказал:

— Между прочим, некоторые здесь работают.

И тут ко мне вернулся дар речи.

— Глеб, — простонала я, — за мной следят...

Глеб, в отличие от всех прочих, отнесся к моему заявлению серьезно (впрочем, он ко всему относится серьезно) и, забрав и валерьянку и коньяк, увел меня в свой маленький, но уютный кабинетик. Он усадил меня в кресло, терпеливо подождал, пока я кончу всхлипывать, пока приведу себя в относительный порядок. Вот тогда я и подумала: почему это я раньше не смотрела на Глебушку? Я, конечно, пока Аркаши не было, позволяла себе некоторые... вольности (в разумных пределах). Вот чуть с этим хамом Соболиным не провела звездную ночь прямо, можно сказать, на рабочем месте. Ну, так это Соболин. А Глеб — это совсем другое дело. К нему нужен деликатный подход. И он вовсе не зануда, а очень даже милый. Просто даже стало жаль упущенных возможностей. Или не упущенных? Вариант поразил меня своей новизной. Но Спозаранник отвлек меня от этих, в общем приятных, мыслей, произнеся: «Итак?» И я стала рассказывать ему все с начала.

Глеб слушал внимательно и даже позволил мне закончить длинную тираду про домогательства Тимура Тимурыча. Потом он откинулся на спинку кресла.

— Ну, что мы имеем. И прослушивание телефона, и наружка — чисто демонстративные штуки. Если бы хотели тебя пасти для сбора информации, — работали бы чисто. Если слежка ведется по инициативе Тимура Тимуровича, то они профессионалы: а это все — игра в шпионов, волосы ежиком и длинный плащ. Другое дело, что у нас нет никаких доказательств, что слежку организовал он. И никаких доказательств, что он — организатор ночного дозора. — И Глеб задумался.

Я смотрела на него преданно, — Спозаранник для меня сейчас был последней надеждой и воплощением силы разума. Он сцепил руки, упираясь локтями в стол, и медленно тер переносицу под тонкой оправой.

— А узнать — так ли это — мы можем только двумя способами. Во-первых, осмотреть твой щиток на предмет отпечатков пальцев и опросить соседей на предмет «телефониста». — Кстати, этот твой Юрий мог его видеть?

— Мог, но я не уверена...

— И во-вторых, организовать за тобой собственное наблюдение.

Я только открыла рот, чтобы возразить и удивиться, но Спозаранник поставил нежданную точку:

— И поэтому сегодня вечером ты приглашаешь в гости своих коллег.

— В гости? Глеб, у меня же пустой холодильник!

— Светочка, — Глеб укоризненно посмотрел на меня, — нас будет интересовать в основном щиток, а не холодильник. Если за домом следят, то появление у тебя одного из коллег вызовет подозрения, а если ты пригласишь в гости большую компанию, — подозрений будет меньше. А сейчас ты поедешь домой и будешь ждать гостей, а я пока найду нужных людей.

Работа — работой, но дома я кинулась на кухню и стала судорожно выкладывать на стол всю домашнюю провизию. «Позор, позор», — причитала моя мама, откупоривая домашние огурчики и помидорчики. Коллеги редко появлялись у нас дома, и теперь, когда мама наконец могла увидеть, с кем работает ее сокровище, — в доме было шаром покати. С приезда Аркаши я дома почти не ела, осваивая с любимым новые и новые ресторанчики, а мама много работала и для себя почти не готовила.

Когда раздался звонок в дверь, я приводила себя в порядок (к ужасу своему, я поняла, что утром выскочила из дому ненакрашенной). Мама ринулась в прихожую, я быстро мазнула помадой по губам, выскочила из комнаты и увидела, как мама пытается вытеснить обратно в дверь Зураба с тортом и букетом.

— Мама! Это Зураб!

— Ты бы хоть предупредила...— тихо буркнула мама, протискиваясь в тесном коридорчике мимо меня.

В течение получаса прибыли Спозаранник, Зудинцев с бутылкой вина, Кононов, Нонна, Соболины в полном составе, с Антошкой, и Валя Горностаева со Скрипкой. Мы устроились в комнате, потом мужчины пошли на лестницу «покурить», прихватив мою драгоценную монетку, чтобы запечатать щиток, и получив от мамы исчерпывающую информацию о соседях с детективными талантами. Валентина Петровна, бабулька из квартиры внизу, например, всегда знает — кто написал очередную народную мудрость в лифте, а четырнадцатилетняя Юлька по вечерам часами обнимается со своим парнем в подъезде. Обе — потенциальные свидетельницы.

Пока расследователи проводили осмотр и опрос, мы с девочками разговаривали о гадких мужиках и о том, сколько проблем возникает у красивой девушки в жизни.

— Никто ничего не видел и не слышал, Юраша с утра пьян от твоих щедрот, никаких отпечатков пальцев на зажимах, чисто и профессионально, — отчитался Соболин. Он, видимо, чувствовал себя неловко за утреннее и старался быть веселым.

— С завтрашнего утра кто-нибудь из нас все время будет рядом. Мы составим график. Ездить будешь на общественном транспорте («Ничего себе!» — подумала я), не надо осложнять задачу тем, кто за тобой следит, и нам, — назидательно диктовал Спозаран-ник. — Никаких дел по телефону. Мы тебе будем звонить на пейджер. Нас будешь предупреждать обо всех своих передвижениях и планах.

Тут Соболин не выдержал и хрюкнул. Мои пере-движения и планы никогда не совпадали с теми, о которых я докладывала начальнику. А разве я вино-вата в том, что мои планы постоянно меняются, ба-тарейка в пейджере садится в самый неподходящий момент, а подаренный Аркашей мобильник все время приходится отключать, чтобы не досаждали болтли-вые поклонники!

Отдав необходимые распоряжения, посочувство-вав и опустошив наши запасы, коллеги удалились шумною толпой. А я задумалась о том, как совме-стить работу, помощь следствию и Аркашу. Аркаша! Боже мой, я ведь сутки не слышала любимого голоса! Я кинулась к телефону, набрала номер мобильного телефона Аркаши и туманно пожаловалась на запар-ку на работе.

— Боже мой, зайка, зачем тебе все это надо? — спросил любимый участливо, но с некоторым мягким раздражением в голосе. Да, у него были причины быть недовольным моей работой. Она отнимает у ме-ня слишком много времени и нервов.

Надо сказать, я сама в последнее время часто за-даю себе этот вопрос. Зачем мне это надо? Утренний массаж в метро или ловля машины, раскаленный те-лефон, выезды в тоскливые прокуренные отделы, да еще нагоняи от начальства, сводки, трупы, кражи, мошенники, Тимур... Ужас.

Брошу. Вот расквитаюсь с Тимурычем и брошу. Аркаша давно предлагал купить для меня маленький бутик или открыть модельное агентство, — все-таки не зря я занималась дизайном и сама оттоптала по подиуму не один километр. И никаких трупов!

С другой стороны... Скучно. А главное, у нас та-кой славный коллектив. Мне даже Соболина будет не хватать. И Глеба. И даже их дурацких комментариев на мои наряды. Они все страшно милые. Я тяжело вздохнула и стала лепетать в трубку Аркаше про то, что я самостоятельная девушка, про интересную работу. Через час я повесила трубку, зная, что завтра этот день будет казаться просто кошмарным сном.

День так и остался кошмаром, но, увы, не сном. С утра в воскресенье, выглянув в окно, я увидела моего пастыря в длинном плаще. Он сидел под грибком и курил. Уверенность, оставшуюся после вчерашнего визита коллег, как рукой сняло. Аркаша встречался с какими-то партнерами, и мы снова не смогли увидеться, поездка откладывалась на неопределенный срок, а грядущая неделя обещала быть тяжелой. Никакие обстоятельства не могли снять с меня печальной необходимости вносить посильную лепту в сводку новостей.

— Мы не можем подобраться к Тимуру. Он фигура не маленькая, если мы где-нибудь ошибемся, у нас будут очень большие неприятности, — говорил мне в понедельник Спозаранник. — Наблюдение само по себе топорное, но организация профессиональная. Да, кстати, у твоего стриженого есть сменщик.

— Сменщик? Я больше никого не видела.

— Ты, Светочка, и первого целую неделю не замечала. Кстати, мне бы хотелось, чтобы ты ночевала только дома.

— Ничего себе!

— Да, и ставила нас в известность обо всех своих контактах.

Ну нет уж, Аркашу я им не сдам, у него и своих проблем хватает. Не могу же я ему рассказать всю эту историю с Тимуром! Он, конечно, не грузин (Зурабик, принимая дежурство «по мне», поклялся беречь меня, как любимую женщину), но мне бы не хотелось проверять — насколько он ревнив.

Так неделя катилась ко второй половине. Бедные мои нервы были на пределе: ходить по улицам, зная, что две пары глаз следят за тобой неотлучно, — страшное напряжение. По телефону мы с мамой теперь говорили только парой: одна говорит, вторая контролирует и знаками предупреждает, когда разговор заходит на запрещенные Спозаранником темы. Так, наверное, чувствовал бы себя стеклянный человек.

Наконец, после длительных консультаций, Обнорский дал добро на задержание соглядатая и его допрос, поскольку других выходов на заказчика слежки не было.

Напряжение мое достигло предела, — я глотала валерьянку горстями и засыпала только под димедрол. Одно успокаивало: развязка была близка. В четверг меня официально предупредили, что завтра будут брать одного, того, который не шлялся за мной в плаще, а другого, обнаруженного позже. Этот подъезжал по вечерам к моему дому; не выходя из машины, стоял некоторое время под окнами, делал несколько звонков по мобильному телефону и уезжал. Зудинцев обещал к утру пробить номер машины. Скорее всего, это был «проверяющий»: он фиксировал, что дома кто-то есть, контролировал «шпиона», а может быть, и слушал телефонные разговоры. Параллельно, в свободное от «наружки» время, Глеб собирал всю возможную информацию о Тимуре Тимурыче. Я мало чем могла помочь ему и только с ужасом наблюдала за тем, как Тимурыч обрастает слухами и мифами. Иратов снился мне в димедрольных снах, он ломился в машину, где я сидела, и улыбался все шире и шире, пока не обнажал желтые кривые клыки и не превращался в крокодила. Я приходила на работу с синяками под глазами, которые не мог скрыть уже ни один «Ланком».

Наконец, мне было велено сидеть в пятницу дома, не выходя, и ждать сообщений на пейджер. Это был самый тяжелый день. Я включила телевизор, сделала себе полную тарелку бутербродов с колбасой и стала ждать. Трижды проверила батарейку в пейджере. Позвонила оператору и поинтересовалась, — не отключили ли меня за долги. Выкурила пачку сигарет. Съела всю колбасу и посмотрела все сериалы за день. Донья Мартинес никак не могла разобраться — от кого у нее какие дети. Через два часа та же актриса, страдая амнезией, собиралась замуж за негодяя. Сейчас я сама была уже не против амнезии!

В шесть я вынула из шкапчика нашу с мамой заначку — полбутылки «Мартини», и стала планомерно напиваться. В девять, когда мама, придя с работы, объясняла мне — что такое нормальная жизнь, почему ее у меня нет, и почему следует выйти замуж за Аркашу (собственно, против никто не был), — раздался писк.

«Света. Пожалуйста, срочно вызови машину и приезжай в агентство. Глеб Егорович Спозаранник». Моментально приведя себя в божеский вид, я вызвала от соседей такси и, стараясь хоть немного протрезветь в пути, ринулась в агентство. Очевидно, предстояла «очная ставка». Я ликовала. Уж в наших-то расследователях я не сомневалась, он им все расскажет как миленький. В подробностях. Молодцы ребята!

Я взбежала по лестнице на наш второй этаж, на ходу поздоровалась с охранником, распахнула дверь кабинета расследователей и остолбенела. Посреди комнаты на стуле сидел Аркадий.

Глаз у него заплыл лиловым синяком, губа сочилась кровью, ворот рубахи был почти оторван, и весь он был в грязной мартовской уличной жиже, словно его основательно вываляли по тротуару.

— Сопротивлялся! — вместо приветствия радостно сообщил Зураб.

Глеб невозмутимо сидел за столом, поигрывая пижонской ручкой.

— Потрудитесь объяснить, Светлана Аристарховна, кто этот человек.

Вместо ответа я бросилась к любимому, отчего он чуть не упал со стула, шарахнувшись от меня, как от нечистой силы.

— Аркаша, что они с тобой сделали?! — завопила я.

— Значит «Аркаша», — спокойно проконстатировал Спозаранник, раскрывая на первой странице загранпаспорт Аркаши.

— Что вы наделали, это же мой... мой жених! — закричала я, бросаясь уже на Глеба.

— Спокойно, Завгородняя. — Глеб даже не шелохнулся, а Зурабик нежно сгреб меня в охапку и посадил на диванчик. По-моему, я в жизни столько не плакала, сколько последние две недели. Самое ужасное, что Аркаша сидел, тупо глядя в одну точку, и был совершенно индифферентен. — Вы не потрудились ввести своих коллег в курс ваших отношений с Аркадием Романовичем и, таким образом, направили наши усилия в неверное русло, — изрек Спозаранник.

— Аркаша, милый, я тебе сейчас все объясню... — пролепетала я сквозь слезы. Хотя, сначала мне самой нужно было понять, что произошло.

А произошло вот что. Оказывается, Аркаша действительно был серьезно озабочен моим неадекватным поведением в последнюю неделю и, движимый самыми благими намерениями, вот уже неделю подъезжал к моему дому по вечерам. Он смотрел на окна, звонил мне из машины, убеждался, что я дома, и тактично удалялся. Убедившись за неделю в моей честности, сегодня он хотел подняться ко мне в квартиру и увезти развлекаться, «а то девочка совсем загрустила». Стоило ему покинуть машину, как моя доблестная охрана (в лице Зураба и Жоры Зудинцева) и приглашенные специалисты (в лице их приятелей из местного отдела милиции) накинулись на него, повязали и поволокли сперва в отдел за хулиганство, а потом в агентство. Прибытия Обнорского ждали с минуты на минуту, — он, по обыкновению, хотел лично поучаствовать. «По дороге он пару раз ударился, совсем случайно», — оправдывался Зураб.

— Я буду вынужден сообщить начальству, что вы своей безответственностью сорвали операцию, — сообщил Глеб.

Да плевать мне на вашу операцию! Аркаша невнятно замычал и стал заваливаться набок. Его подхватили, уложили на диван. Я стала оттирать кровь, плача и пытаясь объяснить почти бесчувственному

Аркадию, что произошла чудовищная ошибка. Через полчаса я бережно выводила его из кабинета. Зураб на прощание потрепал его по плечу:

— Ты уж извини, так получилось, да?

Мы молча ехали в машине. За окном мелькал ночной город, огни сливались в сплошные полосы. Я смотрела, как на лицо милого падают цветные пятна неонового света — желтые, алые, синие. Лицо его ничего не выражало, он только иногда морщился от боли и осторожно подносил красивую руку к разбитой губе.

— Аркаша, ты простишь меня? — Мне стало страшно.

Он кивнул, не глядя на меня.

— Аркаша, это действительно все из-за работы. Хочешь, я ее брошу?

Он снова кивнул.

— Вот закончится это расследование, и я ее брошу, — сказала я почти убежденно.

Уголки губ у Аркадия дрогнули, и он тут же сморщился от боли. Он хотел ухмыльнуться. Он ведь мне не верит. А мне очень нужно, чтобы сейчас он поверил мне.

— Хочешь, я сегодня у тебя останусь? — Аркаша замотал головой. Кажется, это все, что я могла сделать и сказать.

Понедельник обещал еще две крупные неприятности: летучку и поход в ГУВД на очередную пресс-конференцию по борьбе с подростковой преступностью. Первое сулило крепкую взбучку от Обнорского, второе — очередную встречу с Тимур Тимурычем на его территории. Летучка прошла для меня благополучно: в воскресенье Восьмеренко угрохал своим футболом рабочий репортерский компьютер и сжег в микроволновке бутерброд. Поэтому мне достались лишь укоризненный взгляд Спозаранника и разведенные в немом потрясении руки Обнорского, а гнев Божий пал на бедного Витюшу. Конечно, это была лишь отсрочка казни. А вот от похода на конференцию меня никто не освобождал. Наоборот, Глеб настоял на том, чтобы я шла туда, и даже посетовал, что сегодня я «не в форме», то есть одета весьма скромно. Он бы предпочел, чтобы юбка была покороче, а вырез — побольше, мотивируя это провокацией Тимуровича. «Пасти» меня на конференции должен был Зудинцев, поскольку он мог по старой памяти проникнуть в Большой дом и во время конференции поспрашивать своих бывших коллег об Иратове.

Пресс-конференция подарила мне очередную неожиданность. Еще до начала ее я увидела в коридоре Тимур Тимурыча. Я приняла непринужденную позу и вдумчиво стала изучать фотографии лучших сотрудников Главка. Однако, когда буквально через несколько секунд, тряхнув волосами, я кинула взгляд в коридор, — его уже не было. Странно. Раньше он сам за мной бегал. Шах тоже пожал плечами, поймав мой удивленный взгляд: Георгий в отдалении от меня читал газету и тоже заметил моего ухажера.

По окончании конференции, убедившись, что с подростковой преступностью бороться никак невозможно, я вышла со всеми. Обычно часть журналистов еще некоторое время топталась на лестнице: обменивались новостями, курили, вот и я задержалась в кучке коллег. По лестнице стремительно поднимался Тимур. Весь напоминая сжатую пружину, он буквально пулей взлетел на третий этаж, столкнулся на площадке с кем-то, на оклик злобно оборвал: «Позже» и, чуть не задев меня плечом, пронесся мимо, не поднимая глаз. Губы его были плотно сжаты, на скулах перекатывались желваки. Я озадаченно посмотрела ему вслед. Интересно, что могло заставить Иратова даже не заметить меня? Только что-то чрезвычайное.

Мы с Зудинцевым ринулись в агентство. По дороге он рассказал мне, что в таком состоянии Иратов пребывает уже несколько дней. Причины этого были пока неизвестны, но ходили слухи о том, что Тимурыч «зарвался».

Излагая обстоятельства нашей встречи с Тимуром Глебу, я особенно напирала на тот факт, что Тимурыч дважды (!) проигнорировал меня. «Кажется, ему не до большого и чистого», — прокомментировал присутствовавший при сем Шах.

Далее события развивались стремительно. Меня заставили выйти на площадь в булочную, чтобы проверить — функционирует ли стриженый, а когда я вернулась, обнаружив, что стриженый все еще ходит за мной, в кабинете расследователей уже были Соболин и Повзло.

— Кажется, у твоего ухажера большие неприятности, — сказал Повзло.

— Что случилось? — Сердце мое екнуло, поскольку первая мысль была об Аркаше.

— Да вот Соболин принес в клювике жирного червячка. Собирайся, Завгородняя, поедешь с ним к Пал Палычу. Он с тобой поговорит.

Павел Павлович Соловьев, начальник Управления собственной безопасности ГУВД, ждал в своем кабинете, нас пропустили к нему незамедлительно. Он, против моих ожиданий в связи с его должностью, оказался милым, обходительным седоволосым человеком, с тихим приятным голосом и маленькими, но крепкими ладонями. Он выслушал меня, потом Соболина с его версией и сказал задумчиво:

— Доказательств, конечно, не хватает. Насколько я понимаю, сработано действительно чисто. Но при необходимости можно будет попробовать проработать это направление. Хотя, думаю, Иратову хватит и того, что на него сейчас есть.

— А что есть? — жадно поинтересовался Соболин.

— Должностные злоупотребления, взяточничество в крупных размерах. Могут возникнуть и другие варианты. По его непосредственному указанию из вещественных доказательств по делу Бегемота был изъят пистолет ТТ с отпечатками пальцев. Пропадали изъятые наркотики. И таких эпизодов уже несколько. Доказательства по крошкам собираем, — он, подлец, осторожный, как крыса. Только, Володя, до моего распоряжения — ни строчки.

— Понял, Пал Палыч, — печально откликнулся Соболин. Я-то знаю, что у него уже руки чешутся. Только нельзя.

— А вам, Светлана, я бы порекомендовал вести себя спокойно, коллеги вас, я вижу, поддерживают. Ничего не бойтесь, ведите себя естественно. Вашим провожатым мы займемся сами... В случае необходимости мы можем рассчитывать на ваши показания? — неожиданно спросил Пал Палыч быстро и четко. Он пристально смотрел на меня.

— Да, конечно, — немного растерялась я.

— Вот и хорошо. Но это может и не понадобиться. Работайте, пишите. Успехов. — Он пожал нам руки, и мы вышли из кабинета.

— Дальше — дело техники, — убежденно сказал Соболин, когда мы ехали в агентство.

— Да-а... — только и сказала я. Вообще-то это хорошо, что он взяточник и мерзавец, другое дело, что даже у УСБ может не хватить доказательств для завершения дела. И тогда он выйдет сухим из воды. Тогда меня ожидает продолжение «романа», новые преследования озлобленного от следствия, наглого от своей безнаказанности Иратова. Нет. Уеду. Брошу агентство. Ничем хорошим эта история кончиться не могла.

— Котик, как ты себя чувствуешь?

— Нормально. — С дикцией у любимого было неважно.

— Хочешь, я приеду за тобой поухаживать? Привезу тебе креветок и сделаю салатик? — От салатика с креветками Аркаша не отказывался никогда.

— Нет, зайка, не надо. Я тут полежу один.

— Котик, давай возьмем билеты на следующую неделю. Я так устала от всего этого кошмара... Я хочу на море.

— Давай поговорим об этом потом, Светик.

— Ты на меня действительно не сердишься? — спросила я, стыдливо понимая всю нелепость этого вопроса. В трубке некоторое время слышалось только шипение эфира.

— Нет, милая, не сержусь. Давай поговорим потом. Я тут снотворное принял, засыпаю совсем. Я тебе позвоню. Целую, зайчишка, пока.

Потом я с минуту слушала гудки отбоя, вытирая слезы. Аркаша, который боготворил меня, который носил на руках, готов был мчаться за мной на край света и осыпать подарками, — теперь лежал один, избитый моими коллегами, и не хотел меня видеть. Зря я не рассказала Спозараннику об Аркаше, ничего бы не было. Взяли бы стриженого. И мы уехали бы, уехали, уехали.

Едва я нажала на «отбой», как телефон зазвонил. Шмыгнув носом, я отняла палец от рычажка и сказала: «Але?»

— Светочка? А это Иратов беспокоит. — Я вздрогнула. — Жаль, Светочка, — продолжал Тимурыч голосом вкрадчивым и ироничным одновременно, — что мы так и не встретились, не посидели попросту, по-дружески. Но, знаете ли: «Служба дни и ночи». Отбываю к новому месту назначения, так что увидимся мы теперь не скоро. Мне вас будет о-очень не хватать.

— Мне тоже. — прошептала я в трубку. Неужели его взяли? Все-таки хватило доказательств? А откуда же он звонит?

— Целую ручки, Светочка. Берегите себя. Маме кланяйтесь.

— До свидания, Тимур Тимурович.

— До свидания, Светочка.

Щиток оказался вскрыт, зверья на проводах не было. Стриженый исчез. Только кучка окурков в песочнице говорила о том, что он был здесь. Я шла по улице счастливая, в распахнутом пальто, которое разлеталось и трепетало за мной, как плащ Ники. Совсем уже весеннее солнце грело лицо; черный снег, застывший гребнями волн вдоль дороги, на глазах превращался в веселые лужи. В лужах плавало солнце. Я снова после двух недель кошмарного напряжения замечала, как мужчины смотрят на меня, оборачиваются вслед. Я шла как по подиуму. Я была свободна!

Соболин встретил меня мрачный. — Зайди к расследователям, — только и сказал он.

Спозаранник и Зудинцев сидели в кабинете насупившиеся, как два сурка.

— Иратова срочно переводят в Москву. Приказ был подписан вчера, пока вы с Соловьевым беседовали. У Тимурыча толстая и волосатая лапа имеется... Так что, Света... живи спокойно, — сказал Гриша Зудинцев.

Спозаранник молчал.

— Да, и передай наши... извинения Аркадию Романовичу.

Настроение у меня сразу упало. Непотопляемый мерзавец. Значит, слухи о его власти были небеспочвенны. Он не боялся ничего и никого, — что ему маленькая девочка, журналисточка... А я-то размечталась о справедливости. Справедливость редко торжествует там, где речь заходит о власти.

Но у Спозаранника была еще одна причина смотреть на меня хмуро. Он был убежден, что, если бы они взяли не Аркашу, а стриженого, у них были бы шансы доказать, что и инцидент на дороге, и прослушивание телефона, и «наружка» были организованы по распоряжению Иратова. Спозаранник изложил мне все это в привычной категоричной манере, и я подумала, что, пожалуй, пусть он остается примерным семьянином.

Вот и все. Я вернулась в репортерский отдел и стала звонить по моим любимым источникам. Задержали и отпустили лохотронщиков. Бабушка вывалилась из окна. Подростки подожгли помойку. Тоска.

Мы сидели с Аркашей в милом ресторанчике на улице Рубинштейна и пили темное и густое, как патока, ирландское пиво. На губе у него появился мужественный шрам, под глазом осталось желтое пятно от синяка. Я смотрела на него и думала — как здорово, что он есть у меня, такой сильный, красивый и любимый. На нем был безукоризненный костюм и шелковый галстук с черными кисками. На руке, которой он держал пинтовую кружку, неярко блестел камушек. Он был самым элегантным мужчиной из всех, кого я видела.

— Мы поедем в Испанию? — спросила я, кладя руку на его ладонь.

— Знаешь, зайка... Я не хотел тебя огорчать. Но у меня неприятности, — мягко сказал Аркаша, сжимая мою ладонь. Теплая волна побежала от ладони по всему моему телу, но, подкатывая к сердцу, она похолодела.

— Знаешь, я ведь уезжал за границу, чтобы немного разобраться в делах. Ничего страшного, но есть небольшие проблемы.

И тут я подумала, что Аркаша никогда не рассказывал мне о своем бизнесе. Собственно, я и знала-то только, что он (бизнес) есть и позволяет моему любимому ни в чем не отказывать себе — и мне.

— Помнишь тот случай на дороге, когда вас остановили с Владимиром и Толиком? — продолжал он. Я только открыла рот, чтобы вставить свое авторитетное мнение, как он продолжил, мягко отводя мою руку от своего лица. — Я знаю, кто это все устроил. Я нанял людей, которые провели небольшое расследование. Это мой партнер, Вадим. Помнишь, он тоже был на даче, высокий такой? У нас давно были трения. Он за моей спиной нахватал крупных кредитов, в общем, тебе это все равно не понять. Подставил меня на деньги. А когда я все-таки выкрутился, решил убрать меня и взять весь бизнес в свои руки. Нанял придурков, чтобы они остановили мою машину и разыграли грабеж...

— Разбойное нападение... — поправила я автоматически.

— Неужели это так важно?! — взорвался Аркаша.

— Ну, извини, я случайно. Ты уверен? Ну, что это твой партнер? Может быть, это случайность?

— Если я говорю, значит, это так. — Аркадий выпил пива и замолчал. Он тяжело вздохнул, поцеловал мою ладонь, бережно подняв ее с темной доски стола. — Поэтому мне нужно опять уехать. Мне просто опасно здесь быть, понимаешь?

— А почему ты не обратился в милицию? — Аркаша опять нахмурился и даже рассердился:

— Ты просто заигралась в ваши игры! Милиция ничего бы не сделала. И у меня есть основания не желать вмешательства милиции.

— Куда ты едешь?

— В Штаты. У меня там есть друзья.

— Я с тобой!

— Нет, зайчишка, я не могу так рисковать тобой. Они меня и там найти могут. Поеду один. Если будет все в порядке — приедешь ко мне через пару месяцев. Ладно? Не грусти, малыш. Ну, не надо... Поедем в Калифорнию, слышишь? Там пляжи, дельфины, пальмы и лето круглый год. Я нам домик куплю, слышишь? Ну, не надо, это ненадолго...

Что-то я стала плаксива до ужаса. Аркаша утирал мне слезы дорогим шелковым платком, обнимал и нежно касался волос губами. От него пахло терпким дорогим парфюмом, моим любимым, волнующим и душным. Ну, Калифорния так Калифорния.

Через несколько дней Валька Горностаева, встречая в международном аэропорту делегацию иноземных журналистов, видела, как мой любимый проходил регистрацию у стойки рейса Петербург—Стокгольм. С ним рядом была высокая черноволосая девица в норковом манто. Она беспрестанно лезла к нему целоваться и называла «любисиком».

Я узнала об этом только через два месяца. К тому времени об этом знало все агентство, кроме меня.

ДЕЛО
О ХУРГАДСКИХ ЛЮБОВНИКАХ

Рассказывает Глеб Спозаранник

Спозаранник Глеб Егорович, 30 лет, молдаванин. Один из самых квалифицированных сотрудников АЖР. Образцовый муж, отец троих детей. В прошлом кандидат физико-математических наук. Прежние навыки — строгое следование логике, педантизм, дисциплинированность — пытается привить подчиненным. Жесткий и требовательный к себе и другим. Отношения в коллективе сложные в силу перечисленных выше особенностей его характера.

(Из служебной характеристики)

Я еще раз вчитываюсь в милицейскую сводку: «...Убит Олег Краснов, генеральный директор „Информпресс"... Московский, 184... Контрольный выстрел в голову... Макарова с глушителем... С площадки первого этажа... Поджидал свою жертву в нежилой квартире... Следы вскрытия замка...»

Убийство явно не рядовое, прихожу я к выводу, Краснов — владелец крупнейшей в городе фирмы по распространению периодической печати. Наверное, кто-то из конкурентов заказал... и с этими мыслями направляюсь в отдел к своим орлам.

— ...Ми, Лордкипанидзе, в нэволе нэ размножаемся...— слышу голос Зураба, громкий смех и открываю дверь.

Двухметровый Гвичия, ухмыляясь и тараща глаза, стоит в центре комнаты и рассказывает очередной грузинский анекдот. Нонна и Макс, оторвавшись от мониторов, слушают Зурабика, довольного произведенным эффектом. Зудинцева и Модестова в комнате нет, и я машинально пытаюсь вспомнить, куда их направил.

— Не знаю, как там Лордкипанидзе, но вы, Зураб Иосифович, думаю, готовы размножаться где угодно, — поправляя очки, говорю я бывшему майору-десантнику, и мой взгляд натыкается на недоеденное пирожное на столе Нонны Железняк.

— Нонна Евгеньевна, вы зря смеетесь, вводить пищу в организм нужно в буфете, а не на рабочем месте. Насекомых скоро здесь разведете...

— Глеб Егорыч, разрешите, я наведу порядок? — бросается на защиту женщины потомок грузинского князя, и пирожное мгновенно исчезает у него во рту. — Извини Нонночка, но тараканов уже не будет.

Гвичия вытирает руку о джинсы, берет со стола пачку сигарет и вопросительно смотрит на меня.

Минут десять мы обсуждаем скудную первичную информацию об убийстве Краснова, я набираю на компьютере план расследования и ставлю задачу каждому из подчиненных. Нонну направляю на место преступления для опроса соседей, Зудинцев и Каширин будут добывать информацию у своих бывших коллег, сыщиков *УГРО*, а Гвичия и Кононов пообщаются с бизнесменами, знавшими Краснова. Прошу обратить внимание на оперативность работы — необходимо успеть с подготовкой материала по результатам расследования в очередной номер нашей газеты.

— По мере получения информации докладывать мне лично, а затем заносить в компьютер, — заканчиваю я совещание, — и еще раз напоминаю о штабной культуре оформления документов. Особенно это касается вас, Нонна Евгеньевна.

Озадачив личный состав, я направляюсь к Агеевой. Одного взгляда на экран ее монитора было достаточно — Марина Борисовна уже «пробивает» Краснова по базам данных. Видимо, Обнорский сам дал команду. Читаю с экрана: адреса прописки, жена, фирмы Краснова, соучредители, даты регистрации... Так, пока никакой зацепки. Прошу Агееву скинуть всю информацию на мой компьютер и удаляюсь...

* * *

Прошло две недели. Папка «Информпресс» с распечатками добытой информации продолжает пухнуть, а мы по-прежнему в недоумении — кому была выгодна смерть Краснова? На самом деле, судя по всему, выгодна она была многим, но... В управлении уголовного розыска и РУБОПе считают, что заказ на Краснова мог поступить от Георгия Георгиевича Гурджиева, питерского «олигарха», известного в определенных кругах под именем Жоры Армавирского. «Заказчиком», впрочем, мог быть и его вечный соперник, бывший «смотрящий» по Питеру, Алексей Роландович Калугин, он же — Леха Склеп.

Гурджиев, в отличие от Калугина, никогда не скрывал своего желания обзавестись в дополнение к собственному телеканалу и нескольким газетам раскрученной фирмой по продаже СМИ. Однако, размышляю я, хотя и были в прошлом попытки у людей Жоры прибрать к рукам «Информпресс», слишком уж на поверхности эта версия... Который вечер я ломаю голову над этим вопросом и не нахожу ответа...

— Глеб Егорович, кажется, что-то проясняется, — врывается в мой кабинет Безумный Макс, и я даже на расстоянии чувствую исходящие от него пивные ароматы, — есть информация, что Краснова заказал Сбитень.

— Максим Викторович, доложите членораздельно, что вы узнали, — останавливаю я Кононова, — и когда вы наконец перестанете употреблять пиво в рабочее время?

— Глеб Егорыч, ей-богу, так было нужно, — оправдывается Макс, — встречался с источником в пивбаре на Невском, не пить же мне там кофе глясе...

Из сбивчивого рассказа Кононова я узнаю, что он встречался с предпринимателем Владимиром Федоровичем Иванченко, который когда-то начинал свой бизнес с Олегом Красновым. Вроде бы у них фирмочка была совместная, но потом распалась и пути бывших коллег разошлись. Иванченко начал удачно заниматься антиквариатом и через пару лет стал вхож как в околокриминальные круги, так и в круги крупных дельцов и депутатов Законодательного собрания города. Оно и понятно — те, у кого мошна ломится от денег, непременно интересуются антиком.

А примерно за неделю до убийства Краснова он совершенно случайно подслушал разговор в бане. В какой, конечно, не сказал. И ежику понятно, что не в муниципальной. Там был один из братьев Карпенко, депутат ЗакСа, и Вячеслав Сбитнев, бывший вор в законе. О чем был разговор Сбитня с двумя не знакомыми Иванченко мужиками, он не слышал — говорили они тихо. Но донеслась одна фраза, громко сказанная выпившим Сбитнем:

— Когда вы, мудаки, наконец разберетесь с «Информпресс»? Сколько можно возиться с этим ебаным Красновым? Надоело ждать!..

Я отсылаю Макса быстро набрать на компьютере справку о содержании разговора с источником и иду к Обнорскому. В кабинете шефа нет, нахожу его в буфете, где он азартно режется в нарды с Колей Повзло. Шеф недовольно отрывается от игры, когда я начинаю докладывать ему о результатах нашего расследования.

— Погоди, Глеб, не здесь, — говорит мне Обнорский, — давай через десять минут у меня в кабинете. Сейчас клизму Хохлу вставлю и доложишь подробно.

Я молча вздыхаю — начальник есть начальник, и он всегда прав. Недаром инструкция о правоте начальника висит в моем кабинете. Пункт второй гласит: «Если начальник не прав, смотри пункт первый...» Честно говоря, я во всем стараюсь подражать

Андрею Обнорскому, который привнес много армейского в работу журналистов агентства. Почти военную дисциплину, штабную культуру в отработке документов, точность информации, необходимость оценки обстановки до принятия решения, расчет времени, сил и средств и многое другое. И мне это безумно нравится, что бы там не говорила моя жена о некоем моральном истязании подчиненных.

Единственное, что я не разделяю с Обнорским — это его увлечение нардами. Впрочем, несколько лет его службы на Ближнем Востоке, видимо, навсегда привили любовь к этой игре...

— Значит, так, Глеб, срочно пиши материал об убийстве Краснова в «Явку с повинной», — резюмирует Обнорский, когда я сообщаю ему о роли Вячеслава Сбитнева в этой истории, — и акцентируй внимание на Сбитне. У нас на него много чего есть. Резакова и Барсова из РУБОПа потереби дополнительно, они давно разрабатывают этого пидараса. Вот урод — из воров в законе полез в бизнесмены, интервью дает на каждом углу...

Шеф берет со стола коробку сигарет «Кэмэл», вертит в руках, достает сигарету, зажигает ее и, затянувшись, продолжает:

— Читал, наверное, в «Молодежке», как он соловьем заливался: «Мы, городские предприниматели, вместе с депутатами ЗакСа делаем все возможное для процветания Питера...» Козел! Если менты не могут его упаковать, мы откроем глаза общественности на этого уголовника...

— Полностью с тобой согласен, Андрей Викторович, — говорю я Обнорскому, поправляя очки, — по нашим данным, Сбитень через своих людей, как минимум, дважды пытался купить «Информпресс» у Краснова. Но тот, зная, с кем имеет дело, просил за фирму запредельную сумму — миллион баксов, и Сбитень отстал. Знаешь, для чего ему нужен «Информпресс»? Чтобы манипулировать общественным мнением вместе с дружками-депутатами через газеты, распространяемые этой фирмой. Мы не поленились подсчитать — Родя Каширин несколько дней ноги сбивал, — почти все газетные киоски в метро и около станций принадлежат «Информпресс». А сколько их еще по городу?!

...После общения с нашим неумолимым цензором Аней Лукошкиной, кстати, членом городской коллегией адвокатов, статью пришлось трижды переделывать. Понятно, что Анне Яковлевне отнюдь не улыбается потом отбиваться на суде, если на нас подадут иск возмущенные герои публикации. Анины соблазнительные ножки, которые она обожает демонстрировать сильному полу, меня не волнуют. Я, стараясь быть корректным, в отличие от эмоциональной юристки, которая едва не переходит на крик, отстаиваю спорные моменты своей статьи. Но тщетно. Ох, уж эти женщины, исчадия ада!

* * *

Понедельник, как известно, день тяжелый. Впрочем, смотря для кого. Я еду на работу с чудесным настроением. И погода в этот один из последних дней мая как по заказу — в небе ни облачка, яркое солнце, тепло; приятный запах распустившихся на деревьях листьев ощущается даже в загазованном центре Питера. Благодать!

Наконец-то решается моя квартирная проблема: договорился о продаже нашей однокомнатной и покупке двухкомнатной квартиры. Вчера ездили с Надюшей смотреть. Хотелось бы, конечно, побольше, но дензнаков пока хватает только на такую. Да и то приходится в долги залазить. Все равно здорово. Так что мучиться в тесноте впятером осталось недолго...

В отделе, разумеется, еще никого нет. Хотя и пришел я сегодня в десять тридцать, позже обычного, мои орлы подгребут лишь к полудню. Включаю электрочайник, бросаю в кружку пакетик «Липтона» и жду, когда закипит вода. Мысли крутятся вокруг новоявленной «сладкой парочки» — Миши Модестова и Нонны Железняк. Паганеля в пятницу опять не было в агентстве. Я все понимаю — две кошки, шестилетний пацан, домашние хлопоты... Но страдают интересы дела, Нонна не в состоянии полноценно работать в отделе за двоих. Тем более что темы расследований Модестова специфические...

Мысли прервал телефонный звонок.

— Глеб Егорович? Добрый день. Ломакин беспокоит. Как вы живы-здоровы?

— Вашими молитвами, Михаил Иванович, — отвечаю я, пытаясь угадать, зачем я на этот раз понадобился легендарному бандиту по кличке Лом, извините, топливному бизнесмену Ломакину, — работаем помаленьку...

— Разговор не телефонный, Глеб Егорыч, надо бы пересечься. Тему одну перетереть. Ты как, не против?

— Давайте завтра, Михаил Иванович. Во второй половине дня, например, — предлагаю я Лому в надежде за это время прозондировать ситуацию и подготовиться к «стрелке», — часа в три. Вас устроит?

— Договорились, Егорыч. Подъезжай ко мне в «Пулковскую». Я там новый офис открыл на седьмом этаже. Пацаны мои встретят и проведут. Лады? Привет Обнорскому.

И в трубке раздались короткие гудки.

Конечно, никакие приветы Андрею от Лома я передавать и не собираюсь. Они друг с другом достаточно пообщались в прошлом. До сих пор для меня непонятно, каким образом после появления в 1996 году книги «Петербург криминальный», в которой Обнорский высветил все уголовное прошлое Ломакина, лидера крупнейшей в городе преступной группировки, у них сложились достаточно ровные отношения. Скорее всего, потому, что оба они — сильные личности, оказавшиеся по разные стороны баррикады...

Однако поставить шефа в известность по поводу встречи с Ломом нужно обязательно. К тому же, может быть, у Обнорского есть свои соображения — Ломакина и его окружение он знает как облупленных. Дай Бог любому!

В кабинет к Обнорскому я успел проникнуть до летучки. В приемной небольшое столпотворение — поздравляют с днем рождения Колю Повзло. По этому случаю, как я понял из галдежа наших дам, шеф распорядился временно отменить «сухой закон» в агентстве и организовать вечером маленький фуршет.

— А, Лом нарисовался! — ничуть не удивился Андрей, когда я рассказал ему о звонке Ломакина, — они же со Сбитнем старые приятели. Ты, Глеб, забыл, наверное? Эти два пидараса еще на зоне спелись, а потом грабили вместе...

— Нет, Андрей Викторович, не забыл. Просто мне пока не ясно, какого черта Лом выходит на нас? Что за тему собирается со мной перетирать?

Обнорский вынимает из своей необъятной сумки какие-то бумаги, наверное рукопись своей очередной книги, и смотрит на меня:

— И думать не хуй. Утечка пошла из нашей конторы. Кто-то слил информацию о том, что мы интересуемся Сбитнем в связи с мочиловом на Московском проспекте. Вот его дружбан и заволновался. Вопрос только, какая сука слила? Разберись, Глеб!

Он закуривает сигарету и, злобно прищурившись, добавляет:

— Узнаю, блядь, мало не покажется — лично морду набью! И из конторы выкину с потрохами...

— Погоди, Андрей, сознательного слива я абсолютно не допускаю. Все ребята честные и давно проверенные. Нет, это исключено.

— Ты, Глебушка, не будь идеалистом. Кто-то мог польститься на большие деньги. Представляешь, сколько могли отвалить эти небедные пидоры за информацию?

— Не согласен с тобой, Андрей. Единственное, что я мог допустить раньше, — это утечку информации из компьютеров. Помнишь, я тебе докладывал: кто-то забирался в компьютеры отдела расследований и просматривал файлы? Мы тогда грешили на наших охранников, которые ночью могут делать все, что им заблагорассудится. Но сейчас все файлы «запаролены», у каждого сотрудника электронный ключ, а двери опечатываются...

— Ладно, Глеб, езжай в «Пулковскую», — Обнорский загасил в пепельнице окурок и стал раскладывать на столе бумаги, — поосторожней там с Ломом. Он мужик тертый и хитрый. Сбитень по сравнению с ним — полный мудак. Как вернешься, сразу ко мне. Все.

* * *

Без пяти минут три я подъехал на частнике ко входу в гостиницу. Искать пацанов Ломакина не пришлось — едва расплатился с водителем, как ко мне подошли два высоких молодых человека, одетых в элегантные костюмы. Вспомнив прежних накачанных «быков», я даже удивился.

— Господин Спозаранник? Здравствуйте, Михаил Иванович ждет вас. Пойдемте.

Огромные апартаменты на седьмом этаже поражали своей роскошью. В просторном холле, сверкающем хрусталем люстр и позолотой багетов антикварных картин, развалившись в мягких креслах под раскидистой пальмой, сидела троица стриженых «быков», в которых я узнал своих старых знакомых по предыдущему визиту к Ломакину.

— Какая встреча! — осклабился, поднимаясь с кресла, двухметровый гигант, бугрящиеся бицепсы которого не мог скрыть даже просторный костюм. — Журналист от Обнорского! Все еще пишете свою хуйню?

Не удостоив его вниманием, я проследовал за своими провожатыми к двери в левой части холла. Ломакин, когда мы вошли в кабинет, поднялся из-за массивного письменного стола и, сделав жест, удаляющий охранников, направился ко мне, протягивая руку. В свои сорок четыре Лом выглядел великолепно. Невысокого роста, сухощавый, черноволосый, в прекрасно сидевшем темном костюме.

— Здравствуйте, Глеб Егорович! Рад вас видеть, — пожатие твердой сухой руки Ломакина было в меру крепким, — присаживайтесь, пожалуйста.

Зная, что от алкоголя я категорически откажусь, Лом предложил мне на выбор чай или кофе. Я согласился на чай, и через пару минут длинноногая девушка с высокой грудью, постреливая глазками, сервировала круглый столик, за который мы с Ломакиным тут же переместились.

— Надеюсь, мои пацаны не успели вас обидеть? — Лом сделал легкое движение головой в сторону холла.

— А я на них, Михаил Иванович, внимания не обращаю.

— Ну и правильно делаете, — лицо Ломакина тронула мягкая улыбка, — они ребята хорошие, только воспитания не хватает... — Он достал из внутреннего кармана пиджака маленькую, плоскую, обшитую кожей фляжку, отвинтил крышечку, сделал глоток и сунул фляжку обратно. — Вот зачем вы, Глеб Егорыч, мне понадобились. Буду краток. Уверен, что ваша фирма сейчас расследует убийство Олега Краснова.

— С чего вы взяли, Михаил Иванович? — Я сделал недоуменное лицо, отхлебнул из чашки и уставился на Лома.

— Догадался, — Ломакин усмехнулся, — думаю, что для этого не нужно иметь семь пядей во лбу. Краснов, царство ему небесное, был крупнейшим оператором на рынке распространения прессы, а вы, журналисты, и есть та самая пресса. Поэтому, если следовать логике, которую, как я понял, вы, Глеб Егорыч, обожаете, ваша контора, во главе с Андреем Викторовичем, не может не заниматься этой темой. И, ради Бога, не возражайте. — Ломакин вновь проделал манипуляцию с фляжкой и продолжил: — Хочу вам помочь. Мои ребята узнали, что Краснова грохнули люди из окружения одного известного вам бизнесмена. По понятным соображениям, я не называю его имени — догадайтесь сами. Источник этой информации вполне надежен. Вы, надеюсь, понимаете, что никакой видимой связи между исполнителем заказа и предпринимателем с нерусской фамилией нет. Убежден, что киллер не знал ни его, ни того, кого ликвидировал. Это азбука «заказухи», Глеб Егорыч, прекрасно вам известная...

...Наша «дружеская» беседа с респектабельным бизнесменом, если закрыть глаза на его бандитское прошлое, как, впрочем, и настоящее, продолжалась еще час, прерываемая время от времени телефонными звонками на трубу Лома.

Ломакин изо всех сил пытался убедить меня в причастности Жоры Армавирского (хотя фамилию бизнесмена он так и не назвал, догадаться, что это Гурджиев, было нетрудно) к убийству Краснова, а я, в свою очередь, зная плохо скрываемые враждебные отношения между Ломом и Жорой стремился, впрочем безрезультатно, выведать любые подробности, связанные с окружением Гурджиева людьми, от которых якобы последовала команда на ликвидацию владельца «Информпресс».

Заданный Лому вопрос вскользь насчет Сбитня не вызвал у моего собеседника особой реакции.

— Славка Сбитнев? Да ты что, Глеб? — Ломакин, по мере опустошения карманной фляжки с коньяком, иногда переходил на «ты»— Он комара не обидит. Сто лет Славку знаю, пиздит он много, но на мокруху никогда не подпишется... И потом, на кой хрен ему «Информпресс»? Он и газет-то не читает...

В конце беседы Лом сменил тему и, видимо, под влиянием выпитого коньяка, хотя внешне на нем это абсолютно не отразилось, ударился в воспоминания. Это мне было уже неинтересно, так как Обнорский в своих книгах описал «боевое» прошлое бандитского лидера более чем подробно. Я поспешил распрощаться с Ломакиным, еще раз ощутил мощную энергетику этого по-своему незаурядного человека, когда он пожал мне руку, и через сорок минут был в агентстве.

* * *

...«Убийство Олега Краснова: слишком много версий...» — так я назвал свою статью, опубликованную вскоре после беседы с Ломом. Хотя и терзали меня некоторые сомнения, а без этого в нашей работе не обходится, я все-таки сделал акцент на причастности к этому преступлению бывшего вора в законе Сбитня. Конечно, пришлось упомянуть и других физических лиц, включая Гурджиева, которые были тоже заинтересованы в устранении владельца «Информпресс».

Материал наделал много шуму. После выхода номера «Явки с повинной» руководители подразделений РУБОПа и УУР, занимающиеся оперативным обеспечением следствия по этому уголовному делу, стали ломать голову, откуда в агентстве появилась столь обширная и разнообразная информация. «На ковер» вызывались оперативники, которые, впрочем, в один голос отрицали свое общение с журналистами.

Одновременно, как я узнал позже, анализ собранной нами информации по делу об убийстве Краснова дал следствию мощный толчок для работы по новым направлениям расследования преступления. Черт побери, все-таки есть польза от нашей работы!

Но никто не ожидал, что последующие события заставят нас оставить на время дело «Информпресс» и заняться другим убийством. Впрочем, это было потом...

* * *

— Ну, что, Глеб Егорович, доигрались? — Вместо приветствия Анна Лукошкина протягивает мне копию искового заявления. — Сбитнев подал на нас в суд, ответчики — агентство и вы, господин Спозаранник. Моральный вред, видите ли, нанесли мы своей статьей честному бизнесмену по кличке Сбитень, обозвали его вором и бандитом. Требует сатисфакции в размере пяти миллионов. — Она усаживается напротив меня нога на ногу и кладет на стол свой изящный радиотелефон.

— Я-то здесь при чем, Анна Яковлевна? Не вы ли как юрист дали добро на публикацию этого материала? — Внутри меня всего трясет от вынужденного общения с этой женщиной, хотя я и сдерживаюсь. — Мое дело написать и переделать по вашему требованию. Что я и сделал в статье об убийстве Краснова.

Кстати, пять «лимонов» чего? Баксов? И не демонстрируйте мне, пожалуйста, ваши коленки.

— Рублей, Глеб Егорович. — Лукошкина, естественно, игнорирует мою просьбу насчет коленок и гневно продолжает: — Но это агентство не спасает. В случае проигрыша на процессе нам грозит разорение. Или вы не знаете нашего плачевного финансового состояния?

— Успокойтесь, Анна Яковлевна, Сбитень не выиграет процесс. Я же вам докладывал, что имеются достоверные данные, свидетельствующие о его причастности к убийству. Вы их видели. Кроме того, милая Анна Яковлевна, есть человек, который, надеюсь, подтвердит слова Сбитня в бане...

— Ага, и подпишет себе смертный приговор. Не будьте таким наивным, Глеб. Иванченко далеко не идиот — он откажется от всего, даже от знакомства с вами. И оперативную информацию, которую вы добыли в УУР и РУБОПе, никто не легализует. Кстати, самое печальное в этой истории, я имею в виду предстоящее судебное разбирательство, это то, что интересы Сбитнева на процессе будут защищать адвокаты из юридической конторы «Петерс». Это вам о чем-то говорит?

— Нет, а что?

— К вашему сведению, господин начальник отдела расследований, эта контора принадлежит Михаилу Ивановичу Ломакину. И работают в ней самые лучшие в городе адвокаты. Они получают огромные бабки, зато выигрывают почти безнадежные дела, — Лукошкина задумывается, берет со стола свой радиотелефон, разглядывает его, — в основном в арбитражном суде. Так что, Глебушка, опасность разорения нашего агентства в случае проигрыша очень даже реальная. Мне трудно будет бороться с зубрами из «Петерса»...

Когда Лукошкина уходит, я пробиваю «Петерс» по базе данных городских фирм и, прочитав фамилии учредителей, действительно нахожу человека из окружения Лома. Да, Лукошкина оказалась права — контора явно под Ломакиным. Теперь мне становится понятной его заинтересованность делами агентства «Золотая пуля» в связи с расследованием убийства на Московском проспекте. Не иначе как Лом вознамерился заполучить нашу фирму, если мы проиграем суд, в чем он, судя по всему, абсолютно уверен.

Я смотрю на настенный календарь — как быстро, однако, удалось людям Ломакина добиться рассмотрения иска в суде Ленинского района. Впрочем, что в этом странного? Чего нельзя сделать за деньги, можно сделать за большие деньги...

* * *

— Сбитня убили! — Света Завгородняя кричала так громко, что я вздрогнул от неожиданности и выскочил в коридор.

— Светлана Аристарховна, где и при каких обстоятельствах? — Я выхватил у нее распечатку оперативной сводки и пробежал ее глазами. Так, вчера поздно вечером в ночном клубе «Джефф» четырьмя выстрелами из пистолета... — Света, кто из репортеров поехал на место происшествия? Шаховской? Убедительная просьба, как только вернется, пусть зайдет ко мне.

В ожидании Виктора Шаховского я роюсь в нашем компьютерном архиве. Должен же быть этот «Джефф»; помнится, что-то криминальное связано с его владельцем. Ага, нашел наконец. «...Ночной клуб „Джефф" со стриптизом принадлежал бизнесмену из Уганды Зуки Харбору, застреленному в прошлом году в Купчине, в подъезде собственного дома... Уголовное дело возбуждено по факту убийства. Следствие приостановлено...» Стоп. Кажется, РУБОП занимался этим угандийцем. Набираю номер «трубы» Резакова.

— Алло, Вадим? Спозаранник беспокоит. Да, знаю. Потому и звоню. Кому сейчас этот клуб принадлежит? Ломакину, говоришь? Ладно, подъеду обязательно...

Я кладу трубку. Все сходится. Лом убрал африканца и завладел престижным ночным клубом. А дядя Слава любил туда похаживать, голенькими девочками любоваться... Однако ни следствие, ни опера не смогли отыскать абсолютно никакой связи Ломакина с этим делом. Чистый «глухарь».

...Приехавший из «Джеффа» Шаховской подтвердил мои размышления. Действительно, Сбитень заезжал в ночной клуб почти каждый вечер, чтобы пропустить бокал белого французского вина. Вчера он, как обычно, сидел в «Джеффе», потягивал винцо и трепался с кем-то по радиотелефону. Киллер проник в бар через боковой вход, подошел к Сбитню и выстрелил четыре раза из пистолета. Одна пуля попала прямо в сердце, вторая и третья — в шею, а четвертая ушла в стену.

При всеобщем замешательстве публики преступник спокойно вышел из клуба, сел в автомобиль и уехал. Один из охранников запомнил номера этой тачки, но, как выяснилось, они были фальшивыми...

Я смотрю на лежащую на столе судебную повестку. Четырнадцатого июня, то есть через два дня, должно состояться первое заседание Ленинского народного суда по иску гражданина Сбитнева Вячеслава Сергеевича...

* * *

Сегодня почти полдня мотался по городу. Две встречи с СИ — так я называю наши секретные источники информации — в противоположных концах Питера едва не выбили меня из колеи. Пустая болтовня, ничего существенного. Даже обидно, что зря потратил ценное время на этих уродов. Прослушал запись, сделанную миниатюрным цифровым диктофоном (прекрасная шпионская штучка!), и без сожаления стер ее...

Заскочил на Литейный в убойный отдел УУР и тоже неудачно: там все «на ушах» из-за очередной «заказухи» — четыре трупа в поселке Репино. Какого-то крутого предпринимателя по кличке Беня Новгородский и его охранников расстреляли из автоматов. В общем, оперативникам было не до меня.

Приезжаю в агентство, а здесь, пока меня не было, сцепились бывший бандит Шаховской и бывший мент Зудинцев. Орали друг на друга так, что конфликт вот-вот мог перейти в рукоприкладство. Слава Богу, вовремя появился внушительный Зураб Гвичия. Вместе с ним еле разняли «горячих» питерских парней. Обнорский был в ярости и пообещал уволить обоих. Все-таки им противопоказано работать вместе, даже в разных отделах...

— Глеб, срочно зайди ко мне, — голос шефа в телефонной трубке не предвещал ничего хорошего.

«Ну, вот и „разбор полетов"», — подумал я и направился к Обнорскому.

Но на этот раз я ошибся. В приемной у дверей кабинета шефа стояли два бугая, характерная внешность которых не вызывала никаких сомнений в роде их занятий. Типичные «быки». «Быки», просверлив меня глазами и убедившись, что я никакой опасности не представляю, молча посторонились и пропустили в кабинет.

— Глеб Егорович Спозаранник, — представил меня Обнорский двум сидевшим напротив него мужчинам, — начальник отдела расследований. Его сотрудники как раз и занимались делом Краснова.

— Чирков Александр Трофимович, — привстал со стула коренастый шатен лет за сорок с легкой небритостью на лице и дымящейся папиросой в левой руке, — адвокат покойного Сбитнева. А это, — он кивнул на второго посетителя, на вид типичного «братка», вальяжно развалившегося в кресле, — мой помощник... — Как я понял, Глеб Егорович, это ваше творение. — Чирков положил руку на газету «Явка с повинной», раскрытую на странице со статьей про убийство владельца «Информпресс» Олега Краснова. — Очень сожалею, но нам предстоит весьма тяжелый разговор по этому поводу. Скорее, даже не по содержанию статьи — как вы знаете, покойный подал иск в суд, и ряд моментов, унижающих

374

его честь и достоинство, должен был быть нами оспорен...

— Простите, господин Чирков, но я с вами абсолютно не согласен. — Я поправил очки и бросил взгляд на Обнорского, который с хмурым видом дымил «Кэмэлом». — Андрей Викторович был мною ознакомлен с имеющимися документами, подтверждающими неблаговидную роль — извините, что так говорю о покойном — Вячеслава Сбитнева в событиях на Московском проспекте...

— Вы че, пацаны, не врубаетесь, что попали? — визгливым голосом вдруг произнес «помощник адвоката». — Трофимыч, они ни хуя не понимают. За базар надо отвечать. Дай я им объясню...

— Помолчи, Витек, они все поймут, — Чирков зажег очередную беломорину, — я еще не закончил. Так вот, господа журналисты, мои коллеги и я убеждены в том, что иск Вячеслава Сергеевича Ленинский суд бы удовлетворил. Я говорю это не для красного словца — в ходе подготовки к процессу мы, юристы «Петерса», с полным на то основанием дали Сбитневу стопроцентную гарантию выигрыша в суде... — он постучал пальцем по газете и перевел взгляд на Обнорского, — повторяю, Андрей Викторович, — стопроцентную...

— Трофимыч, эти писаки ни хуя не понимают! — вновь перебил Чиркова Витек. — Да я за Сергеича их порву, в натуре! Это они его «замочили»!

— Может быть, все-таки перенесем нашу дискуссию в зал суда? — наконец подал голос Обнорский. — Я не желаю выслушивать угрозы всяких уродов...

— Это я, что ли, урод? — вскочил Витек.

— Витя, сидеть! — зарычал Чирков и перехватил занесенную руку бандита. — Остынь, они ответят. Не обижайтесь на моего помощника, он очень уважал покойного. Я продолжу, господа. Так вот, суда не будет. И дискуссии, как вы сказали, Андрей Викторович, тоже не будет. По данным службы безопасности Сбитнева, укомплектованной, не буду скрывать, бывшими офицерами КГБ и МВД, заказ на ликвидацию Вячеслава Сергеевича поступил из вашей конторы. Это однозначно. С тем, кто его убил — мент или человек Лехи Склепа, — *разберутся друзья покойного. Я правильно говорю, Витек? — адвокат посмотрел на своего помощника.*

— Бля буду, Трофимыч, разберемся по понятиям, — со зловещей интонацией проверещал Витек, — падлы позорные...

— Наши аналитики пришли к выводу, — продолжил Чирков, — что ликвидацию Сбитнева оплатила ваша «Золотая пуля», Андрей Викторович. Разумеется, пока это только предположение. Основанное на элементарном расчете: дешевле заказать Вячеслава Сергеевича, чем, проиграв суд, потерять все, — адвокат поднял обе руки и обвел ими стены кабинета Обнорского, — с финансами-то у вас туговато...

— Это полная чушь, Александр Трофимович, — не выдержал я, — какие, к черту, аналитики? Да вы в своем уме? Кажется, ваши люди или, скорее, люди покойного Сбитня, извините, Сбитнева нас с кем-то перепутали. Мы — журналисты и наше агентство — отнюдь не бандитская группировка...

— Глеб, не кипятись, на тебя это не похоже, — остановил меня Обнорский, — пусть договорят, что им от нас нужно. Я слушаю вас, господин адвокат.

— Вы меня правильно поняли, Андрей Викторович, — Чирков вмял окурок папиросы в пепельницу, — перейду к главному. Мы предлагаем вам в ближайшее время перерегистрировать агентство на наших людей. То есть вы, господин Обнорский, и соучредители вашей так называемой «Золотой пули» оформляете передачу всех долей агентства в безвозмездный дар вот этим гражданам. — Адвокат вытащил из кожаной папки с монограммой листок бумаги и протянул его Андрею. — В противном случае последствия, как говорится, не заставят себя ждать.

— Это что? Угроза? — Обнорский уставился на Чиркова поверх массивных очков в роговой оправе. — Или я что-то не так понимаю? Ваши шутки, господин адвокат, могут очень плохо кончиться.

— Понимайте как хотите, Андрей Викторович, — Чирков застегнул молнию своей папки и поднялся со стула, — к сожалению, я не шучу. Впрочем, могу вас успокоить — действовать мы будем в рамках закона. Правда, вот этих парней вряд ли что остановит. — Он похлопал папкой по плечу своего «помощника». — Витя, пошли.

* * *

Один из трех «будущих владельцев» нашей «Золотой пули», чьи полные паспортные данные оставили непрошеные визитеры, оказался из группировки Лома. Связь, правда, была косвенной — он по доверенности ездил на автомобиле БМВ, зарегистрированном на некоего Эдуарда Петрова, активного члена ОПГ, дважды судимого за разбой и вымогательство. Эту информацию подтвердили наши друзья из правоохранительных органов.

На коротком совещании Андрей Обнорский поставил перед моим отделом задачу разобраться с убийством Сбитня, отследить все его деловые и личностные связи. Разумеется, ни о каком переоформлении агентства речь не шла.

— Эти пидоры совсем охренели, — от возмущения голос Андрея звенел сталью, — приперлись сюда с угрозами. Передайте, мол, в дар вашу фирму... Хуй им, а не агентство! Угрожать мне, боевому офицеру... Так, Глебушка, передай своим мой приказ: проявлять максимальную бдительность, без твоего ведома никаких контактов с этими ублюдками, включая адвокатов из «Петерса». Я позвонил в РУБОП Резакову, он уже в курсе. Его опера будут нас прикрывать. На всякий случай. Как говорится, береженого Бог бережет. И последнее — все телефонные звонки переводите на меня...

Таким образом, в «Золотой пуле» было, по сути, объявлено чрезвычайное положение. В агентстве постоянно находился оперативник РУБОПа, на связи с ним бойцы СОБРа в постоянной готовности. В помощь оперативнику я выделил Зураба, вооруженного газовым пистолетом. Как-никак — бывший десантник!..

Через две недели обстановка накалилась еще больше. Обнорскому позвонил Чирков и поинтересовался насчет переоформления агентства. Андрей послал его подальше и бросил трубку. А спустя несколько часов незнакомый мужской голос с блатными интонациями сообщил нашему шефу, что его «поставили на счетчик».

Между тем мое расследование по делу об убийстве Сбитня затормозилось. Несмотря на давно сложившиеся хорошие отношения с оперативниками РУБОПа и УУР, информация, которую они мне с трудом предоставили, никак не позволяла вычислить заказчика ликвидации Дяди Славы. Покойный вел настолько бурный образ жизни, что имел немало врагов и по своей коммерческой деятельности, и в личных делах.

По одной из версий, в его устранении могли быть заинтересованы московские бандиты, контролировавшие в Питере аптечный бизнес, в который Сбитень пытался влезть со своей фирмой «Примакрия». По другим предположениям, одну из питерских группировок, контролировавшую нефтебизнес, чрезвычайно раздражали попытки Сбитня подтянуть в эту сферу итальянцев... В общем, версий оказалось такое количество, что я в них, можно сказать, утонул.

— Глеб, брось ты этой бодягой заниматься, — в один голос говорили мне Вадим Резаков и Леня Барсов. — Сбитень — бывший вор в законе, за ним тянулся такой шлейф преступлений, что страшно представить. Какая тебе, к дьяволу, разница, кто его «заказал»? Наверное, грех так говорить о покойном, но туда ему и дорога! Если б ты знал, Егорыч, сколько он нам крови попортил... Оставь покойничка в покое, Глеб...

Не знаю, чем бы закончилось мое расследование, если бы ни его величество Случай. Однажды к Обнорскому пришел его старый знакомый Владимир Анатольевич Алексеев...

* * *

Алексеева я немного знал, когда, уйдя из НИИ, начинал свою журналистскую карьеру и забегал в «Молодежку», чтобы пристроить свои первые в жизни статьи. А он работал там в криминальном отделе.

По рассказам коллег, Володя, до того как попасть в газету, долгое время провел на Ближнем Востоке, служил то ли в ГРУ, то ли в ПГУ — сам он предпочитает на этот счет не распространяться, уволился по сокращению в звании подполковника, имеет много наград. С Обнорским они познакомились в какой-то североафриканской стране, кажется Ливии, но чем там занимались, никто не знает...

— Глеб, это Владимир Анатольевич, мой давнишний приятель, однополчанин и с некоторых пор — коллега по криминальной журналистике. — Обнорский зашел в мой кабинет вместе с моложавым загорелым мужчиной невысокого роста в очках. — Кажется, вы немного знакомы. Прошу любить и жаловать.

— Можно просто Володя, — Алексеев пожал мою руку и улыбнулся, — мы действительно знакомы.

— Глебушка, я вас оставлю, сам знаешь — куча дел. А Володя тебе расскажет кое-что по нашей теме. Думаю, тебе это будет безумно интересно. — Обнорский направился к двери, на секунду остановился, повернулся и добавил: — Володя, когда закончите, зайди ко мне...

Рассказ Алексеева был, что называется, в тему и, по большому счету, поставил точку в нашем расследовании по делу об убийстве Сбитня. Вот что он мне рассказал.

«...Вы знаете, что финансовое положение в питерских ежедневных газетах весьма и весьма неважное.

Особенно тяжелое оно в „Молодежке", где я работаю: гонорары и зарплаты низкие, да и платят нам нерегулярно. В прошлом году мои бывшие коллеги, скажем так — военные переводчики-арабисты, предложили подработать в Египте в качестве гида-переводчика туристической фирмы „Москва-Тур плюс".

Таким образом, я дважды в прошлом и один раз в этом году работал с туристическими группами из Петербурга на египетском курорте Хургада на побережье Красного моря. Скажу честно, платили хорошо, но работа — не мед. Знаете, когда приходится общаться с „новыми русскими", а часто — откровенными бандитами, увешенными золотыми цепями, и их капризными подружками, простите, блядями высокого пошиба, становится тошно...

Так вот, осенью прошлого года в моей группе была очень красивая молодая женщина по имени Татьяна Сбитнева. Да, да, жена того самого Вячеслава Сбитнева, убитого в июне. Конечно, тогда я этого не знал. Татьяна летела из Питера одна, а мы не имеем обыкновения интересоваться семейным положением наших туристов.

Курорт есть курорт. Поэтому люди легко знакомятся и довольно часто завязывают очень близкие, прямо скажем, интимные отношения. Это случилось и с Татьяной Сбитневой. Жила она в отеле „Шедван Голден бич", а в соседнем номере оказался молодой бизнесмен тоже из Питера — Александр Очаковский. Мужик молодой, респектабельный, богатый. Вот, кстати, оба они на фотографии. Это я, а это туристы из моей группы.

В общем, познакомились они очень быстро и, как ни пытались скрыть свои близкие отношения, это у них плохо получалось. Ездили вместе в Каир, Луксор, в бедуинскую деревню, на морские прогулки... А один раз, прогуливаясь ночью около пляжа „Голубая лагуна" на территории отеля, я случайно засек эту парочку на топчане, где они бурно занимались любовью, предварительно искупавшись голышом... К счастью, они так были заняты собой, что меня не заметили.

Естественно, я, свободно владея арабским языком, помогал нашим туристам общаться с арабами, в основном при покупках всяких товаров в местных магазинах.

Как-то подошли ко мне Очаковский с Татьяной и попросили помочь купить украшения. Она выбрала дико дорогие бусы из натурального черного жемчуга и золотой кулон-картуш с древнеегипетскими иероглифами. Я помог сторговаться, расплатился Очаковский, который тут же предложил мне „обмыть" с ними покупки. Я не возражал, и вскоре мы сидели в симпатичном морском ресторанчике...

Алкоголь, как известно, прекрасное средство для развязывания языков. Мне приходилось в прошлом... Впрочем, не буду — это к делу не относится... Минут через сорок я, сам того не желая, узнал некоторые подробности из жизни этих туристов. До сих пор удивляюсь, почему они были так откровенны в компании со мной. Алкоголь, скорее всего, помог...

Итак, Татьяна — совладелица довольно крупной фирмы „Примакрия" в Петербурге, имеет вид на жительство в Швеции (диву даюсь, как ей это удалось?), а недавно приобрела дом в Стокгольме. Кажется, где-то на пересечении улиц Тегнергатан и Регеринггатан, неподалеку от маленького отеля под названием „Ком". Не удивляйтесь, Глеб, — профессиональная память.

Самое удивительное — это то, что бизнес Очаковского завязан на Швецию. Уж не знаю, есть ли у него вид на жительство, но то, что он часто и подолгу бывает в Стокгольме, не вызывает сомнения...

В марте этого года я вновь работал в Египте и, надо ж такому случится, еще раз встретил в Хургаде Очаковского и Сбитневу. Однако на этот раз они были сдержанны по отношению ко мне. Да я и не навязывался...

Вот, пожалуй, и вся история. А когда я узнал об убийстве Вячеслава Сбитнева, то, сопоставив известные мне факты, пришел к выводу, что заказчиком преступления вполне могли быть Очаковский или его любовница Татьяна. Что, впрочем, одно и то же. Ведь Татьяна, насколько я помню, не скрывала перед Очаковским своего желания навсегда переехать в Стокгольм...»

* * *

...Все сходится — Сбитня заказала собственная женушка. Недаром я никогда не устану повторять, что все женщины — исчадия ада, кроме моей Надюшки.

После смерти мужа Сбитнева получает контрольный пакет фирмы «Примакрия», оцениваемой, как минимум, в полмиллиона долларов. Не слабо, однако! Но ведь там еще два учредителя, друзья покойного. Как она решит вопрос с ними? Ведь и дураку понятно, что новоиспеченная безутешная вдова хочет стать полной хозяйкой фирмы, затем продать ее и убыть в стольный град Стокгольм к любимому Очаковскому.

...Прослушка сотовых телефонов Александра Очаковского и Татьяны Сбитневой, организованная технической службой РУБОПа, подтвердила, что мы были на правильном пути. Несмотря на то что оперативники не показали нам расшифровку переговоров, Вадим Резаков намекнул, что они готовятся к реализации. Или, на человеческом языке, разрабатывается операция по задержанию «хургадских любовников». А еще я узнал от Вадима, что оперативники «вычислили» третьего участника преступления, приятеля Очаковского, бывшего офицера-афганца, который, скорее всего, исполнил киллерскую работу в ночном клубе «Джефф».

Может быть, слить информацию о любовниках бандитам Сбитня? Нет, это была бы подлянка по отношению к нашим друзьям из органов...

* * *

...Женщина, стоя ко мне спиной, медленно стягивала с себя платье. Ее тело извивалось в ритм откуда-то доносившейся тихой музыки. Вот на пол упал кружевной бюстгальтер и, повинуясь движению рук,

382

вниз по бедрам поползли трусики. Женщина, поочередно подняв ноги, высвободила их и небрежно швырнула белый комочек в угол комнаты. Незнакомка наклонилась и выпятила мне навстречу округлый, очень соблазнительный зад. Продолжая ритмично извиваться, она раздвинула пальцами ягодицы, словно приглашая меня к соитию.

Я подошел к женщине, взял левой рукой ее трепещущую грудь, почувствовав затвердевший сосок, а правую просунул между ляжек и начал нежно ласкать промежность, легко нажимая на клитор и проникая все глубже и глубже. Пальцы увлажнились, а женщина громко застонала... Мое естество мгновенно возбудилось, руки переместились на тонкую талию, крепко сжали ее, и я вошел в пещеру сладострастия...

Тьфу, черт! И приснится же такое!.. Раннее утро. Рядом тихо посапывала спящая Надюшка. Надо же, красавица, которую я трахал во сне, была Татьяной Сбитневой. Я узнал ее, когда она чуть повернула назад голову. А ведь фотографию видел всего один раз... Ей-богу, какая-то связь со стариком Фрейдом...

...В агентстве меня ожидали сногсшибательные новости. Нонна Железняк, побывавшая накануне в Регистрационной палате, узнала, что фирма «Информпресс» убиенного Олега Краснова перешла в собственность скандально известных предпринимателей братьев Карпенко, связанных с Ломом. Причем процедура перерегистрации фирмы была, по утверждению чиновников Регпалаты, совершенно законной. Как я понял, «Информпресс» братья приобрели примерно по той схеме, которую нам предлагал бандитский адвокат Чирков, плюс мощное вливание капитала, после чего у наследников Краснова остались мизерные проценты долей. Ловко!

Около полудня к агентству подкатила навороченная «нива» Обнорского. Шеф был не в настроении. Буркнул мне на ходу «зайди» и потащился в кабинет со своей неизменной, чем-то до отказа забитой черной кожаной сумкой.

— Глеб, бандиты оставили нас в покое, — начал Андрей без предисловия, — мне на «трубу» — эти пидоры как-то номер прознали — позвонил небритый уебок Чирков и начал извиняться. Ошиблись, мол, насчет вас. Короче, я его послал...

— Андрей, ты, кстати, не в курсе, повязали ли рубоповцы «нежную парочку»? Я никак не могу дозвониться до Резакова. — Я снял очки и стал протирать стекла салфеткой. — Куда они все пропали?

— Мудаки они, — презрительно процедил шеф, сдирая целлофан с пачки «Кэмэла», — не успели. Очаковский скрылся, кто-то наверняка предупредил. Думаю, что дамочка вместе с ним. Надо будет коллеге Тингсону в Стокгольм позвонить, адресок-то стервы мы знаем. Пусть там полиция с Интерполом пошустрят... Да, «афганца» продолжают искать, но вряд ли найдут. Козлы, одним словом. Ни хуя не умеют грамотно работать. — Обнорский почиркал зажигалкой, прикурил, выпустил сизое облачко дыма. — До соплей обидно. Мы им выложили все на блюдечке, а они... Ладно, хер с ними. Что у нас там по плану, Глеб?

* * *

...Через месяц шведский журналист Тингсон, друг Обнорского и соавтор его книги «Криминальная Россия», сообщил нам, что в Стокгольме, в доме 21 по улице Тегнергатан, полиция обнаружила труп молодой женщины, убитой с особой жестокостью ножом. Убитая была идентифицирована как владелица дома Татьяна Сбитнева. Полиция продолжает розыск преступника...

ДЕЛО О ПРОПАВШЕЙ РОССИИ

Рассказывает Михаил Модестов

Модестов Михаил Самуилович, 28 лет, еврей. Специалист по расследованиям в области культурных и научных сфер, имеет обширные связи в кругах творческой интеллигенции. Недавно женился на сотруднице АЖР Нонне Железняк, что во избежание семейственности и кумовства повлекло ее немедленное перемещение из отдела расследований в специальные корреспонденты. Семейная жизнь окончательно избавила Модестова от недостатков, приобретенных за годы службы в оркестре Мариинского театра и последовавшей затем работы в ресторанах. Из неизжитого остались мягкость, чрезмерная вежливость, близорукость и любовь к домашним животным.

(Из служебной характеристики)

— Кажется, Модестов, ты скоро станешь папой... Отреагировать на заявление Нонны подобающим образом я не смог — дело было в конторе, и жарить рекламную рыбку на чудесном масле никак не выходило. Нежно приобняв супружницу, я попросту наслаждался маршем Мендельсона в исполнении внутреннего оркестра. Блаженство, правда, прерывала одна гаденькая мыслишка: «Как? Эта маленькая штучка не защитила нас обоих?»

Размышления об интимных подробностях контрацепции были вызваны вовсе не досадой на «залетевшую» подругу жизни. Наоборот, как только мы с Нонкой, что называется, «сошлись», я тут же потребовал наследника. А она не хотела! В смысле, ребенка, а не процесса. С процессом все было в полном порядке.

«Ты что, Мишка, смерти моей желаешь? Как личности, я имею в виду. Творческой единицы славного агентства», — таким высоким слогом объясняла она свое нежелание выбывать из колеи жизни с пузом и последующими прелестями ухода за младенцем. Со всеми вытекающими отсюда мерами. И как же тогда прикажете объяснять эту нечаянную радость? Непорочным, прости Господи, зачатием?

— Модестов, ты все неправильно понял. И не приставай ко мне на работе, а слушай сюда.

— Как неправильно? Не хочешь ли ты сказать, что отцовство отменяется?

— Ни в коем случае! Оно наступит прямо завтра.

Тут мои объятия ослабли, все, что во мне пело, играло и вздымалось, умолкло и опало. Я уже ничего не понимал и готов был услышать от Нонны самые фантастические объяснения. И я их услышал.

— Малышка уже родилась, и завтра мы пойдем ее удочерять. Вот и все.

— Все? А может, я не хочу никакой чужой девочки? Я вообще, может быть, мальчика хочу!

— Не кипятись, Модестов, захочешь. Мальчик у меня и без тебя есть, а видел бы ты, какая она прелестная!

— А ты-то где ее увидела, подкинули, что ли, младенчика прямо под дверь агентства?

— Ой, как смешно! А если и подкинули? Все равно тебе не отвертеться, Модестов, ни за что.

Это я и сам сознавал. А через пару минут я осознал, откуда прелестный подкидыш на мою голову свалился. Нонна увидела его пять минут назад по телевизору в милицейской передаче. Фотографию младенца, подброшенного в один из органов опеки, продемонстрировали с целью обнаружения его родителей. И моя жена уже успела позвонить по одному из указанных телефонов с решительным требованием не искать гнусных производителей подкидыша, а отдать невинное дитя в нашу сугубо положительную семью милых, интеллигентных и даже обеспеченных людей. И ничто не могло ее остановить. Во всяком случае, не я.

* * *

Не стану распространяться, к каким доводам прибегла вечером в домашней обстановке Нонка, но наутро я провожал ее в детский приют как отец. В смысле, готовый отец нашего совместно нажитого ребенка. Нажитый Нонной без меня шестилетний сын Денис и его сверстники кот Мишка с кошкой Ксюшей восторженно готовились принять в семью новоявленную сестренку.

Оставленный кормить, одевать и сопровождать к местам постоянного пребывания драгоценных домочадцев — мальчика в детсад, зверье по комнатам, я, увы, пропустил урок. То есть не смог поучиться виртуозной «работе с источниками», которую Нонна провела по истории с подкидышем. Встретившись с женой через три часа в агентстве, я услышал сюжет покруче, нежели мое отцовство.

— Ты представляешь себе, Модестов, ребенка-то нам аж из Госдумы подкинули!

— Слава Богу, не сам президент с губернатором!

— А ты откуда про это знаешь? Приютские «слили» или менты?

Понимаете разговор? Я не понимал, пока Нонка, устав от моих переживаний по поводу ее душевного здоровья, не рассказала все по порядку. Но легче от этого не стало. Оказывается, девочку в опеку привез мужик, Стеблюк некий, уверявший, что получил младенца прямо из рук спикера Госдумы Кряквина — мол, подвозил его до Смольного на тачке своей. «Мы про тебя, сказал, все знаем и доверяем тебе самое драгоценное — эту колыбель. В ней новая Россия. Ты станешь девочке опекуном, а когда надо, мы тебя с Владимир Владимирычем и наместником его навестим. Столицу обратно перевезем и державу подымем», — сказал, и был таков.

Марш Мендельсона — верный признак невероятных событий — грянул в моем мозгу, но я просто заржал. Как же я погибал со смеху, умирал от щекотки по организму, подыхал с хохоту! Ничего не могло быть страшнее для человека с юмором, нежели серьезная физиономия моей суженой, пересказывающей чужой бред. Она ему верила!

Спозаранник с автоаптечкой наперевес, казалось, спас меня от неминуемой гибели. Но то была лишь отсрочка.

— Вы тут, господин Модестов, не в Мариинском. А если вам плохо, так у меня активированный уголь имеется. Угощайтесь.

— Ой, не могу! Глеб, скажи ей, что консультация твоей психиатрической жены для сотрудников бесплатна.

— Это для вас консультация моей жены-психотерапевта, которую я готов вызвать срочно, ничего стоить не будет, а вашей супруге, свершающей свой трудовой подвиг с некоторых пор в другом отделе, придется заплатить.

Нонка не могла выносить подобных высот стиля и попросту на разговорном сообщила нам, какие мы дураки, а Спозараннику по его настоятельной просьбе поведала о Кряквине с его нам подкидышем. — Ты кому-нибудь об этом говорила? Ну, кроме присутствующих? — Этот страшный таинственный шопот вывел меня из приступа. Я понял, что за этим последует.

— Все трое к Обнорскому!

* * *

Кому горе, а кому — сенсация. В оркестре Мариинского, где некогда играл и я, мы бы славно повеселились по случаю столь умопомрачительной истории и смыли бы эту лапшу ирландским пивом. А здесь... Мне отдали из кассы последние деньги на то самое пиво, чтобы напоить им любого, кто подольет маслица в огонь свежеприобретенной бредятины. Имена Кряквина и Владимира Владимировича, по убеждению мастеров пера, обещали сделать из пособия для начинающих шизофреников бомбу.

Ну, бомбу так бомбу. Через час мы уже знали телефон перевозчика подкидышей и имели с ним краткую, но дружескую беседу. Послав нас куда подальше, этот «бебиситтер» предложил забыть о существовании его самого, ребенка и всех органов власти нашей великой державы. И Мендельсон тут же пропел мне, что все рассказанное Нонкой ей не приснилось, а принудительного отцовства я смогу избежать, лишь поставив всему происходящему точный диагноз. Как говаривал старик Элис Купер: «Добро пожаловать в мой кошмар!»

И поначалу это было даже забавно. Жора Зудинцев, коллега мой по отделу, совершенно случайно вспомнил при виде пива:

— А знаешь, Самуилыч, служил я когда-то подполковником в одном милицейском подразделении, и был у меня в подчинении хороший парень, Слава Сказкин. Теперь по розыску пропавших без вести как раз в том районе...

Ну, а дальше все просто: пиво — звонок — и следующая банка ирландского стояла уже перед Славой. И этот суровый мент прямо-таки поразился нашей осведомленности.

— И че, че он вам сказал? Послал — а че вы хотели, господа?! Ему же велели все по-тихому сделать, скромненько. Официальные лица велели. А вы тут со своими глупостями лезете, как же вас не послать?

Короче, в ходе проверки информации бред полностью подтвердился, и утверждения господина Стеблюка о лице, похожем на Кряквина, обрели характер официальной версии, зафиксированной в розыскном деле. Сказкин сообщил также, что высокий чин выдал Стеблюку немало другой ценной информации о чудесной девочке России. Ее именно так и звали, а родилась она в день святого Валентина. Не скрыл похожий на спикера статный мужик и других подробностей: мол, эксперимент этот секретнейший, следить за ним будут пристально, а время придет — на крестины

Владимир Владимирович с Папой Русским сами приедут, благословят.

— И что, Слава, он таки на учете психоневрологическом не состоит?

— Не состоит! Я тебе скажу — нормальный мужик, на джипе, с «трубой». Ему на нее все время звонили, куда апельсины грузить, куда бананы, куда окорочка. И все вагонами, фурами, пароходами! Психов до таких «бабок» не допускают.

— Ну да, а подкидышей из Госдумы раздавать — это уже дело нормальное...

Сказкин вроде бы и обиделся, но крыть-то нечем. Ни в какие ворота история не вползает, ни в какейшие. А тут еще новости — Стеблюк, оказывается, фамилию свою недавно получил, она у него «девичья», материнская. До сих пор его сорок с лишним лет Фердыщенкой величали. Это нам на фирме его сообщили: не знаем, мол, такого Стеблюка, у нас только Фердыщенко коммерческим директором значится.

Одним словом, пивка мы со Славкой выпили, но ни в каком месте от него не прояснилось. В этом состоянии я и отправился в агентство сенсацию про весь этот «киндерсюрприз» в номер «Явки с повинной» отписывать.

* * *

Нонка меж тем времени не теряла. И хоть Глеб разъяснил ей в предельно четких выражениях, что, будучи лицом заинтересованным, она не может заниматься делом, порученным отделу расследований, видала товарищ Железняк эти инструкции. Ее прадед-матрос, терзаемый в аду картиной жалких потуг демократического потомства к лучшей жизни, в те дни наверняка получил увольнение на райский берег. Внучка действовала без страха и упрека.

Поскольку о пропаже младенцев до сих пор никто в милицию не заявлял, Нонка сразу отбросила версию о похищении. От ребенка решили избавиться таким вот придурковатым образом, и это лишь укрепило мою ненаглядную в правильности действий.

Россию надо было спасать — и Нонка принялась действовать. Первый удар пришелся по органам. Опеки, имеется в виду.

— Так, я точно знаю, что этот гад тебе заплатил, и ты поэтому мне все расскажешь!

Так началась беседа потомка пламенных революционеров с продажной инспекторшей Жадновской. В обшарпанном кабинетике отдела опеки муниципального образования под занавес рабочего дня, перед майскими праздниками, сцепились две амазонки. Хотел бы я посмотреть, как Жадновская пыталась вначале осадить зарвавшуюся корреспондентку, потом увильнуть в сторону и наконец найти наивыгоднейший компромисс. Нонка взяла ее напором и, что греха таить, угрозами кровавой расправы — инспектор явно помогала Стеблюку в оформлении опекунства, для чего и взяла дело не по своей территории. И спасаясь от угрозы разоблачения, но убедившись, что безбашенной корреспондентке нужен ребенок, а не ее голова, Жадновская кое в чем призналась — без записи.

Стеблюк, мол, приходил к ней вначале безо всякого ребенка, если не считать таковым второго здоровенного мужика с прямо-таки детским взором и соответствующими речами. Тот нес невесть что, но вообще-то интересовались они процедурой установления опеки. То ли Георгием, то ли Юрием Владимировичем с почтением называл своего спутника Стеблюк. А часа через два он уже с ребенком появился. Но денег никаких Жадновская, разумеется, не брала и лишь честно сделала свою работу. Совершенно бескорыстно!

Так бывшая сотрудница отдела расследований взяла след — она узнала, что Стеблюк пару лет назад развелся и сумел отсудить у супруги сына. Не знаю, как ей это удалось, но вечером Нонна уже пила чай в компании бывшей жены бывшего Фердыщенко. Уютненькая комнатка в общежитии с вязанными крючком скатерками и салфеточками, стерильная чистота привычной бедности — и огонь неизлитого окровения!

— Георгия Владимировича? Как же мне его, супостата, не знать! Он меня сына лишил, он во всем виноват! Вы записывайте, записывайте, я вам все расскажу...

И такого порассказала, что даже Нонна уже не могла понять, на каком она свете. Во всяком случае, вернувшись к ночи домой, она напоминала матроса Железняка только фамилией, а отойдя ко сну, сама показалась мне подкидышем. Я прослезился.

* * *

Аврора, утречка богиня, вернула все на круги своя — Нонна проснулась большевистски бодрой и решительной. И не зря! В тот день ей предстоял последний и решительный бой со Стеблюком, для чего она и вызвалась сопровождать бывшую Фердыщенко к бассейну железнодорожников. Та собиралась вырвать сынишку из рук супостата — на майские праздники. Каждый раз свидание давалось ей с боем, и потому она хотела поддержки. А Нонна хотела вырвать другого ребенка, и потому две воинственные женщины объединились в группу особого назначения.

Как ни пытался я объяснить жене, что она поступает совершенно по-идиотски, ничего не получилось. Она даже не позволила мне подстраховать ее! Слава Богу, на «сутках» в тот день оказался Сказкин, и я застал его своим звонком. Он-то и съездил к бассейну, обеспечил прикрытие прессы и оказался свидетелем драмы. Его телефонные показания дышали мне в ухо восторгом щенка, впервые побывавшего на настоящей охоте.

— Он наложил в штаны! Пока они с бывшей за пацана рядились, Стеблюк еще в норме был, привык, видать. А когда твоя налетела — тут он взбесился! Думал на крик взять. Я уж выдвигаться стал поближе, ствол тянуть, да смотрю: тетки вдвоем налетели, будто он их цыплят тащит! Маски-шоу!

— И что, дальше-то что?

— Да съели они его, говорю. Эта Фердыщенко с пацаном убралась, счастливая — «бабе цветы, детям мороженое», а твоя села к Стеблюку в его «паджеро».

— И ты ее с ним отпустил?

— Да ладно ты, Отелло! Вышла она через пять минут да к метро пошла. Жди дома и не забудь отзвониться. Помнишь, кто там чем красен?

Это я помнил. И когда живехонькая Нонна вернулась домой, я жаждал просто информации. Как это ни грустно признавать, работа затягивает и калечит. К Нонне это не относилось.

— Модестов, твои шансы растут! Я прижала этого Стеблюка к его «паджеро», и он запищал, как паршивый пейджер. Он просто заберет свое заявление, если мы оставим его в покое, и девочка — наша!

— И чем же ты его так напугала?

— Мальчиком, конечно. Отдать сынишку своей полоумной жене Стеблюк ни за каких чужих девочек не согласится.

Я, конечно, читал о всесильных инстинктах, но не думал, что это так близко к правде. Нонна, возлежащая сейчас в кресле с чашкой кофе, счастливая и довольная собой, час назад шантажировала затравленного самца. Причем используя его самку и детеныша! Думаю, в тот момент матроса Железняка признали праведником. А меня бросил на землю телефонный звонок.

— Мишка! Давай сюда!

— А что, Слава, новый подкидыш явился? От Клинтона с Моникой?

— Да езжай, говорю, — у нас тут сам Кряквин объявился!

Это для выходного дня было уже слишком.

* * *

Я, конечно, знал, что коммунист Кряквин прибыл на родину себя и революции в день солидарности всех трудящихся. Существовала и гипотетическая возможность, что ему доложили о сенсационной публикации в «Явке с повинной», где говорилось о похожем на него распространителе младенцев. Но даже в сильнейшем гневе этот любитель сигар, по моему разумению, не явился б в какое-то там РУВД разбираться. Ну, не похоже это на него! Так уговаривал я себя по пути к

«Нарвской». Честно признаюсь, уж и жалел я, что ввязался в этот «Кошмар на улице Стачек».

Сказкин и его коллега Володя Баксов сидели в своем кабинете вдвоем. Но запах сигар еще витал в воздухе!

— Ну, что, Паганель, достукался? Что так долго ехал-то? Штаны не пускали?

— Постой-постой, не доводи человека. У него ж сейчас очки упадут, и тебе, Сказкин, за них теперь и не расплатиться. Без премии-то!

Этот Володя все-таки тонкий человек. Он и росту не такого громадного, и прическа у него не бандитская, и костюм приличный, не говоря уж о галстуке. Галстука Сказкин, наверно, отродясь не носил, а если и носил, так и то — пионерский! Володя совсем другой человек. Да.

И лишь Славкин хохот прекратил это пение Лазаря в моей трепещущей почему-то душе. Они смеялись, как павианы, минут пять, и этого мне вполне хватило, чтобы развалиться на диване в ожидании пояснений. От старого кожаного монстра сталинских еще времен, припертого в угрозыск из канцелярии суда, исходило нечто психотерапевтическое. «Надо будет рассказать об этом эффекте жене Спозаранника», — подумал я, и имя начальника привело меня в окончательное равновесие.

— Ты что, поржать меня сюда пригласил? Или Первомай отметить?

— Нет, это тебя Кряквин приглашал, вернее, требовал. Подать сюда, говорил, этого Мусоргского, я его сигарой пытать буду!

— Так что, на самом деле был?

— А вот полюбуйся.

И Славка протянул мне целую пачку полиграфической продукции, причем отменного качества изделий. Листовки, буклеты, газеты, визитки блистали глянцем и рябили российским триколором, а светлый образ спикера просто влезал в душу. Его то ласковый, как у дедушки Ленина, то суровый, как у Дзержинского, то лукаво не наш, как у Черчилля, — его взор достал меня даже на чудодейственном диване. Я понял, что Кряквин был здесь, и завтра же мне придется беседовать с нашей адвокатшей. Кряквин был мне абсолютно по барабану, а вот встреча с Нюрой Лукошкиной была барабанной дробью по мне — проверка на юридическую чистоту материалов, которую она проводила, давалась мне всегда с трудом. Я уже представил, как она препарирует каждое слово в моей поганенькой сенсационной заметке, репетируя мои объяснения в суде, куда меня обязательно притянут обиженные публикацией «герои». Мне захотелось в оркестровую яму. Немедленно.

— Не дрейфь, Самуилыч, Кряквин здесь был только проездом. Его уж и след простыл.

Но Слава был чудовищно не прав. Едва он закрыл рот, как дверь отворилась и в кабинет величественно вплыл сам Кряквин.

* * *

— Здрасьте...

Немая сцена грозила затянуться, но Сказкин вдруг встрепенулся, как-то даже приосанился и вообще сел по команде «вольно».

— Чем обязаны, гражданин? Документик с собой имеете? Или шли мимо, еще одного подкидыша занесли?

— Добрый день, коллеги. Документы мои в полнейшем юридическом порядке, и паспорт, и удостоверения, и тому подобное. Я же к вам по серьезному делу, вернее, к Владимиру Николаевичу мне посоветовали обратиться.

Посетитель, вылитый Кряквин, только посуше и помоложе, не обращая внимание на грубость Сказкина безошибочно потянулся к Баксову. Прям-таки «моряк моряка видит издалека»: костюмчик, проборчик, манеры. Вот голову дал бы на отсечение, у этого спикерского двойника образование тоже юридическое, как у Володи, а не милицейское, как у Славки. Но Сказкину до того дела нет, он сразу просек, что клиент явился по все той же басне с подкидышем, и твердо настроился получить с неизвестного пока еще гражданина исчерпывающую информацию. Но посетитель желал говорить только с себе подобным, и нам пришлось из кабинета выметаться. Сказкин отправился дежурить дальше — в кабинет к своей начальнице Юрьевой. А я, естественно, отправился под марш Мендельсона за ирландским. Такой день грех было не отметить!

Еще спускаясь по лестнице, я заметил в окне на площадке, как напротив ментовского подъезда прохаживается туда-сюда интересная дамочка. Дамочка сама по себе так себе, но вот Мендельсон мне подсказывал, что она тут неспроста отирается. А едва я глянул на нее поближе, как уверился полностью — это она! Не Беатриче, прости меня Нонна, а гораздо лучше — мать подкидыша! Опять-таки законнобрачная, прости.

Осознав свое открытие, я начисто забыл об ирландском и все свои помыслы направил на то, как бы мне поудобней подъехать к мадам. С одной стороны, она пребывала в состоянии явного ступора, с другой лже-Кряквин мог вернуться с минуты на минуту. Она пришла с ним — в этом я нисколько не сомневался. Не сомневался я и в том, что молодка, а было этой светлой шатенке на вид лет двадцать, продала ребенка богатенькому Стеблюку! Как пить дать продала, но моя Нонка спутала все их гнусные картишки. И двух часов не прошло после наезда внучки героического матроса на крутого джиппера, как вся шайка уже здесь: и дутый Кряквин, и предприимчивая мамаша. А самое главное — я здесь!

— Вы, наверное, в отдел по розыску пропавших без вести пришли? По поводу девочки, как я понимаю? Не волнуйтесь, не волнуйтесь, ваш друг сейчас как раз разговаривает с оперативником.

— А вы тоже...

— Нет, я журналист. Просто оказался случайным свидетелем и, кстати, готов вам помочь. Вы ведь хотите вернуть дочку, так? Это, скажу вам, непросто, но вполне возможно. У вас бумаги на девочку есть?

Не скрою, рисковал я отчаянно. Мамаша могла просто-напросто послать меня куда подальше, а ее друг, не будь дурак, — закрыть ей рот, припрятав в укромном месте. И тогда никакой информации я больше бы не получил, а разыскное дело закрылось бы для нас накрепко, несмотря на знакомства и связи. Всю дешевую фантастику при этом все равно смоет, но и доказать факта продажи не удастся, все представят в виде невинной шутки. Ребенка мамаше, конечно, вернут, тут Нонка может не обольщаться, но и «Явке» нашей из этой истории больше ни черта не выжать.

И все же скрипки пели не зря — мадам клюнула. Без своего опекуна она, видимо, чувствовала себя неустойчиво. «Гипнотизирует он тебя, что ли, или на дрянь какую подсадил? Прямо зомби!» — так размышлял я, переводя взгляд с мутных глаз несостоявшейся мамаши на смятую бумажку из роддома, выданную для детской поликлиники по месту жительства Счастливой И. О. и ее дочери Счастливой же России. Оказалось, никаких других бумаг на ребенка у этой Ирэн, как она себя назвала, нет, да и имеющаяся оказалось в сохранности лишь потому, что затерялась среди вещей. Справку для регистрации ребенка в ЗАГСе, ту, по которой выписывают свидетельство о рождении и что удостоверяет ее материнство, она уничтожила. Потому что «Георгий Владимирович так сказал»!

А мозаика в моей голове постепенно складывалась во вполне ясную картинку. Стеблюк приходил к Жадновской с Георгием Владимировичем, его же назвала супостатом и бывшая Фердыщенко — значит, он и сидит сейчас у Баксова! Этот обаятельный спикерский двойник все и провернул: ребенка купил, Жадновскую подмазал, чтобы Стеблюк стал официальным опекуном, а историю с Кряквиным из артистизма придумал! Бывают такие творческие натуры...

А тем временем эта натура уже выплывала из дверей РУВД.

* * *

Но поближе познакомиться с великим комбинатором мне так сразу не удалось. Он высокомерно и неприязненно окинул меня нездешним своим взором и, взяв Ирэн под локоток, повел ее обратно к двери — наверное, сдаваться.

Да я и не особенно-то к тому стремился. Все было ясно, и нужно было лишь добыть подтверждение в роддоме. Если Ирэн родила ту самую девочку, то дальнейшая цепь событий прояснялась окончательно: младенца передают Стеблюку, тот привозит мнимого подкидыша в опеку, там заинтересованная Жадновская оформляет ребенка и заодно заявление от хорошего парня, который, как увидел малышку, так понял — ребенку нужен именно он. Все просто. А всякие там Кряквины и прочие официальные лица — не больше чем комедия ошибок, которую из веселости характера затеял господин стряпчий, Георгий Владимирович. И если бы не та дурь, а также нежелавшая рожать журналистка, то комбинация с блеском бы реализовалась.

Получив в тот же день все необходимые сведения, усталый, но довольный, я вернулся к семье. Дениска гостил у Нонкиных родителей, она сама что-то настукивала на своем допотопном «386-м», поэтому обстановка была почти рабочей. Но все же я не очень хорошо представлял себе, как она отреагирует на крушение надежд. А вдруг она заплачет? Плачущей Железняк еще никто никогда не видел, и неизвестно, как ее успокаивать. Мне мерещились видения крокодиловых слез вперемежку с зубастой яростью. Представить себя ветеринаром, входящим в клетку больного зубами зверя, я не мог. И Мендельсон, конечно же, помалкивал.

— Дорогая, ты не хотела бы сходить сегодня в филармонию?

— Любите ли вы Брамса? Слушай, Модестов, когда ты мне это предлагаешь, это ничего хорошего не сулит. Что стряслось?

— Да что, любимая, ровным счетом ничего. Просто хороший концерт, а тебе надо как-то отвлечься. Слишком много работаешь.

— Ну, ладно-ладно. Гадость, я думаю, ты мне все равно скажешь, а с культурным досугом у нас действительно проблемы. Я готова!

Заслуженный коллектив республики давал в тот день девятую Бетховена с японским дирижером и совместным японо-российским хором. Как это ни удивительно, мою суженую так прохватила «Ода к радости» в финале, что ее было просто не узнать. Ей-богу, вместо гражданки Железняк аплодировала с сияющими — не с горящими от энтузиазма — глазами вполне Модестова жена. Она и напевала ту знаменитую тему, и поводила пальчиками, и возносила к люстрам на особо улетных местах мечтательный взор — словом, я был очарован. И начисто забыл о подкидыше.

Более того, мы оба не вспоминали о чужом дитяти после концерта, когда разгуливали вполне уже белой ночью по прозрачному Петербургу. Я совершенно предосудительно предавался песнопениям и подражаниям оркестрам и инструментальным ансамблям, чему бездумно способствовала, как могла, и Нонна. И вконец разгулявшись, с бутылкой шампанского в руке, я пропел своей возлюбленной на скамейке в Таврическом саду целый букет оперных комплиментов. Не скрою, меня посетило небывалое вдохновенье, я искрился нежнейшими акцентами, переливался тонкостями интонаций, играл голосом на грани фальши и гениальности. И не родилась еще в мире женщина, что устояла бы перед столь соблазнительным обожествлением и божественным соблазном!

Не устояла и гражданка Железняк. Боже мой, на скамейке в глухом углу сада под чириканье и свист гнездящихся в свежей зелени кустов птиц — это было безумие! И без всяких там «маленьких штучек» — от любви не предохраняются.

* * *

А наследника я скоро получу. Месяцев через пять, я думаю. Так же считает и врач моей благоверной, которая в свободное от пребывания сотрудницей агентства Нонной Железняк время вяжет умопомрачительные чепчики и носочки. Как и подобает госпоже Модестовой, ожидающей крепенького младенца.

Но знали бы вы, что этой идиллии предшествовало! Малышка Россия, которую я посчитал жертвой мерзкой детоторговли, оказалась заложницей еще более дикой аферы. С экстрасенсами, астрологами и прочей бредятиной. И если бы не женская солидарность и окрепшее материнское чутье моей благоверной, неизвестно еще, чем бы все это закончилось.

А ведь после того, как оперативники познакомились с Ирэн и ее поверенным Георгием Владимировичем, дело казалось без пяти минут закрытым. Мамаша нашлась, ребенка забрать готова, а больше ни к кому претензий и быть не может. Никто младенца не похищал, Ирэн добровольно и бескорыстно передала его адвокату, который здоровью девочки не угрожал, прокатил только на машине друга — какие претензии? А что опекунство на Стеблюка оформить хотели, так это просто идея такая оригинальная, за идеи у нас не сажают. Тем более они с Ирэн даже заявление в ЗАГС подали, вот.

Но не тут-то было! Как твердо усвоили мы со Сказкиным за остатками ирландского, была в этом деле какая-то дурь. И даже не в мамаше она сидела, а в болтовне этого адвоката. «Ты представляешь, он мне все про идеи какие-то парил, мол, это у них не просто так, мол, скрываются тут чуть ли не государственные интересы! — кипятился Славка. — Всего, говорит, вам сказать не могу, но дело у нас в полнейшей шляпе». Бедняга не мог взять в толк, какие такие высшие интересы у этого надутого индюка могли быть, кроме как заработать да девчонку охмурить.

Но оказалось, еще как были. Ярость обманутой Железняк, потухшая, впрочем, при первых признаках «интересного положения», оказалась необычайно результативной. Нонка решила удостовериться в существовании «биологической», как она с презрением выражалась, матери — и преуспела. Уже через пару дней были найдены родственники заблудшей девицы, а вместе с ними и новые удивительные подробности. Оказалось, что Ирэн вовсе и не Ирэн, а Лариса, да и фамилия вместе с отчеством у нее «в миру» совсем другие! То же самое творилось и с ФИО двух других участников истории с мнимым подкидышем — они менялись и стремились к счастливому единству. «Модестов, ты что-нибудь в этой хиромантии понимаешь?» — вопрошала вечером Нонна, окруженная детьми и зверьми, а я лихорадочно соображал.

«Конечно, Ирэн совершенно искренне считает, что участвует в великом эксперименте. Она вовсе не „суррогатная" мать, как мы думали, а мать идейная! И ребенка отдала для этой аферы с опекой только потому, что верила в пользу и правоту дела», — так с трудом продвигался я в поисках смысла. Пока не грянул в башке Мендельсон!

И тогда я все понял. «Самуилыч, — сказал я себе. — Паганель хренов! Считать, что ли, разучился?» Именно — тут надо было считать. Случилось это чудесное событие абсолютно случайно. Блуждая зачем-то по «Дому книги» в полной прострации, я уперся своим тупеньким взором... в Георгия Владимировича. Он стоял у полки с эзотерической литературой и листал какую-то книгу совместно с мужичком совершенно сумасшедшего вида: с зеленоватыми волосами водяного, того же происхождения кожей и горящим при этом взгляде. Единомышленники так упоенно ворковали, что совершенно не заметили моего интереса. А интерес был полностью удовлетворен: я увидел название книги и глаза стряпчего. Это были глаза фанатика.

Тому взгляду и поверила Лариса-Ирэн, он внушил ей убеждение, что нужно помочь великому Георгию Владимировичу. Нужно родить и отдать ребенка под опеку еще одного посвященного — чтобы обкатать механизм появления на свет «истинно свободных» людей. Девочка Россия должна была стать первой из них — не знающих своих родителей, свободных от обременительного родства, от всех обязательств и нудного воспитания свободных. Так говорил Учитель.

Он и в «Доме книги» толковал со своим собратом о счастье и свободе. С книжкой под названием «Нумерология»! Эта самая книжка, как я потом убедился, утверждала, что счастье людям должны принести правильно подобранные имена и даты рождения. И Георгий Владимирович в это верил. Следуя старику Пифагору, он все высчитывал и приводил в соответствие с магией чисел. Наука эта знает смысл любой цифры, а свой номер имеет и каждая буква ФИО. Будучи человеком необычайных способностей, он убедил поменять несчастливые имена-фамилии-отчества Ирэн и Стеблюка, и все трое они стали Счастливыми. К символу счастья, цифре «9», подогнали посвященные и суммы цифр в датах своих рождений. По паспорту, как положено, благо законом эти процедуры вполне урегулированы. Поменять ФИО должны были и другие избранные, из которых главный Счастливый предполагал создать элитный клан. Кстати, Кряквин Владимир Владимирович, всякие там «шишки» из ФСБ тоже рисковали получить соответствующее приглашение — а в воспаленном сознании Учителя уже давно получили. Их он видел крестными отцами России!

Слежка за «Великим и Ужасным» лишь подтвердила мои подозрения: нумерологи посетили пару магазинов с эзотерической литературой и надолго скрылись за дверью астрологического салона «Кассандра». С этими ребятами все было ясно! И когда дома я просчитал с благоприобретенной книжкой все перемены имен и дат, а потом показал расклад Нонке, она, наспех облобызав мое темя, стала искать на бедре маузер: «Убью психа на месте!» Маузера там, слава Богу, не нашлось, но соображениями насчет психа мать моего будущего ребенка таки постреляла. Первые залпы ее публицистического и материнского оружия были обрушены на опекунских чиновников — они твердо усвоили, что ребенка в руки сектантов отдавать нельзя и только суд защитит младенца. Другие удары пришлись на Ирэн. Вместе со Сказкиным они упорно сбивали с несчастной «нумерологическую» программу. А это был тот еще магический приворот!

* * *

Словом, история приключилась занимательная. Георгий Владимирович наш оказался человеком нездоровым, чрезмерно увлекшимся открывшимися стране эзотерическими знаниями. А из всей этой чертовщинки появилась вполне реальная пухленькая Россия, не ведающая своих злоключений.

И чем же, спросите, сердце успокоилось? В итоге «биологическая» мама сумела с помощью Сказкина и Баксова доказать в суде свое право на дочку — в обмен на обещание никогда больше не видеться с обоими господами Счастливыми. Иначе, по словам Сказкина, из этого нумерологического дурдома невозможно было выбраться. И как уж там удалось суровому оперу вывести юную мать из прострации, мне неизвестно. Возможно, кроме моей супружницы, ему помогла и жена Спозаранника, без вмешательства которой в этой фантасмагории было не разобраться. Недаром же на Западе психотерапевты давно стали членами любой мало-мальски здоровой семьи. У нас это пока одна семья — Спозаранников, но дело благодаря истории с мнимым подкидышем тронулось.

На днях Лариса вернула свою прежнюю, девичью фамилию. Нет смысла называть ее, потому что скоро фамилию придется снова менять — на Сказкину. Славку на свадьбе я надеюсь увидеть в галстуке. Пора уж остепеняться, семейный все-таки человек, жену и дочку имеет. А своего биологического отца Россия, будем надеяться, так никогда и не узнает.

ДЕЛО
ОБ УРАНОВОМ КОНТЕЙНЕРЕ-2

Рассказывает Андрей Обнорский

...Я ошибся. История не окончилась, она получила продолжение. Неожиданное, трагическое и — как ни вульгарно это звучит — несколько сатанинское.

Уже прошел август... страшный Август-2000. И осень шевельнула журавлиными крыльями. Из отпусков вернулись господа депутаты Думы. Видного предпринимателя Быкова А. по решению суда выпустили из тюрьмы... Чего, действительно, держать в застенках нормального человека? За него поручились уважаемые люди... М-да...

Борис Абрамыч решил передать принадлежащие ему сорок девять процентов акций ОРТ группе «творческой интеллигенции». Вот пример подлинного высокого благородства! Патриотизма. Альтруизма. Подвижничества.

Олимпийская сборная России получила благословение Президента и убыла в Австралию. А сам Президент — в Японии. Стрелка у него забита с ихним паханом, хотят тему перетереть насчет Курил.

...Со дня задержания в Выборге прапорщика Смирнова прошло более двух месяцев. У меня уже отросли волосы и усы. Сотрудники ФСБ слово сдержали и дали мне информацию о хищении урана с объекта ядерного комплекса России в Вологодской области. Впрочем, информация оставалась нереализованной — меня попросили не писать об этом деле до окончания следствия... Пришлось ограничиться короткой заметочкой в июльском номере «Явки с повинной».

Итак, урановый прапорщик сидел в «Крестах». В Вологде был арестован его подельник. Теперь ими занималось следствие. А я... я занимался другими делами, благо их хватало.

Однажды утром в мой кабинет ворвался Володя Соболин. И с порога заявил: бомба!.. Ну, это нормально. У Соболина всегда — бомба. Иногда супербомба. Иногда — мегабомба.

— Что на этот раз? — спросил я. — Депутат ЗакСа обстрелян из водяного пистолета? Бомж насмерть загрыз бультерьера? Семидесятипятилетняя пенсионерка пыталась совершить ограбление банка?

— Захват заложников вооруженной группой.

* * *

Вот так для меня началось продолжение урановой темы. Впрочем, в тот момент я, разумеется, об этом не догадывался.

— Захват заложников вооруженной группой, — сказал Володя.

— Где? — спросил я. Вполне возможно, что заложников захватили в Чечне, Таджикистане, Сиднее или Лондоне... Но взволнованный голос Соболина подталкивал к другой мысли: здесь, у нас.

— В частной клинике на Египетском проспекте.

— Подробности: кто? Чего хотят? Есть ли жертвы?

— Пока ничего нет, шеф. Сам только что узнал... еду туда.

— Откуда информация, Володя?

— Мой источник из РУБОПа подкинул.

— Понятно, Володя... действуй. Держи нас в курсе.

Окрыленный Соболин улетел, а я остался. Если информация подтвердится... если подтвердится — действительно, бомба! Еще совсем недавно непривычные для нас слова «захват заложников» стали реальностью. Почти ежедневной... Но все-таки довольно далекой от Санкт-Петербурга. Захваты происходили в «горячих точках», в ближнем или не очень ближнем зарубежье. А у нас — тишь, гладь и почти что благодать.

Нет, конечно, и у нас было кое-что. От громкой истории с Мадуевым до полуанекдотических случаев с шизофрениками. Но все это уже вчерашний день, об этом позабыли и пресса, и обыватель... А тут — захват медицинского учреждения вооруженной группой. Чем-то знакомым повеяло, вспомнился 95-й год. Буденновск. Рейд Басаева.

Бред, подумал я. Здесь не Буденновск, а Санкт-Петербург. И год не 95-й, а 2000.

И тут же сам себе возразил: ну и что? Что изменилось? Точно так же идет война в Чечне. Точно так же мы раз за разом оказываемся не готовы к ударам в спину: Буйнакск, Москва, Волгодонск в прошлом году... переход под Пушкинской площадью в этом. И — голос Черномырдина: хотели как лучше, а получилось... А что получилось?

Неужели чеченская война вошла в Питер?.. Я задавал себе этот вопрос, не зная, что уже через несколько минут получу на него ответ. Отрицательный, но легче от этого мне не станет.

Неужели, думал я, чеченцы? Неужели ко всем тем бедам, которые выпали России, добавится еще одна?.. Постыдная и унизительная для города, который выстоял даже в блокаду... Верить в это не хотелось.

Мои сомнения прервал телефонный звонок.

— Полковник Костин, — доложила Оксана. — Соединять?

— Соединяй, — ответил я. В трубке пиликнуло, и я услышал голос начальника службы БТ.

— Здравствуйте, Андрей Викторович, Костин беспокоит.

— Здравствуй, Игорь Иванович. Рад вас слышать.

— Боюсь, что радуетесь вы преждевременно... Вы сильно заняты?

— Ну, вообще-то, занят... Что-то случилось, Игорь Иваныч?

— Случилось, Андрей, случилось... Крайне неприятная хреновина случилась.

— Вы про события на Египетском?

Костин немного помолчал, потом сказал:

— Вы очень информированный человек, Андрей Викторович.

— Но не настолько, как вы, Игорь Иваныч.

— Иногда у меня возникают сомнения по этому поводу... Но давайте не будем терять время, Андрей. Итак, вы уже в курсе того, что произошло. Подробности знаете?

— Нет, — честно ответил я, — пока не знаю.

— Хорошо. Если сейчас к вам подскочит Виктор Михалыч Спиридонов — найдете время поговорить с ним?

— Да, обязательно найду.

— Отлично, — сказал Костин мне и, оторвавшись от трубки, — в сторону — Езжай, Михалыч, тебя ждут.

И снова мне:

— Через десять минут Виктор Михалыч будет у вас.

— Понял. Жду. Скажите мне только одно, Игорь Иваныч...

— Да?

— Это... вайнахи?

— Нет, Андрей, это снова «лейтенант Смирнов».

Я, признаться, оторопел.

* * *

Спустя десять минут подполковник Спиридонов вошел в мой кабинет. Как всегда подтянут, собран, энергичен. После приветствий, после дежурного: «Кофейку?» — «Спасибо, с удовольствием», — Виктор Михайлович перешел к делу. Он потер лоб правой рукой и сказал:

— Андрей, ситуация весьма нехороша, и, возможно, нам придется снова просить вас о помощи.

— Если я чем-то могу...

— Вероятно, сможете.

Спиридонов на несколько секунд умолк, посмотрел мне в глаза, и я увидел, что передо мной сидит очень усталый человек. Замотанный, задерганный, обеспокоенный. «Подтянут, собран, энергичен», — имидж, положенный сотруднику ФСБ так же, как галстук и строгий костюм... А за всем этим кроется огромная работа, хроническая нехватка времени, стресс. Раз в год — 20 декабря — пресса и ТВ говорит о чекистах несколько (весьма немного) теплых слов. Остальные 364 дня в году мы слышим только обвинения в адрес «этих наследничков Дзержинского»...

— Вероятно, сможете... Дело в том, Андрей, что около полутора часов назад частную клинику, специализирующуюся на лечении нервных болезней, захватили подельники нашего друга Смирнова-Козырева.

— Требования? — спросил я, но ответить Спиридонов не успел — в кабинет вошла Оксана, принесла кофе...

— Требования? — сказал Спиридонов, когда Ксюша вышла. — Да вы, наверно, уже и сами догадались.

— Освобождение Смирнова, деньги и самолет, — предположил я.

— Да, — кивнул Виктор Михайлович, помешивая кофе. Сахар он положить забыл. — Все именно так. Только не самолет, а вертолет.

— Хорошо... но чем могу помочь я?

— Возможно, ваша помощь не понадобится, но мы прорабатываем все варианты. Одно из требований бандитов, о котором я не упомянул — заявление для прессы... Они хотят пообщаться с одним нашим журналистом и одним западным. Понимаете мою мысль?

— Кажется, понимаю, — ответил я. — Я готов.

* * *

Захват клиники произошел около половины двенадцатого. В стальную дверь, снабженную телекамерой, позвонил респектабельного вида мужчина. Медсестра в приемной справилась через систему связи о цели визита. «Для консультации», — ответил визитер...«Вы записаны?» — спросила сестра. «Нет, — ответил он, — не знал, что нужно записываться...»— «Зайдите, я вас запишу», — ответила сестра и нажала кнопку дистанционного замка.

Стальная дверь, которую можно «открыть» только зарядом тротила, распахнулась. Меня всегда эта отечественная черта умиляла: сначала человек ставит стальные двери, заморские запоры, глазки и прочее, а потом запросто открывает на магические слова «сантехник», «участковый Сидоров», «сбор подписей в поддержку кандидата Засранцева»... Спрашивается: зачем ты стальную дверь-то ставил?

Вопрос, разумеется, риторический.

Сестра впустила визитера. Он вошел, вежливо поблагодарил... а потом направил на медсестру револьвер («Пистолет, — рассказывала медсестра, — большой и черный... мне стало очень страшно».), а потом он сказал: «Там, на лестнице, ждут еще двое... пациентов. Отворите им, пожалуйста». Но медсестру парализовало от страха. Она сидела белая, как ее накрахмаленный халат, и не могла пошевелиться. И тогда он заорал: «Открывай! Открывай, сука! Кому я сказал? ОТКРЫ-ВАЙ, СУКА! ПОРВУ!..» Ствол пистолета (большого и черного) мотался перед лицом, а тот («Псих, псих! Сволочь!») орал: «Открывай, сука! ПОРВУ!»

«На крик в коридор выскочил доктор Гольдман... и тот увидел его и выстрелил в потолок... посыпалась штукатурка... Тогда я опомнилась и нажала на эту проклятую кнопку. Дверь открылась, влетели еще двое. У них тоже были пистолеты. А уже появлялись из кабинетов врачи и больные... Кто-то кричал. Было очень страшно. И эти тоже кричали... Бегали... выгоняли всех из кабинетов... Один больной лежал под капельницей. И его тоже выгнали в коридор и положили на пол. Они всех положили на пол. Понимаете? Они психи и всех убьют!»

— Похоже на басаевский вариант, — сказал я.

— Да, — согласился Спиридонов, — похоже. Вот только силенок у них маловато, и они выбрали объект, который им по зубам. На момент захвата в клинике находились двое врачей, две медсестры и трое больных.

— Почему сестра назвала их психами? — спросил я.

— Интересный вопрос... мы тоже его задали. Конкретно она ответить не может. Но у нее сложилось такое впечатление. Оценка, разумеется, субъективная, да еще сделанная в стрессовом состоянии, но она настаивает. Клиника, между прочим, специализируется на нервишках...

— Понятно, — сказал я, хотя на самом деле все было непонятно. — А что было дальше?

— Дальше они обрезали все телефоны, кроме одного. Обыскали весь персонал и больных на предмет мобильных и после этого сделали звонок по «02». На пульте ГУВД звонок зафиксирован в 11.36. В 11.48 взвод ОМОН заблокировал здание. Около подъезда обнаружили заплаканную медсестру с гранатой.

— С гранатой? — переспросил я.

— Именно так, Андрей. Ей вручили листок бумаги с машинописным текстом требований. Дали гранату, велели передать, что такого добра у них много, и выставили за дверь. Сказали: дождешься ментов.

— Хорошее начало.

— Куда как хорошо, — ответил Спиридонов. Нетронутая чашка кофе так и стояла на столе. Подполковник серьезно посмотрел на меня, сказал: — Понимаешь, Андрей, ситуация сложилась гнусная. Сейчас в помещении клиники находятся шестеро заложников и трое вооруженных бандитов. Возможно — психи. Во всяком случае, их поведение неадекватно.

— Со слов медсестры?

— Не только... С ними уже выходили на телефонный контакт и наши переговорщики, и представители губернатора. Все отмечают некую неадекватность.

— А конкретней? В сложившейся ситуации бандиты, естественно, взведены, можно сказать: на грани истерики.

— Да, Андрей, именно так... однако переговорщики — люди опытные, все нюансы поведения они учитывают. И тем не менее отмечают некий внутренний напряг террористов. Вообще, доложу я тебе, эти ребята производят довольно странное впечатление... С одной стороны, их действия выглядят весьма обдуманными и, я бы даже сказал, профессиональными. Они предусмотрели вероятность наличия у заложников сотовых телефонов. Они очень хорошо выбрали объект — наши спецы говорят, что штурмовать помещение клиники очень трудно... и, наконец, они предусмотрели психологическое воздействие на власти: аналогия с буденновским инцидентом и давление путем демонстрации своего арсенала. Нате, мол, вам гранатку... нам не жалко, у нас много.

Костин замолчал, сделал глоток холодного несладкого кофе.

— А с другой стороны, — продолжил он, — поражает непрофессионализм. Их требования: мешок баксов, вертолет для полета в Финляндию и освобождение Смирнова-Козырева — абсолютно невыполнимы за два часа. Да и место расположения объекта — почти в центре города, в каменном мешке — ставит их в оч-чень сложное положение. Вертолет там посадить негде. До него потребуется ехать. Да и... вообще.

— А какую сумму они запросили? — поинтересовался я.

— Миллион долларов, — ответил, усмехнувшись, Спиридонов.

— Понятно. Ребяткам очень хочется получить бабки за краденый уран.

— Точно. Ну что же, Андрей... едем?

— Едем.

* * *

Улица была перекрыта омоновскими автобусами с частыми решетками на окнах и с мигалками. Кроме того, стояли автомобили милиции, ФСБ, «волги» и «вольво» неведомых мне начальников. Крутилась съемочная группа НТВ, уныло курил в сторонке Володя Соболин. Спиридонов подогнал «комитетскую» «девятку» вплотную к автобусу.

— Проходим внутрь быстро, — сказал он. — Не стоит тут светиться. Я не могу исключить, что среди зевак нет сообщников бандитов.

Я был согласен с подполковником... По крайней мере я — если бы мне довелось проводить такого рода операцию — непременно поставил на улице своего наблюдателя. Хотя навряд ли группа Смирнова обладает большим людским потенциалом. Трое — сам Смирнов, борец Вадик и еще один прапорщик из обслуги объекта в Вологодской области — уже сидят. Еще трое сейчас находятся внутри клиники... Ну, не рота же их? Тем не менее Спиридонов прав — светиться нам ни к чему. Мы быстро прошли в автобус. Внутри сидели Костин и еще шестеро незнакомых мне мужчин. На столике работала радиостанция, лежали какие-то чертежи... Я глянул на них мельком, понял: план помещений клиники.

Костин хмуро кивнул. Впервые я видел его таким озабоченным.

— Здравствуйте, Андрей Викторович, — сказал он, — присаживайтесь. Виктор Михалыч разъяснил вам суть проблемы?

— В общих чертах — да.

— В общих чертах, — повторил Костин, потом все-таки улыбнулся. — Ну, ваше время еще не пришло... Но скоро, видимо, придет. А сейчас познакомьтесь с вашими партнерами.

Костин показал глазами на трех мужчин, что сидели в задней части автобуса. У одного на коленях стояла сумка с профессиональной видеокамерой.

— Игорь, — сказал Костин, — вот вам ваш заморский коллега-журналист. Введите его в курс дела.

Один их мужчин дружески мне улыбнулся, я прошел в хвост автобуса и назвался: Андрей. Все трое моих «коллег-журналистов» тоже представились по имени. Мы пожали друг другу руки. Тот парень, которого звали Игорь, сразу начал «вводить меня в курс дела».

— Значит, так, Андрей... ситуевина сейчас вот какая. В помещении шестеро заложников и трое вооруженных террористов. Возможно — наркоманы. Возможно — шизы... нервничают. Сильно нервничают. Брать их штурмом — нереально: дверь такая, что взорвать ее можно только вместе с домом. А на окнах они, похоже, ставят растяжки. Объяснять, что это такое, вам, наверно, не нужно?.

— Не нужно,— кивнул я. Игорь широко улыбнулся:

— Отлично... мне, собственно, уже сказали, что вы офицер... в прошлом. Имеете реальный боевой опыт в спецназе.

— Имею, — кивнул я. Он снова улыбнулся:

— Полковник очень хорошо о вас отказывался. Сказал: Андрей — именно тот человек, который нам нужен... Офицер, спортсмен, а самое главное — журналист со знанием английского. А нам позарез нужен хладнокровный опытный человек, который сумеет изобразить западную акулу пера. Сумеешь?

— Сумею, — ответил я.

К нашему автобусу подъехали две «вольво» с крутыми номерами. Из одной вышли двое, из другой — один мужчина начальственного вида. Поднялись в автобус... Лица у приехавших тоже были начальственные, строгие. С Костиным они поздоровались за руку. Остальных проигнорировали, отделавшись общим кивком.

— Если нам придется идти в клинику, — негромко продолжал Игорь, — то действовать будем так... Ты — английский журналист, на куртку тебе — а курточка у тебя подходящая, натовская — повесим «ценник»: «Джон Смит из „Санди Таймс"». Другой ксивы, извини, нет... Будут требовать удостоверение — крутись, ври, мы поможем, отвлечем на себя. Мы-то — питерские журналисты, Игорь улыбнулся, остальные тоже, у нас с документами все в порядке. А ты крутись, заговаривай им зубы. Но если услышишь от любого из нас слова: «МИГ УДАЧИ», — падай на пол. Понятно?

— Собираетесь штурмовать? — спросил я.

— Вообще-то наша задача — разведка... А заодно мы должны попытаться успокоить этих ребят, дать им понять, что их условия уже выполняются. Но если обстановка будет складываться благоприятно для силового решения... то — «миг удачи». И тогда ты должен упасть на пол. Больше ничего. Остальное мы сделаем сами. Понял?

— Понял, — ответил я.

Игорь и двое других моих «коллег» смотрели на меня внимательно, изучающе. Я отлично их понимал: скоро им предстоит войти в помещение, где засели трое отмороженных бандитов с пистолетами и гранатами. Войти без шлемов и бронежилетов. В себе, друг в друге, они были уверены... Костин ничего не сказал о том, кто эти парни, но я и так уже понял, что они офицеры «Града». И это их работа, они готовы ее выполнить... Но в «довесок» им дали совершенно незнакомого пижона, который когда-то где-то служил. И как себя этот хмырь — я то есть — поведет в критический момент, когда нервы напряжены, когда пальцы лежат на спусковых крючках... этого они знать не могут.

— Понял, — сказал я как можно спокойней. — Если услышу «миг удачи» — упаду на пол, мешать вам не стану... Все будет нормально, мужики.

— Ну, вот и хорошо. Думаю, мы сработаемся, Андрей.

* * *

Переговоры с преступниками шли очень плотно, почти непрерывно. Через акустическую систему мы, находящиеся в автобусе, могли их слышать.

Чей-то голос, действительно нервный или «неадекватный», как сказал Спиридонов, врывался в салон с руганью и угрозами.

— Эй, ментяра, — говорил голос, — ты думаешь, что ты самый хитрый?

— Нет, Паук, — отвечал офицер-переговорщик, седой мужчина лет сорока, — я думаю только о том, как быстрее выполнить твои требования.

— Медленно думаешь, мент... Чтобы ты думал быстрее, я сейчас, пожалуй, займусь бабенкой... И ты поймешь, что я не шучу.

— Да, — отвечал переговорщик, — я знаю, что вы не шутите, но очень прошу вас этого не делать.

Все ваши условия приняты... просто мы не в состоянии решить их в такое короткое время. Миллион долларов может выделить только Центробанк. Только по решению Премьера. Но Премьер сейчас за границей...

— Это не гребет! Захотите — найдете бабки... А сейчас хочешь послушать, как орет бабенка?

— Паук, — обратился к невидимому бандиту переговорщик, но в динамике послышались какая-то возня и потом истошный женский крик.

— Нет! — кричала женщина. — Не-ее-ет! Не надо. Не на-а-а...

Потом крик перешел в вой... Все в автобусе затихли. А женский голос звучал из динамика, бил по ушам, врывался в сознание страшно, нечеловечески.

Обтянулись и побелели скулы у полковника Костина. Ошеломленно раскрыл рот один из строгих начальников... А вой все звучал. У меня непроизвольно сжались кулаки. Мы не знали, что происходит в клинике, всего-то в пятидесяти метрах от нас. Но происходило там что-то мерзкое, кошмарное... А мы ничего не могли сделать.

— Ну, сделайте что-нибудь, — выкрикнул один из начальников.

Костин и офицер-переговорщик посмотрели на него. Он замолчал. А крик в динамике оборвался... перешел во всхлипывание, потом затих.

— Ну, слышал? — спросил динамик. И засмеялся.

Я вспомнил строчки из заключения психиатрической экспертизы по Смирнову-Козыреву: «Повышенный уровень агрессивности, не развито стремление считаться с другими людьми, учитывать их права и намерения в своем поведении, выражена готовность к открытому агрессивному поведению, что сочетается с эмоциональной черствостью, дефицитом искренних эмоциональных отношений с другими людьми...

Для него характерна ригидность эмоционального аффекта: он долго и тяжело переживает даже незначительные обиды, в своих фантазиях проигрывает сцены убийства обидчика... Среди любимых фильмов:

«От заката до рассвета», «Криминальное чтиво», «Пуля», «Прирожденные убийцы».

Строчки из заключения промелькнули в голове мгновенно... «Прирожденные убийцы».

— Слышал, — ответил переговорщик. — Паук, я знаю, что вы решительные и волевые люди. Но насилие над заложниками может сильно осложнить решение вопроса... Мы хотим найти мирное решение, однако, если жизнь или здоровье заложников будет под угрозой, Москва может отдать приказ на штурм. Ты понимаешь меня, Паук?

— Ты, пидор, решил мне угрожать? Ты, мразь, угрожаешь МНЕ?

— Нет, Паук, ни в коем случае... Я только боюсь острой реакции Кремля. И прошу вас воздержаться от насилия. В самое ближайшее время мы сможем дать конкретные ответы по всем пунктам... Как состояние женщины?

— Ничего с ней не сделалось, — неохотно ответил Паук после паузы, — пощекотали немножко... Вот что, мент, время идет. Даю вам полчаса. Все! Потом начинаю передачу заложников по кускам.

Паук отключился. В динамике зазвучали гудки отбоя. Переговорщик устало положил на столик микрофон. Некоторое время все молчали.

— Почему — Паук? — спросил я негромко у Игоря.

— Потому что они так подписались: Паук, Оборотень, Негодяй — Усыновленные Дьяволом.

Вот оно что, подумал я, и вспомнил символ Бафомета на шее Смирнова-Козырева. Похоже, урановый прапорщик создал не просто группу, а какую-то секту. Бред! Но бред, превратившийся в реальность.

— Давайте обсудим ситуацию, господа, — сказал один из начальников. — Что реально мы можем предпринять? Прошу высказаться сотрудников ФСБ.

Незнакомый мне мужчина в кожаной куртке ответил:

— Если понадобится, мои ребята возьмут клинику штурмом. Но жертвы как среди заложников, так и среди бандитов неизбежны.

— Вот вам и хваленый «Град», — желчно сказал один чиновник другому. — Супермэны! Ниньзи, понимаешь...

Мужчина в кожаной куртке посмотрел на него внимательно, но ничего не сказал. За него ответил Костин:

— «Град» готов выполнить задачу. Но условия таковы, что без жертв не обойтись. Более разумно выполнить хотя бы часть их требований и выманить таким образом из помещения. Тогда ситуация изменится и, возможно, нам удастся задействовать снайперов.

— А что мешает вам сейчас задействовать снайперов? — спросил «желчный».

— Зашторенные окна, Валерий Вячеславович, — ответил Костин. — Иногда там мелькают люди, но мы не знаем, кто это — бандиты или заложники.

— В Англии, — сказал Валерий Вячеславович с заметным раздражением, — железно придерживаются принципа: никаких переговоров с бандитами, никаких уступок... И, пожалуйста, — там и захватов нет.

Костин переглянулся с «градовцем».

— А мы, блядь, все чикаемся, — продолжал раздраженно Валерий Вячеславович, — в гуманизм играем. Вот и результат.

— А все же, Валерий Вячеславович, — спросил Костин, — как скоро можно будет решить проблему с деньгами и вылетом вертолета?

Вместо «желчного» ответил третий чиновник, который до сих пор не произнес ни слова.

— Видите ли Игорь Иваныч, — сказал он. — Проблемы решаемые. Но — фактор времени. Денежный вопрос будет решен в самое ближайшее время — им занимается лично губернатор. Думаю, что в течение часа деньги нам подвезут. С остальными — сложнее. Здесь задействованы такие организации, как МИД — без их участия невозможно согласовать вылет вертолета с бандитами в Финляндию. МИД готово вести переговоры, но почти наверняка финны откажутся... Но даже если удастся добиться согласия финской стороны, потребуется время, чтобы подготовить полет по линии МГА, то есть затребовать вертолет, экипаж, летные карты и согласовать маршрут полета с МО и ФПС... Все это требует времени. Согласны?

— Согласен, — кивнул головой Костин. — Но если мы выполним хотя бы денежное требование, мы уже сможем переломить ситуацию, убедить бандитов в том, что приняли их условия. Так, Николай Иванович?

— Бесспорно, — подтвердил Николай Иванович. Единственный из трех чиновников он держался спокойно. — Бесспорно... Деньги будут. Следующий момент заключается в том, что вопрос с освобождением из-под стражи вашего... э-э...

— Козырева, — подсказал Костин.

— Да, Козырева... благодарю... Так вот, освободить Козырева из-под стражи своим решением губернатор не имеет права. Потребуется решение Минюста и генпрокуратуры. Это опять же потребует времени.

— В этом нет необходимости, Николай Иванович, — сказал «градовец». — Козырева вчера отправили в Вологду на следственный эксперимент. Пока вопрос будет решаться в Минюсте и прокуратуре, пока его этапируют обратно в Питер... Развязка наступит быстрее. Преступники — психически неуравновешенные люди, в любой момент они пойдут на крайность. Виктор Петрович («градовец» кивнул на переговорщика) подтвердит.

Все посмотрели на переговорщика. Тот кивнул и сказал:

— Пожалуй, да... Я не готов поставить диагноз, но могу с уверенностью сказать, что эти люди, по крайней мере — Паук, живут в отрыве от реальности. Об этом свидетельствует даже стиль их обращения и подписи · — Усыновленные Дьяволом. У Паука определенно истерические черты личности, повышенный уровень тревожности, выраженная эмоциональная неустойчивость... Многие внешние события он переводит на мистический уровень и придает им личностный смысл. Боюсь, что долго удерживать его от агрессии я не смогу.

Валерий Вячеславович фыркнул и бросил что-то типа: возимся с обыкновенными шизами. Николай Иванович вытащил пачку сигарет, достал сигарету, повертел ее в руках и снова сунул в пачку.

— Что мы можем предпринять сейчас, Игорь Иваныч? — спросил он Костина. — До прибытия денег...

— Можем провести разведку, — ответил Костин. — Эти... усыновленные... ждут журналистов.

— А у нас есть... журналисты?

— У нас есть журналисты, — сказал Костин.

* * *

Переговорщик Виктор Петрович позвонил в клинику. Сказал Пауку, что решен вопрос с деньгами... их уже пересчитывают и отгружают в банке. И еще он сказал, что прибыл журналист из «Санди Таймс». Я понял, что настал мой час. Если вы спросите, что я тогда чувствовал? — то я отвечу: растерянность.

— Перезвоню через пять минут, — сказал Паук переговорщику, — сообщу условия, на которых приму писак задроченных.

— Ты готов, Андрей? — спросил меня Игорь.

— Готов, — ответил я. Это была ложь: я ощущал себя совершенно не готовым. Кажется, Игорь это понял. Он хлопнул меня по плечу и улыбаясь сказал:

— Все нормально. Главное помни: «МИГ УДАЧИ» — и ты падаешь. Все! Если «миг удачи» не приходит — просто берешь у него интервью. Мы — тележурналисты, работаем с камерой, а ты болтаешь. Лады?

— Лады, — ответил я.

Потом меня инструктировал переговорщик. Он объяснил, что ни в коем случае не следует задавать провоцирующих вопросов. Напротив, следует показать, что я считаю их выдающимися людьми, которые определенно произведут впечатление на западного обывателя. Намекнуть, что западный обыватель не любит насилия. Он уважает сильную личность, но не любит пролития крови невинных... В остальном — импровизация на ваше усмотрение, Андрей.

После этого все стали ждать звонка. Время шло, но бандиты, Усыновленные Дьяволом, не звонили.

* * *

Время шло медленно. Они не звонили. Зато позвонил Соболин, рассказал, что он пашет как пчелка и уже договорился с одним из офицеров «Града» об интервью... правда, анонимном. «Но — чистый эксклюзив, шеф! Тут, блин, оцепление. Никого, блин, не пускают. Я единственный, кто смог прорваться..»— «Ты молоток, Володя, — сказал я. — Это, наверняка будет супербомба?»— «О шеф, это будет мегабомба! Сто пудов!»

Разговаривая по мобильному, я видел, как Володя прогуливается по улице метрах в сорока от омоновского оцепления, прижимает к уху телефон... «Так ты проник внутрь оцепления, Володя?..» — «А как же, шеф! Я в эпицентре событий, рядом со снайпером, на крыше». — «Молодец, Володя, я тебя в приказе отмечу». — «О чем разговор, шеф? Не ради благодарностей или там... премий... работаем». — «Нет, Володя, и не спорь... будет приказ». — «Ну спасибо, Андрей». — «Да не за что. Вот выйдет приказ, тогда и скажешь спасибо».

Я убрал телефон в карман. Соболин тоже... Будет тебе приказ, Вова! Но сначала я познакомлюсь с текстом «эксклюзивного интервью». Вот бомба-то где! И супер и мега... Сто пудов!

Сказать по правде, я даже был благодарен Соболину. Его звонок как-то снял напряжение. Я посмотрел на Володю сквозь густую решетку на окне омоновского автобуса... Будет приказ, будет. Жди.

И зазвонил телефон. Переговорщик снял трубку, в динамике раздался голос Паука:

— Я хочу говорить с англичанином.

Переговорщик вопросительно посмотрел на меня. Я пожал плечами и подошел, по пути отодвинув плечом Валерия Вячеславовича. От такой наглости чиновник слегка оторопел... Извини, кореш, узковат проходец...

— Здравствуйте, — сказал я в трубку на довольно приличном русском языке.

— Привет, — сказал Паук на очень скверном английском. — Ты кто?

— Мое имя Джон Смит, я собственный корреспондент «Санди Таймс».

— А в КГБ у тебя какое звание, урод? — спросил Паук. Слово «урод» он произнес по-русски.

— Что есть урод? — по-русски же спросил я.

— Урод — это ты.

— Ол райт, урод — это есть я. А кто вы? Представьтесь, пожалуйста.

— Меня зовут Паук, — снова перешел он на английский. — Я хочу сделать заявление для английской... даже для мировой прессы. Понял?

— Да, понял. Я готов к разговору с вами, мистер Паук.

— Готов он... урод, — пробормотал Паук. — Слушай меня внимательно, недоносок британский... Через три минуты ты должен стоять под дверью нашей твердыни...

— Вашей... что?

— У входа в больничку, урод чухонский. На пороге Ада... Придешь один.

Когда прозвучали эти слова, офицеры «Града» быстро переглянулись.

— Джастин момент, — быстро сказал я. — Здесь есть русские коллеги-журналисты... тиви... они хотят брать интервью...

— Засунь их в свою английскую жопу, урод, Черчилль гребаный... Я и тебе-то не верю, а не то что «рюсским жюрналистам». Понял?

— Я только хотел сказать, мистер Паук, что...

— Говорить будешь, когда я тебе разрешу! Придешь один, перед дверью разденешься до трусов.

— Простите?

— До трусов! С собой возьмешь только диктофон. Все! Больше в руках — ничего. Понял?

Переговорщик быстро подвинул мне раскрытый блокнот. На страничке было написано печатными буквами: «Вы можете отказаться».

— Понял, мистер Паук... Я иду.

* * *

Я на секунду приостановился на подножке автобуса. Впереди лежала пустынная улица, маячили мощные фигуры омоновцев. Солнце висело за облаками слабенькое, блеклое. Из толпы зевак за оцеплением на меня оторопело уставился Володя Соболин... Сто пудов, Володя, сто пудов... Жди приказ... если, конечно, мистер Паук не очень голоден и не надумает приготовить из меня ужин.

Я шагнул со ступеньки на асфальт. В спину мне смотрели мои коллеги-журналисты — офицеры «Града». Я пошел к старинной петербургской арке. К одной из тысяч петербургских арок, которые так хорошо выглядят в кино и так непрезентабельно в натуре. Вперед, журналюга! Тебя ждет изысканная компания Паука, Оборотня и Мерзавца... нет, Негодяя. А мне они уже присвоили прозвище Урод... Мило, очень мило. Позвольте представиться: Урод... оч-ч... приятно... Урод... оч-ч приятно.

Я шел по выщербленному асфальту, и арка эхом повторяла мои шаги... шлеп да шлеп... Урод идет брать интервью у сироток, усыновленных Дьяволом. В заключении психиатра, проводившего экспертизу Смирнова-Козырева, идейного лидера сироток, написано: «У него не сформировано представление о ценности жизни как собственной, так и чужой. Другие воспринимаются функционально, как объекты для удовлетворения собственных импульсов и влечений. Представления об общечеловеческих ценностях не сформированы».

Интересно, насколько сильно «усыновленные» отличаются от своего лидера?.. Я вспомнил крик женщины, которую «пощекотали»... Наверно, они отличаются не очень сильно.

Я вышел из-под арки. Передо мной лежал двор-колодец. Такой же, как тысячи других дворов, романтичных в кино и не особо приглядных в жизни. «Второй подъезд справа, — сказал офицер-„градовец", — третий этаж». Я поднял глаза. В щели между шторами белело лицо. Кого: Паука? Оборотня? Негодяя?

— Вы можете отказаться, Андрей, — сказал Костин. — Дело далеко не безопасное, и мы не имеем права вас использовать помимо вашего желания. Подумайте... никто вас не осудит.

— Пойду, Игорь Иваныч... познакомлюсь с сиротками.

— Вы понимаете, что, как только вы окажетесь внутри, мы уже ничем не сможем вам помочь?

— Понимаю. Но я, знаете ли, любопытен без меры. Схожу — познакомлюсь.

— Ну... удачи тебе.

Я пересек двор. У дверей на стене висела табличка: «Клиника профессора Болотовского». И другая, поменьше — «Клиника: третий этаж»... Зрасьте, я к профессору. Нервишки у меня, знаете ли... — А профессор, голубчик, занят. Вас примет его ассистент Паук. Как вас представить? — Скажите, пришел Урод. — Оч-ч, оч-ч приятно, господин Урод.

Я взялся за ручку двери... заскрипела пружина. И я вошел в подъезд. Ступеньки... почтовые ящики... Двое мужчин в штатском, еще двое в бронежилетах и шлемах...

— Третий этаж, — сказал мне мужчина в штатском.

— Знаю, — ответил я.

Ступеньки... Удачи — шепот в спину... ступеньки. Пятьдесят две ступеньки широкой просторной лестницы. Площадка третьего этажа. Стальная дверь с телекамерой и сияющей табличкой: «Клиника профессора Болотовского». Камера смотрела сверху сине-фиолетовым зрачком, белым от ненависти сетчатым паучьим глазом...

Паук растопырил мохнатые мускулистые лапы, прильнул к микроскопу и стал пристально изучать урода. Как там называется наука, изучающая уродства? Кажется — тератология...

— Раздевайся, — сказал Паук Уроду.

И я начал раздеваться. Наверно, это выглядело дико: взрослый человек раздевается посреди лестничной площадки, складывает на пол одежду.

— Штаны тоже снимай.

Я пожал плечами и снял джинсы. Теперь я остался в трусах, носках и часах — ...гардеробчик!

— Сейчас я открою дверь, — сказал Паук в переговорное устройство. — Если вдруг у ментов есть какие-то сюрпризы., ты умрешь первым. Понял, тупоголовый?

Я кивнул... щелкнул замок, я распахнул дверь.

* * *

Я распахнул дверь. На меня глядели глаза, на меня глядели стволы.

— Быстро! Быстро дверь закрывай, урод...

Я вошел и закрыл дверь. Щелкнул замок.

— Стой на месте, — сказал человек в маске мертвеца. Он направлял мне в живот обрез двустволки. Нас разделяло метра три. И еще стволы, и натянутая в несколько рядов проволока — растяжки! За спиной человека в маске стояла обнаженная женщина. Она была привязана за руки — как распята! Еще пятеро заложников лежали на полу. У всех на голове — наволочки.

В глубине помещения стоял человек с собачьей головой. В правой руке — ТТ. Третий террорист в маске гориллы был вооружен револьвером.

— Я Паук, — сказал человек в маске мертвеца. — Я буду говорить. Мы, Усыновленные Дьяволом, бросили вызов государству и человечеству. Наш товарищ находится в тюрьме.

— Он совершил преступление? — спросил я.

— А что такое преступление, англ? В вашем ханжеском мире всякий свободный человек объявляется преступником. Так, урод?

— Э-э...

— Заткнись! Тебя никто не спрашивает. Мы, Усыновленные Дьяволом, не подчиняемся законам вашего продажного мира. Мы создаем свой мир и свои законы. Мы вышли из мрака ночи и уйдем во мрак. Наш путь орошен кровью и освещен отблеском пожаров.

...Сзади, из-за спины Паука, на меня смотрели широко распахнутые глаза женщины. В них был ужас. А Паук нес свою ахинею и не мог остановиться. Он размахивал обрезом и вещал... крутилась кассета в диктофоне, я с заинтересованным видом кивал головой.

— Но сейчас, — сказал Паук, — когда наш товарищ, наш соратник, сидит в тюрьме, наша главная задача — освободить его. Мы, Усыновленные Дьяволом, выдвинули властям требования: немедленно освободить его, выплатить нам компенсацию в размере миллиона долларов и предоставить нам большую птицу.

— Большую птицу?

— Вертолет, тупица... геликоптер. Понял?

— О да... я понял. А куда, мистер Паук, вы намерены лететь?

— Усыновленные Дьяволом полетят на Запад!

Да, подумал я, вы там очень нужны. Вас там ждут не дождутся.

— На Запад! В Скандинавию. Туда, где смыкается черный круг и высится эзотерический утес. И черное солнце встает из ледяной глубины океана...

— Вы очень интересно говорите. На Западе вы будете иметь большой успех.

— Ты ничего не понял, червь... Ты паскудный британский червь. Пошел вон, слизняк. И передай ментам, что через тридцать минут я отрежу бабенке голову... Да, сам оставайся с ментами. Еще можешь понадобиться. Теперь — иди.

* * *

Я одевался на лестнице. И видел глаза женщины, наполненные ужасом. И слышал бред про эзотерический утес. Все происходящее казалось ложью, дешевой голливудской поделкой про маньяков. Но глаза смотрели и голос звучал. Скалилась маска мертвеца...

Я оделся, набросил «натовку» на плечи и спустился вниз по пятидесяти двум ступенькам широкой старинной лестницы. Я шел вниз, но казалось — карабкаюсь вверх. Было очень тяжело... Утес, говоришь, эзотерический?

Я пересек двор, прошел тоннелем арки и вышел к автобусу.

— Ну что, Андрей? — спросил меня переговорщик.

— Худо... Паук обещает через тридцать минут отрезать заложнице голову. И я не берусь утверждать, что он блефует. Он — псих.

— Что относительно растяжек? — спросил «градовец».

— Полно. Приемную, во всяком случае, они полностью опутали: и у входа, и на окнах. Думаю, что штурм совершенно неуместен.

— Оружие?

— Я видел револьвер, ТТ и обрез двустволки. Но главную опасность представляют они сами по себе. Вот! — я положил на столик диктофон, перемотал и включил воспроизведение.

«Мы, темные братья Мрака, выковали наши мечи на могильных холмах... Мы разожгли черное пламя ненависти и космического ужаса. Мы — воины Сатаны, пожиратели трупов...»

— Что это за бред? — спросил кто-то.

— Это заявление для прессы, — ответил я. Переговорщик покачал головой:

— Они деградируют на глазах. Начинали-то ведь по-другому, разумно и, я бы сказал, обдуманно.

— Вошли в образ, — заметил один из чиновников.

— Да нет, он совершенно искренен и сам верит в то, что говорит, — ответил переговорщик. — Он очень опасен.

Вдали показался блеск мигалок, и спустя минуту к «пазику» подъехал темно-синий «вольво-850». Следом катил бронированный инкассаторский автомобиль.

«Вольвуха», видимо, принадлежала какому-то уж очень большому начальнику... Я решил так по виду

426

наших чиновников, по выражению их лиц, и — грешный человек — я подумал, что нет в природе гармонии, нет. Мы только считаем, что все продумано, гармонично и в высшей степени совершенно... Это, однако же, не так. Ежели бы природа стремилась к совершенству, у чиновников обязательно были бы хвосты! Возможно, лохматые, собачьи, или лысые, как у крысы... не важно. Но обязательно были бы! Потому что хвостом гораздо проще демонстрировать свой административный восторг при виде чиновника рангом выше себя. А поджимая хвост, хорошо показывать, что ты признаешь отдельные недостатки... При выходе на пенсию (я бы даже сказал: на заслуженный отдых) или в качестве наказания хвост можно купировать.

Но нет хвостов, нет! Природа несовершенна, говорю я скорбно.

— Вице! — прошелестел шепоток среди наших чиновников. — Вице-губернатор... Александр Петрович.

Вице-губернатор поднялся в салон автобуса, поздоровался, присел у столика. Валерий Вячеславович взялся доложить ситуацию. Сделал он это, надо сказать, умело и естественно, демонстрируя высокий класс чиновничьего высшего пилотажа.

Ежели не знать реального расклада сил, то получалось так, что именно Валерий Вячеславович здесь, на месте, руководит всей операцией и именно под его мудрым руководством удалось провести разведку с проникновением в помещение... Вот так!

Вице-губернатор, однако, технологией чиновничьих раскладов (и докладов) тоже владел. После того как Валерий Вячеславович закончил, он задал вопрос Костину:

— Кто ходил в клинику?

Костин указал на меня.

— Доложите, — сказал вице, глядя мимо меня.

Я доложил.

— Черт знает что, — раздраженно сказал вице. — Неужели нельзя было найти настоящего журналиста?

— Я тоже не игрушечный, — ответил я.

Костин посмотрел на меня, как бы показывая глазами: не заводись, плюнь, — и быстро сказал:

— Андрей Викторович — журналист. Директор известного агентства «Золотая пуля», автор нескольких книг.

— А-а... тот самый, — сказал «вице». И чиновники потупились: да, дескать, тот самый... вот с кем общаться приходиться. А что поделаешь? Но мы не виноваты — это чекисты его притащили. — А почему именно вы ходили к террористам? — спросил «вице».

— Так сложились обстоятельства, Александр Петрович.

— Обстоятельства создаются людьми, — ответил он. — Их действиями или бездействием. Впрочем, сейчас меня интересует совершенно конкретный вопрос: ваше личное впечатление от общения с негодяями... Возможно, даже хорошо, что в клинику ходили именно вы — литератор. Тут очень важен некий внутренний настрой... умение не столько анализировать, сколько чувствовать. Верно?

Я пожал плечами: возможно. Высказался в том духе, что ребятки вконец отмороженные... «Прирожденные убийцы». Тут и чувствовать особенно нечего. И в самое ближайшее время мы можем получить голову одной из заложниц.

— Звоните, — раздраженно буркнул вице. — Деньги я привез.

Переговорщик набрал номер. В автобусе стало очень тихо, и только из динамика лились гудки... один, другой, третий.

— Да, — отозвался Паук.

— Мы привезли деньги. Слышишь меня, Паук?

— Всю... сумму? Миллион баксов?

Переговорщик посмотрел на вице-губернатора. Тот показал глазами: да, всю сумму.

— Да, Паук, всю сумму, один миллион долларов. Как видишь, мы держим слово.

— Пока я ничего не вижу: ни денег, ни вертолета, ни своего темного брата.

— Деньги мы можем доставить тебе прямо сейчас.

— Я перезвоню через пять минут, — ответил Паук и отключился.

Стало тихо. Я спустился на нижнюю ступеньку, закурил. Рядом стоял бронированный уродливый инкассаторский автомобиль. В его стальном чреве лежал миллион долларов. Цифра, был убежден я, не случайна — именно миллион ребятишки хотели получить за уран. Не вышло... теперь они вновь пытаются овладеть столь желанным миллионом. Интересно, зачем Усыновленным Дьяволом деньги? Зачем презренные бумажки темным братьям, владеющим эзотерическими знаниями?

Скорее всего — на наркоту... Сколько доз героина можно купить на Западе за миллион? Черт его знает. Ясно одно — много. Вот и вся эзотерика.

Зазвонил телефон, и я вернулся в салон.

— Паук говорит, — возвестил динамик.

— Слушаю тебя, Паук.

— Несите деньги... Английский слизняк еще не ушел?

— Журналист? — переспросил переговорщик.

— Британский буржуазный писака, кусок дерьма... не ушел?

— Нет, — ответил переговорщик. — Он здесь.

— Вот он и принесет бабки.

— Видишь ли, Паук... деньги должен передать официальный представитель Центробанка России. Такова процедура.

— Ты, урод, будешь ставить мне условия? — спросил Паук зловеще.

— Разумеется, нет, — ответил переговорщик, — всегда можно найти компромисс, верно, Паук? Мы готовы передать деньги любым способом, но и вы должны продемонстрировать волю к диалогу, отпустив женщин.

— Бабки! Вертолет! Освобождение нашего брата! Потом — разговор о заложниках. Понял?

— Я должен поговорить с английским журналистом... возможно, он не захочет...

— А его, слизняка, никто и не спрашивает! — заревел Паук. — Если через десять минут этот урод не принесет нам наш миллион — я режу голову бабенке. Все!

Пошли гудки отбоя.

— Вот результат вашего либерализма и мягкотелости, — веско сказал переговорщику Валерий Вячеславович, украдкой поглядывая на вице-губернатора. — Теперь не вы, а они навязывают вам решения.

— Почему «теперь»? — пожал плечами переговорщик. — С самого начала террорист всегда находится в выигрышных условиях, у него в руках козыри — жизнь заложников.

— Если, — продолжал настаивать Валерий Вячеславович, — сразу жестко и бескомпромиссно дать понять преступникам, что ни о каких переговорах не может быть и речи, то они сами сдадутся... дабы не отягощать свою участь.

Офицеры ФСБ переглянулись. Довольно-таки скептически. Внезапно раздался голос Александра Петровича:

— Возможно, мне стоит переговорить с этим... Пауком?

— Александр Петрович, — сказал Валерий Вячеславович, — я думаю, делать этого нельзя. Это может нанести непоправимый вред.

— Чему это может нанести вред?

— Вашему авторитету, — негромко (но все услышали) сказал чиновник.

— Александр Петрович, — сказал другой. — Наверное, в этой ситуации стоит проявить... э-э... разумную осторожность. Дело-то может получить неожиданную интерпретацию и (чиновник сбоку посмотрел на меня) раздуто прессой. Вы вспомните девяносто пятый год, переговоры Виктора Степановича Черномырдина с Шамилем Басаевым...

— Я помню.

— Ведь сколько грязи вылили на Виктора Степановича потом. Всю жизнь не отмоешься!

Валерий Вячеславович кашлянул в кулак и поддержал своего коллегу:

— Действительно. Да и сам стиль общения этого Паука совершенно недопустим. Он позволяет себе оскорбления. Политику вашего уровня непозволительно выслушивать подобные заявления об...

— Хватит, — оборвал вице-губернатор. Чиновник замолчал. Александр Петрович обратился к переговорщику: — Скажите, мое обращение могло бы сыграть положительную роль?

— Нет, — твердо ответил переговорщик. — К сожалению, Александр Петрович, в нашем случае — нет.

— Почему? Можете объяснить?

— Да, могу. Все дело в том, что мы встретились с не совсем обычными преступниками. А с людьми, одержимыми бредовыми идеями. Среди мешанины этих представлений — отрицание власти, общества, законов и так далее. Вице-губернатор в их глазах — олицетворение власти, которую они презирают и ненавидят. Боюсь, Александр Петрович, что ваше вмешательство только подогреет их агрессию... извините.

— Я понял, — облегченно ответил вице-губернатор и посмотрел на часы. Все остальные тоже. Прошло уже семь минут из отпущенных нам Пауком десяти.

— Надо идти, Андрей, — сказал Костин. — Ты готов?

* * *

Деньги оказались в самой обычной картонной коробке (но не от ксерокса). Я сегодня ничему больше не удивлялся.

Я взял коробку с миллионом баксов под мышку и пошел знакомой уже дорогой: через мрачноватый тоннель арки, через двор-колодец... из окна на третьем этаже на меня смотрели глаза мертвеца. Двое мужчин в штатском и двое в форме ничего мне не сказали. Пятьдесят две ступеньки вверх... глаз телекамеры... и голос из переговорника:

— Раздевайся, англ.

Я разделся. Сложил одежду на пол.

— Открывай коробку.

И я открыл коробку.

— Высыпай на пол... Я хочу видеть.

Я высыпал на свою куртку миллион баксов. Никаких эмоций я не испытывал — как будто это была туалетная бумага. Сто рулонов туалетной бумаги с водяными знаками и какими-то там хитрыми степенями защиты... От кого? От безумных «Усыновленных Дьяволом»?

— Сложи баксы обратно в коробку. Подойди к двери.

Я небрежно покидал пачки обратно — получилось «с горкой», не так, как у педантичных банковских служащих, подошел. Дверь раскрылась:

— Входи, урод... Быстро!

И снова я встретился глазами с женщиной, привязанной у стены. Ужас в ее глазах, отчаянье, крик... А я стоял и держал в руках идиотскую коробку с американским лимоном. И сам ощущал себя законченным идиотом... А кем еще я мог себя ощущать?

...Лестничная площадка, пятьдесят две ступени вниз, двор, арка, автобус.

* * *

Моего возвращения ждали, ждали информации. Но мне нечем было порадовать собравшихся в автобусе людей.

— Нет, — качнул я головой, — в лучшую сторону не изменилось ничего.

— А я говорил, что путем уступок мы ничего не добьемся, — сказал Валерий Вячеславович. Он сказал это как будто себе, но для меня было очевидно, что его фраза предназначалась в первую очередь для вице-губернатора и должна продемонстрировать решительность и дальновидность Валерия Вячеславовича.

Пока я отсутствовал, состав собравшихся изменился: исчезли мои «коллеги-журналисты», зато появились люди в форме. Один в форме гражданской авиации, двое других — в военной.

— Я не вижу никакой возможности посадить вертолет в непосредственной близости отсюда, — говорил «летун», разглядывая схему. — Здесь просто нет места для посадки «Ми-8» — сплошная застройка.

— А здесь... или, например, здесь? — спрашивал Костин, показывая на схеме. — По-моему, достаточно много места...

— Это по-вашему. А по-нашему — существуют инструкции, обойти которые мы не имеем права... Любой полет над городом, а уж тем более посадка в городской черте — серьезнейший вопрос. Партизанщина недопустима и даже преступна.

Я скромно сел в уголке, ко мне подсел Спиридонов.

— Думаю, — сказал он, — мы уже достаточно вас сегодня поэксплуатировали, Андрей... Поезжайте домой, хлопните сто граммов. По себе знаю, каких нервов все это стоит.

Возможно, я бы и ушел, но вмешался переговорщик:

— Прошу вас остаться, Андрей... Не исключено, что ваша помощь может еще понадобиться. Ежели бандиты сами проявили инициативу, вызвав именно вас для второго контакта, — значит, вам «доверяют». Или, по крайней мере, вы не вызываете у них чувства тревоги, опасности... Возможно, ситуация потребует вашего участия.

Так вот и получилось, что я остался. Спасибо «за доверие», господин Паук. Постараюсь оправдать.

— Здесь? — спросил, глядя на схему, «летун». — Здесь, пожалуй, можно... пустырь большой. Но желательно выехать на место, посмотреть своими глазами. Может, там уже ларьков понаставили...

— Вас отвезут, — ответил Костин. — Вместе с вами поедут наши ребята... им тоже нужно осмотреть место.

Костин, офицер из «Града» и «летун» вышли. На улице заворчал мотор «волги».

* * *

Снова зазвенел телефон, и переговорщик снял трубку.

— Слушаю вас, — сказал он.

— Я — Паук. Сто пачек вашего буржуазного дерьма получил... Вижу, до вас начинает доходить...

Теперь нам нужен наш темный брат и большая птица.

— Все вопросы будут решены в самое ближайшее время. Вопрос с вертолетом уже практически решен — мы подыскиваем посадочную площадку... Ми-8 — большая машина, во дворе ее не посадишь, верно?

Несколько секунд Паук молчал. Видимо, искал подвоха. Потом спросил:

— А наш брат? Когда вы доставите нашего брата?

— Вопрос решается, Паук... Нам очень трудно убедить московские власти, что вы согласны на диалог. Ведь мы-то выполняем ваши условия, а вы не освобождаете заложников.

— Вертолет и наш брат! Потом — заложники!

— Если бы вы освободили хотя бы женщин, нам было бы гораздо легче вести разговоры и с Москвой, и с Западом.

— Мы, Усыновленные Дьяволом, не видим разницы между Москвой и Западом... Мы, идущие во тьме, не принимаем условий ни Востока, ни Запада. Мы сами ставим условия. Мы ждем нашего брата и птицу. Через час присылай английского слизняка за головой бабы. А будет вертолет — отпущу слизняков в обмен на экипаж. Все! Пошло время...

* * *

— Нельзя им давать вертолета, Александр Петрович, — сказал один из военных — подполковник с петлицами связиста.

— Почему? — спросил вице-губернатор.

— Потому что уйдут... Совершенно не важно, куда они направятся. Если полет осуществлять на малой высоте, средствами ПВО нам будет их не обнаружить. Они могут вынудить экипаж, сесть в любом глухом месте, уничтожить и экипаж, и машину, а затем скрыться.

Александр Петрович задумался, побарабанил пальцами по столешнице. Валерий Вячеславович склонился к нему низко, заговорил:

— Этого категорически нельзя допустить, Александр Петрович. Добро, если они сядут на нашей территории... а если уйдут к финнам?

— Финны все равно их выдадут, — ответил вице.

— А политические последствия? — возразил чиновник.

— А жизнь заложников? — спросил губернатор. — Об этом вы подумали?.. Гибели людей допустить нельзя, момент не подходящий.

— Я понимаю и разделяю вашу обеспокоенность... Но политические последствия! Финское МИД не дает согласия на прием вертолета с террористами. И — представьте себе — он вдруг прилетает! Думаю, мы окажемся в весьма затруднительном положении.

— Вы, — раздраженно ответил вице-губернатор, — не окажетесь... Решение буду принимать я.

— Да-да, безусловно, это так... Однако можно поступить и по-другому.

— Конкретно?

— Конкретно — перестрелять негодяев в тот момент, когда они выйдут из помещения... или возле вертолета.

Вице-губернатор внимательно посмотрел на чиновника:

— Я допускаю, что чисто технически это возможно. А с этической точки зрения? Ведь это будет элементарный расстрел. Без решения суда, кстати... А признать человека виновным и определить ему наказание может только суд. Нет... нет. Момент не подходящий.

— Но мы спасем при этом жизнь людей.

— Нет. Мы, скорее, поставим их жизнь под угрозу. Готовьте вертолет, — с кислым видом подвел итог вице.

* * *

Вернулись сотрудники «Града» и спец из МГА. Вместе они осматривали место для посадки вертолета: пустырь в пяти минутах езды.

— Можно посадить вертушку, — сказал летун. А «градовцы» обследовали местность с учетом своих задач и тоже остались удовлетворены. После пятиминутного совещания Александр Петрович сказал:

— Добро, давайте вертолет, выходите на связь с этим Пауком.

— Александр Петрович, — сказал подполковник, — я еще раз напоминаю вам: уйдут. Уйдут они на малой высоте, и мы ничего не сможем сделать... Мы на себя такую ответственность взять...

— Ответственность на мне, — перебил вице-губернатор.

Подсуетился и Валерий Вячеславович:

— Александр Петрович, в случае пересечения террористами финской границы политические последствия...

— Мы уже обсуждали этот вопрос, достаточно. Я принял решение.

* * *

— Паук, — сказал в трубку переговорщик, — готовы ли вы к посадке в вертолет?

— Большая птица уже прилетела?

— Да. Она вас ждет на пустыре в километре отсюда.

— А наш брат? Где, ментяра, наш брат?

— Он встретит вас под Выборгом. Его увезли на следственный эксперимент в Выборг.

Паук разразился руганью. С криком, с визгом. Стало ясно: наступил критический момент... Усыновленный Дьяволом мог сделать любую глупость. Но глупость страшную, кровавую...

И вдруг замолчал, а в трубке зазвучал другой голос:

— Так, слушайте меня... Сейчас ваш человек принесет нам схему с указанием точного места посадки. Лучше, если это будет англичанин... Он еще у вас?

— Да, — ответил переговорщик. — Мистер Смит здесь. Простите, с кем я говорю?

— Можешь называть меня Негодяем... Итак, англичанин приносит схему, мы обсуждаем маршрут движения до пустыря, порядок посадки, транспорт. После этого принимаем решение по заложникам. Понял?

— Понял, — ответил переговорщик.

* * *

Третий раз за два часа я вошел в помещение клиники. Что-то здесь неуловимо изменилось. Внешне все было точно так же: проволока растяжек, заложники с наволочками на головах, «распятая» на стене женщина... Но что-то все-таки изменилось.

— Схему, — каркнул Паук, и я передал схему. Человек в маске собаки, всегда державшийся в глубине, подошел и взял ее у Паука. Разложил на столе. Его движения были точны, в них чувствовалась сила и уверенность... Внезапно я все понял. И обматерил себя за то, что не понял этого раньше.

Человек-собака спокойно изучил схему с обозначенным маршрутом движения, придвинул телефон, набрал номер.

— Негодяй на связи, — сказал он. — Я изучил маршрут. Думаю, вариант реальный... Через тридцать минут подайте к подъезду микроавтобус с тонированными стеклами... Найдется такой? ...Хорошо. Итак, подаете к подъезду микроавтобус. Ни в подъезде, ни во дворе не должно быть ни одной живой души. Это понятно?.. Хорошо. Водитель раскрывает все двери и уходит, к черту. Он нам не нужен. А вот журналиста мы до посадки в вертолет подержим у себя... Дальше: до пустыря нас сопровождает только один автомобиль ГАИ с мигалкой... Позаботьтесь, чтобы на нашем пути не было пробок. Заложников мы отпустим, когда окажемся возле вертолета — не раньше, но и не позже... Крови мы не хотим.

Паук дернулся, хотел что-то сказать, но человек-собака только посмотрел на него — и Паук сник.

— Ну, — сказал человек-собака, — мы, надеюсь, все согласовали?

Видимо, переговорщик сказал: да.

— Отлично. Давайте сверим часы.

* * *

Я сидел на полу в углу холла. Наблюдал, как человек-собака инструктирует заложников. Они тоже сидели вдоль стены в своих наволочках на голове. Женщину отвязали, и она обессиленно опустилась на пол. Ужас в ее глазах уже потух, сменился пустотой. За несколько часов, пока она стояла раздетой, успела замерзнуть... тело покрылось гусиной кожей, затвердели соски.

— Минут через двадцать—двадцать пять вся эта история для вас закончится, — спокойно говорил человек-собака заложникам. — Если вы будете выполнять мои инструкции. Это понятно?

Головы в наволочках кивнули. Недружно, вразнобой.

— Сейчас попьете чайку... соберитесь с силами и пойдем. Держимся дружно, кучно, стайкой... Садимся в автобус, едем. Езды тут совсем ничего. А на месте нас уже ожидает вертолет. У вертолета мы и попрощаемся. Я понимаю, что вы пережили не лучшие часы... Я сожалею. Вам, мадам (человек-собака обратился к голой женщине), следует одеться...

Она сидела безучастно. Негодяй подвинул к ней ногой ворох белья и одежды.

— Мадам, — повторил он, — соберитесь, пожалуйста, вам следует одеться... следует успокоиться... Все будет хорошо.

Женщина кивнула, но продолжала сидеть неподвижно. В приемную вошел человек в маске гориллы. Он поставил на стол поднос с кофейником, чашками и даже бутылкой коньяка. Ушел, потом вернулся, поставил несколько мензурок.

— Вот и кофе, — сказал человек-собака. — Кстати, я рекомендую вам выпить и коньячка... снимает напряжение.

Я сидел в углу. Наблюдал. Ситуация стала ясна для меня окончательно... Не было никаких «Усыновленных Дьяволом». Не было! А был умный и циничный человек-собака, который ловко сумел использовать шизанутого Паука. Который сумел блестяще разыграть спектакль, ввести всех в заблуждение... Он, видимо, и не думал добиваться освобождения Смирнова-Козырева. Он, видимо, и не думал лететь за границу... С миллионов баксов он запросто и не худо устроится здесь... А Паука просто грохнет за ненадобностью.

Он получил то, что хотел — деньги, вертолет и гарантии. Они улетят куда-нибудь в глубинку, выведут из строя вертолет и скроются. Вполне возможно, в точке посадки уже ожидает автомобиль, а в кармане негодяя лежит комплект документов для новой безбедной жизни. Интересно — кто он, человек-собака? Действительно сообщник Смирнова-Козырева? Или он просто использовал ситуацию?.. Возможно, ответа мы не узнаем никогда. Но, в любом случае, сработал он толково.

Заложники сняли наволочки, приступили к кофейку. Я вглядывался в испуганные, напряженные лица. Человек в маске гориллы быстро и ловко прорезал в наволочках отверстия для глаз... Обнаженная женщина сидела на полу, обхватив колени.

— Кофе хотите? — спросил, присев около нее, Негодяй. Она кивнула. — Сейчас организуем... А коньячку?

Она опять кивнула. Человек-собака встал, подошел к столу и налил кофе в чашку. В медицинскую мензурку плеснул коньячку. Один из мужчин-заложников вдруг спросил:

— А можно и мне коньяку?

— Можно и нужно. Но в разумных пределах...

Мужчина быстро налил коньяк. Выпил. Негодяй отнес кофе и мензурку голой женщине, поставил на пол.

— Вот, — сказал он, — выпейте, успокойтесь... И оденьтесь, в конце-то концов.

Мужчина за столом снова налил себе коньяку, быстро выпил. И еще раз налил.

— Э-э, — сказал Оборотень, — хватит. Еще дело делать.

Мужчина послушно поставил мензурку на стол.

— Послушай, Негодяй, — произнес вдруг Паук.

— Что, темный брат? — спросил человек-собака.

Паук подошел к окну, показал стволами обреза в небо.

— Я слышу клекот большой птицы, — сказал он.

Я прислушался, но не услышал ничего. Негодяй тоже прислушался. И тоже, видимо, ничего не услышал. Он внимательно посмотрел на человека с лицом мертвеца и ответил:

— Да, брат. Большая птица уже рядом.

— И мы полетим на Запад?

— Да, брат, мы полетим на Запад.

Заложники за столом пили кофе, неподвижно сидела на полу голая женщина, так и не притронувшаяся к кофе и коньяку. Слушал «клекот большой птицы» Паук. Он был уже совершенно безумен.

* * *

— Пора, — сказал человек-собака. — Автобус уже у подъезда. Идем, господа, таким образом: плотной группой. Мы, Усыновленные Дьяволом, в центре... Вы, господа ПОМОЩНИКИ, по бокам. Плотно идем, прижимаясь друг к другу. Спокойно, не спеша. Впереди — господин журналист. Все мужчины должны надеть на голову наволочки. Там прорезаны отверстия для глаз, так что проблемы не будет.

— Негодяй, — сказал вдруг Паук, — я не хочу надевать наволочку. Мне нравится мое лицо... лицо мертвеца.

Человек-собака некоторое время смотрел на Паука молча.

А потом сказал:

— Ну что ж... может быть, так даже лучше. Иди с лицом мертвеца... Подъем, господа, подъем!

Люди за столиком встали, но женщина на полу продолжала сидеть. Негодяй подошел к ней, присел.

— Как вас зовут?

— Что?

— Как вас зовут?

— Людмила.

— Люда, нужно встать, одеться и идти... Вы понимаете?

— Да... дайте пальто.

Оборотень снял с вешалки серое бархатное пальто, подал Людмиле. Она поднялась, сказала: спасибо — и надела пальто на голое тело. Аккуратно застегнула все пуговицы.

— И сапоги, — попросила она. Оборотень подал ей серые замшевые сапоги. Она снова сказала: спасибо. Оборотень раздал всем наволочки с дырами для глаз. И мы их надели. И стали похожи на куклускла́новцев. Только женщины и Паук остались без дурных колпаков с дырами для глаз... Я посмотрел в лицо Людмилы и подумал, что оно мало отличается от маски мертвеца.

— Пошли, — сказал человек-собака.

* * *

Плотной стайкой мы спустились вниз. Пятьдесят две ступени... В подъезде никого не было. Возле подъезда, вплотную, стоял микроавтобус «тойота». Все его двери были распахнуты. Мигала «аварийка».

— Залезайте, господин журналист, — сказал мне в затылок Негодяй, — вперед, на водительское сиденье. Поведете вы.

Я пожал плечами, шагнул в салон, пробрался между сидений. На «торпеде» лежала радиостанция. Вслед за мной в автобус взбирались заложники и Усыновленные Дьяволом... компания «куклускла́новцев», собирающаяся на пикничок. Захлопали двери. Негодяй сел у меня за спиной.

— Дайте-ка мне радиостанцию, — приказал он.

Я передал ему радиостанцию, и он связался с переговорщиком:

— Мы выезжаем, — сказал он.— Надеюсь, вы помните наши договоренности?

— Все в порядке, — ответила черная коробка рации. — Мы в точности выполняем все, о чем договаривались... На улице вас ожидает машина сопровождения ГИБДД.

— Ладушки, надеюсь на ваше благоразумие... Поехали!

Я крутанул ключ, затарахтел дизельный движок.

— Я слышу клекот большой птицы, — прошептал Паук. — Она хочет мяса. Много сырого мяса!

Мне хотелось треснуть безумца по голове. Треснуть так, чтобы он заткнулся, откусил себе язык... Я включил передачу и направил «тойоту» под арку. Мигала аварийка, рокотал дизель, что-то бормотал Паук.

Микроавтобус проехал по неровному асфальту арки, выкатился на улицу. Посредине проспекта стоял милицейский «жигуленок» с включенной мигалкой. Я пристроился «в хвост»... поехали. Проспект был абсолютно пуст. На перекрестках стояли, перекрывая движение, гаишники. Чем-то все это напоминало кино. Наволочки с дырами, идиотская маска мертвеца...

Мы ехали минуты полторы. Затем гаишный «жигуленок» показал левый поворот и свернул в проезд между домами. За детской площадкой стояли гаражи. Над гаражными крышами виднелись вертолетные лопасти, похожие на листья гигантской стальной пальмы. Кажется, они даже слегка покачивались. Мы обогнули гаражи и выехали на пустырь. Видимо, здесь затевалось какое-то строительство: лежали кучи гравия, песка, щебня, бетонные кольца и трубы, на краю застыл бульдозер. По периметру расположились бойцы «Града». В центре этого «пейзажа» стоял вертолет. До него было метров сорок. Но их нам предстояло пройти пешком, проехать на «тойоте» через этот «танкодром» нереально.

Я заглушил движок. В наступившей тишине прозвучал голос Паука:

— Большая птица... большая стальная птица. Она хочет мяса. Сырого мяса... человечины.

За моей спиной послышался голос Негодяя:

— Эй! Мы на месте... Слышишь меня?

— Слышу хорошо. Есть проблемы?

— На хрен здесь оцепление? Что за дела?

— Оцепление только для того, чтобы не пускать зевак. Зря ты волнуешься.

— Это вам надо волноваться, а не мне... Снимите своих бойцов, отзовите гаишников. Понял?

— Хорошо, все сделаем... Нам самим ни к чему осложнения.

Спустя несколько секунд гаишный «жигуленок» резко развернулся и уехал. «Градовцы» враз тоже исчезли. На пустыре остались вертолет и мы... Было очень тихо. Покачивались вертолетные лопасти, ветер нес через пустырь скомканную газету.

Негодяй напряженно всматривался в темно-зеленый фюзеляж. Бормотал Паук...

Негодяй снова поднес к губам, то есть к наволочке, рацию:

— Эй, приятель, сейчас мы выйдем... давай без глупостей.

— Мы же договорились. Для нас главное — жизнь заложников. Ты обещал отпустить.

— Отпущу... не нужна мне обуза, мне экипажа хватит. Прощай.

Негодяй прервал связь. Спиной, затылком я ощущал его неуверенность. Он нормально держался, но все равно я ощущал его напряжение, неуверенность и страх.

— Ну, что, — сказал он через несколько секунд. — Пошли, что ли?

Никто не ответил.

— Пошли, — сказал он и тронул меня за плечо:

— Ты первый, англичанин... Выйдешь и стой рядом.

Я раскрыл дверцу и выпрыгнул на землю.

...Мы шли к большой птице молча. Только Паук бормотал, бормотал, бормотал неустанно. На боку бетонного кольца он увидел изображение перевернутой пентаграммы... Он увидел и заорал:

— Братья! Братья дают нам знак! Ты видишь, Негодяй?

Негодяй не ответил. Он шел у меня за спиной, держал в правой руке пистолет, нес за спиной рюкзак с баксами. Он был очень напряжен. До вертолета осталось около двадцати метров. Тридцать—тридцать пять шагов... совсем ерунда!

Потом осталось пятнадцать метров... потом десять... А потом вскрикнула Людмила. Я обернулся. Все остановились.

Женщина сидела на земле, смотрела на ногу в замшевом сапоге с высоченным каблуком... На глазах выступили слезы.

— Я... я упала, — сказала она. — Нога подвернулась.

— Вставайте, — ответил Негодяй.

— Я, кажется, не могу.

Она попробовала встать и не смогла.

— Вставай, мясо! — заорал вдруг Паук.

Негодяй взмахнул рукой с пистолетом и сказал:

— Ладно. Это уже в сущности не важно... пошли.

— Нет, пусть она встанет... я возьму ее с собой. На ужин нашей птичке. Птица хочет сырого мяса.

— Не дури, Паук. Пойдем, — произнес Негодяй, оглядываясь по сторонам.

— Птице нужно мясо,— повторил Паук упрямо.— Вставай, тварь!

Он направил на женщину обрез. Она все также сидела на земле, по лицу текли слезы.

— Паук! — сказал Негодяй требовательно.

— Вставай, — заорал Паук и взвел курки.

— А пошел ты, сволочь! — выкрикнула вдруг женщина.— Стреляй, дерьмо. Стреляй! Плевала я на тебя... стреляй, сволочь!

Паук медленно поднял обрез... И грохнул выстрел. Паук с простреленной головой медленно опустился на землю. По резиновой маске мертвеца текла настоящая кровь.

И — с чудовищным грохотом, вздымая фонтаны песка — начали взрываться вокруг нас песчаные кучи. Вспышки ослепляли. За этим ярким — невероятно ярким! — светом уже бежали мощные фигуры в черном. Но я этого не видел. Ослепленный, оглушенный, я упал на землю. Через секунду в затылок мне уперся ствол автомата, сверху рухнуло не шибко-то легкое тело. Потом мне заломали руки и надели наручники.

* * *

Когда я очухался, спросил:
— Что это было — «Заря»?[*]
— Нет, но в общем-то из того же ряда... Понравилось?
— Нормально. А зачем меня-то повязали?
— Так уж — извини, разбираться было некогда. Все поголовно в наволочках. А времени нет, счет идет на секунды. Не помяли?
— Есть маленько. Ну да ничего, я борьбой занимался, к таким штукам не привыкать... А наволочка... что ж наволочка? Могли бы по одежде сориентироваться.
— Нет, Андрей, не могли. Нельзя исключить, что преступники могут обменяться одеждой с заложниками. Такие случаи бывали. Так что лучше, как говорится, перебдеть.
— Это точно, — согласился я.

Так вот и закончилась история с урановым миллионом. Когда два с лишним месяца назад я встретился белой ночью со Славой Докером возле «Европы», я даже не мог предположить, как далеко она меня заведет...

Арестованные Негодяй и Оборотень оказались сотрудниками милиции в прошлом. К делу «об уране» они имели только косвенное отношение, но когда узнали эту историю от наркомана Паука, который «контачил» со Смирновым-Козыревым, то решили на этом заработать. Выбрали «басаевский» вариант и

---

[*] «Заря» — специальная светошумовая граната. Дает очень высокой яркости вспышку и невыносимой громкости звук.

красиво обставились... А ведь у них почти получилось!

Лететь на Запад они и не собирались. Освобождать наркота-прапорщика — тем более. Вертолет должен был вылететь в Карелию. Там их уже поджидал напарник на УАЗе. Вот и весь эзотерический утес! Кстати, своего брата Паука они действительно собирались убить.

А ведь почти получилось! Но почти не считается...

Да, а приказ на Соболина я не издал. Он сам ко мне пришел с повинной головой: черт, говорит, попутал. И я подумал, что, может быть, так и оно есть. Я так Соболину и сказал:

— Это запросто... Усыновленные Дьяволом идут во мраке ночи.

— Чего? — удивленно спросил Володя.

— Да ничего. Просто... заявление для прессы.

СОДЕРЖАНИЕ

Андрей КОНСТАНТИНОВ

Агентство «Золотая пуля»-2

Сборник новелл

Серия «Агентство "Золотая пуля"»

Ответственные за выпуск
Л. Б. Лаврова, Я. Ю. Матвеева
Корректор
О. П. Васильева
Верстка
О. Р. Титовой

Налоговая льгота — Общероссийский классификатор продукции
ОК-005-93, том 2; 953000 — книги, брошюры.

Лицензия ИД № 02040 от 13.06.00
Лицензия ЛР № 070099 от 03.09.96

Подписано в печать 14.06.2001.
Формат 84×108¹/₃₂. Печать офсетная.
Бумага газетная. Гарнитура «Балтика».
Уч.-изд. л. 18,32. Усл. печ. л. 23,52.
Изд. № 00-1815-ЗП. Доп. тираж 7000 экз. Заказ №504.

Издательский Дом «НЕВА»
199155, Санкт-Петербург, ул. Одоевского, 29

Издательство «ОЛМА-ПРЕСС»
129075, Москва, Звездный бульвар, 23

Отпечатано с готовых диапозитивов
в полиграфической фирме «КРАСНЫЙ ПРОЛЕТАРИЙ»
103473, Москва, Краснопролетарская, 16